EEN DAL VAN DUISTERNIS

Van Linda Nichols verscheen eerder:
Geen musje zal vallen
Als ik de liefde niet had

Linda Nichols

Een dal van duisternis

Roman

Vertaald door Lia van Aken

Tweede druk

uitgeverij

KOK

Voor Ken, mijn echtgenoot, een godvrezend man.

Tweede druk, 2007

Uitgeverij Kok - Kampen, 2005
Postbus 5018, 8260 GA Kampen
www.kok.nl

Oorspronkelijke uitgave © Linda Nichols, 2004
www.lindanichols.org
Oorspronkelijk verschenen als *At the scent of water* bij Bethany House Publishers,
11400 Hampshire Avenue South, Bloomington, Minnesota 55438, USA.
Bethany House Publishers is a division of Baker Book House Company, Grand
Rapids, Michigan, USA.
www.bethanyhouse.com

Aangehaalde liedtekst: 'Eastern Gate', I.G. Martin. Alle rechten voorbehouden.
Internationaal copyright vastgelegd. Gebruikt met toestemming.

Vertaling Lia van Aken
Omslagillustratie Bethany House Publishers
Omslagontwerp Prins en Prins vormgevers
ISBN 978 90 435 1064 6
NUR 302

Want voor een boom blijft er nog hoop; wordt die omgehouwen, hij loopt weer uit, en zijn nieuwe scheuten blijven niet achterwege. Wanneer zijn wortel in de aarde veroudert en zijn tronk in de grond afsterft, dan bot hij weer uit, zodra hij water ruikt, en schiet twijgen als een jonge plant.

Job 14:7-9

Proloog

De verjaardagsclub kwam nu al vijf jaar bij elkaar in The Inn in Smoky Hollow. Normaal gesproken zouden ze gerouleerd hebben – elk jaar werden de juniverjaardagen ergens anders gevierd. Maar de verjaardag van Ginny was de enig overgebleven verjaardag in juni sinds Evelyn gestorven was, en al vijf jaar lang had ze The Inn gekozen, hoewel ze niet bijzonder veel gaf om gesauteerde forel en het eten was er een beetje duur. Het was een chiquer restaurant dan ze gewend was, maar toch had ze het gekozen. Allemaal vanwege de man aan het tafeltje in de hoek.

Die er nog niet was. Ze zag de serveerster tafelzilver en servetten neerleggen, de waterglazen op hun plaats zetten, de fles in de ijsemmer stoppen – hetzelfde als elk jaar. Ginny keek naar de deur. Nog steeds niets. Ze richtte haar aandacht weer op Cora, die zat te wachten tot Ginny haar bedankte voor het abonnement op een glossy maandblad dat Cora voor haar had gekocht. Ginny keek het blad nog maar zelden in en kon nog net goed genoeg zien om haar grote letter Bijbel te lezen, maar Cora was een gewoontemens. Ginny beantwoordde dit door elk jaar in december een abonnement te kopen als Cora jarig was. Voor zichzelf zou Cora zoiets niet kopen, maar ze kon niet leven zonder haar kruiswoordpuzzel. Ze droeg hem bij zich in haar tasje en was geneigd hem op de raarste momenten tevoorschijn te halen om een paar woorden in te vullen. Ginny kon niet begrijpen hoe iemand er langer dan vijf minuten over kon doen om het hele geval in te vullen, maar dat was echt Cora

– ze bedacht het juiste antwoord en zat dan een uur lang te aarzelen en te tobben voordat ze het opschreef. 'Dus je weet *absoluut zeker* dat Linda Purl de eerste dochter was in *Matlock*? Want ik dacht eigenlijk dat het die andere was – dat grietje met dat rode haar.' Enzovoort.

Ginny plakte een grote glimlach op en klopte Cora op de hand – een oude, dooraderde hand. Ze keek naar het gezicht van haar vriendin – de huid gerimpeld en dun als perkament – en ze voelde zich vertederd. Cora was bijna al haar negenenzeventig jaren haar vriendin geweest, net als de anderen, want ze hadden als meisjes samen op de zondagsschool gezeten. Bijna tachtig jaren van hartzeer en geluk, van verkeringen en huwelijken, geboorten en dood, verdriet en vreugde. Van verjaardagen.

'Dank je wel, lieverd,' zei Ginny en Cora straalde, zonder twijfel denkend dat Ginny tranen in haar ogen had om het liefdevolle geschenk.

'Graag gedaan,' antwoordde Cora, met een knoestige vinger op de het tijdschrift tikkend. 'Ik wist dat je het verwachtte.'

Ginny glimlachte, deze keer echt, en ze keek vertederd naar de kletsende vriendinnen om haar heen. Ze waren door de jaren heen verspreid, weg van het kleine stadje waar het allemaal begonnen was, en deze verjaardagsuitjes waren voor hen de kans om bij te praten. Marie vertelde Laura over haar achterkleinzoon. Hij was toegelaten op een of andere grote school en ze zwol van trots. Om zich niet te laten overtreffen, bracht Cora in het midden dat haar achterkleindochter voor het derde semester achter elkaar de beste leerlinge van de vierde klas was geworden. Ginny keek weer naar de deur. Dat stuk glas dat ze er vorig jaar in gezet hadden – een driekwart van de deur vullende ruit van geëtste ijsbloemen – beperkte haar zicht. Ze kon alleen maar benen zien en bovenkanten van hoofden. Daar kwamen er een paar, een heel stel damessandalen, grote mannenvoeten en mollige kinderbeentjes. Hoopvol keek ze toe. Misschien had hij het aangelegd met de dame van de lege stoel en waren ze dit jaar met de hele familie teruggekomen om het te vieren. De benen en hoofden kwamen de hoek om. Ginny nam ze snel van top tot teen op. Er waren geen bekenden bij. De grote groep kwam binnen in een lange rij en nam plaats aan de grote, ronde tafel in het midden. De hoek was nog steeds leeg.

De serveerster kwam de kopjes bijvullen. 'Wilt u nog cafeïnevrije koffie?' vroeg ze, de pot met het oranje randje in de hand.

'O, laat ik het niet doen,' zei Cora. 'Dan doe ik geen oog dicht.'

Ginny wisselde een blik met Marie, maar geen van beiden zei een woord. Zo was Cora nu eenmaal. Een beetje ge-schift. Marie keek op haar horloge en Ginny voelde een steek van ongerustheid. Het werd naarmate ze ouder werd, steeds moeilijker om het pad te kruisen van de donkerhari-ge man. Ze begon weer te piekeren, maar troostte zich met de gedachte dat hij altijd nog verschenen was. Elk jaar kwam hij om kwart over zeven binnen, nam plaats in de stoel aan de hoektafel die op de deur uitkeek, dronk ijsthee en wacht-te.

Het eerste jaar was het vreselijk geweest om te zien. Dat was het jaar dat Ginny's hart in de ban was geraakt van zijn hopeloze toestand. Dat was het jaar dat hij het doosje en de rozen had meegebracht. Dieprode rozen, een vol dozijn, met lange stelen. Hij had ze bij de lege stoel op tafel gelegd en was gaan zitten. Het ijs smolt in zijn thee, in zijn ogen stond pijn en verdriet te lezen. Ach, ze had voor hem willen ster-ven zoals hij daar zat terwijl de tijd verstreek. Na een minuut of twintig had hij het kleine doosje gepakt, het opengeklapt en de inhoud bekeken, het weer dichtgedaan en in zijn zak gestopt. O, het was hartverscheurend geweest. En zijn gezicht. Alles stond erop te lezen, dat gezicht – hoop in zijn ogen, schuld en wanhoop in de lijnen van neus naar mond, een spoor van woede in de stand van zijn kaken en mond. Toen was ze begonnen voor hem, de donkerharige man, te bidden.

'O, God,' had ze gefluisterd, 'U weet alle dingen. Niets is voor U verborgen. Hoe het er ook voor staat, hoeveel pijn we ook hebben, U kunt het genezen. Doe het, Vader. Ontferm U over deze man.'

Hij had abrupt opgekeken toen ze dat gebed gefluisterd had, bijna alsof hij haar gehoord had, al was dat onmogelijk. Eén ogenblik hadden hun blikken elkaar ontmoet. Ginny had even geknikt. Hij knikte terug, glimlachte geforceerd en keek weer naar de deur. Jarenlang was hij gekomen. En had hij gewacht, hoewel niet met de uitgesproken kwelling van de eerste keer. Vorig jaar had hij pessimistischer geleken, minder hoopvol. Ze vroeg zich af hoeveel langer hij nog zou komen. Hoeveel langer hij zou blijven hopen. Ze voelde een sterke aandrang om te bidden.

'God, alle dingen dienen U,' mompelde ze zachtjes. 'U houdt alles bij elkaar en alles volgt de raad van Uw wil. *Het hart van de koning is in de hand des Heren als waterbeken, Hij leidt het overal heen, waar het Hem behaagt.* Leidt die twee beken tot elkaar, God. Breng ze weer bij elkaar. Ik hoef er niets van te weten. Maar doe Uw genezende werk, God. Heel deze gebroken harten.'

Susan schraapte haar keel. De serveerster stond bij hun tafeltje en glimlachte toegeeflijk naar de in zichzelf mompelende oude dame.

'Wilt u nog een dessert?' vroeg ze vriendelijk en Ginny zag een uitweg om er nog een minuut of twintig bij te winnen.

'Lieve help, ik heb nog geen verjaardagstaart gehad,' zei ze zo opgewekt als ze kon. Dat konden de anderen haar niet ontzeggen. Berustend gingen ze er nog eens voor zitten. Ginny keek op haar horloge. Hij kon nu elk ogenblik komen. Elk jaar om kwart over zeven. Nog vijf minuten en hij zou binnenwandelen. 'Wil er nog iemand iets toe?' vroeg ze opgeruimd.

Ze schudden het hoofd. 'Ik kan geen hap meer op,' protesteerde Susan.

Ginny negeerde de niet al te subtiele hint en begon om hen tevreden te stellen haar geschenken bij elkaar te pakken. Ze richtte haar ogen op de deur en zonder acht te slaan op alles om haar heen, bleef ze tegen God praten. Deze keer in haar hart. Op haar leeftijd moest je oppassen. Ze bleef bidden en de wacht houden, en juist toen de serveerster om de hoek kwam met het piepkleine taartje en het malle feesthoedje en alle andere bedienden naar haar tafeltje riep om haar toe te zingen, kwam hij binnen en ze begon bijna zelf te zingen van opluchting.

Hij was een heel grote man. Lang, zo'n één meter negentig dacht ze, en flink. Hij was knap ook en Ginny klakte met haar tong en schudde eventjes haar hoofd. Knappe mannen konden problematisch zijn. Ze waren gewend hun zin te krijgen en zo. Hoewel Ginny's jongeman beslist niet lelijk was, mocht ze graag denken dat het om meer ging. Zijn haar was donker, zijn trekken scherp. Maar er was iets anders aan hem dat van karakter sprak, al kon ze er niet precies de vinger op leggen. Hij straalde gewoon betrouwbaarheid en bekwaamheid uit, en al kon ze niet zeggen waarom, Ginny wist dat als het er ooit op aan zou komen, haar leven veilig zou zijn in zijn handen.

Hij had een kalm, ernstig gezicht. Het had eerlijke, oprechte lijnen. Hij leek op zijn gemak in een kostuum, maar tegelijkertijd kon Ginny zich voorstellen dat hij in een werkbroek aan het hooien was. Ze schudde haar hoofd toen

ze dat had bedacht. Hij was gewend aan hard werk en opoffering, dat zag ze wel aan zijn gezicht, maar er waren aanwijzingen dat hij een gestudeerd man was. Ginny wist bijvoorbeeld zonder te kijken dat, hoewel zijn marineblauwe
colbert brede schouders omspande, zijn overhemd spierwit
was en gesteven. En ze durfde te wedden dat er geen eelt zat
op die competente handen. Hij ging nu zitten met sierlijk
gemak en weigerde de aangeboden menukaart. Zijn ogen
lieten de deur geen moment los.

Het bedienend personeel kwam bij haar tafel staan om
haar toe te zingen. Hij keek in haar richting en ving haar
blik. Er flitste een snelle glimlach over zijn gezicht, maar haar
hart sloeg een slag over toen zijn gezicht weer in rustpositie
terugkeerde, want er was dit jaar iets anders aan. De boze
droefheid en hopeloosheid hadden zich erin gegrift, waren
er onderdeel van geworden. Hij zou het binnenkort opgeven, als hij dat niet al gedaan had. Dat wist ze met een zekerheid waardoor ze wel hier op het kleed van het restaurant
op haar knieën had willen vallen. Omdat ze ook met onverklaarbare zekerheid wist dat hij dat niet moest doen.

'O, Jezus,' begon ze, maar werd meteen onderbroken door
dat malle verjaardagslied. Ze schudde ongeduldig haar hoofd
toen iemand de strohoed met de roze madeliefjes op haar
hoofd zette en ze begonnen te zingen. Ze doorstond het
gracieus glimlachend, terwijl het restaurant vol mensen toe-
geeflijke blikken wierp op de snoezige oude dames die nog
steeds hun verjaardagen vierden. Zo gauw ze kon, rukte ze
de hoed af en de zangers gingen gelukkig weg. Ze nam een
hapje taart en al haar vriendinnen namen een klein stukje,
zelfs Susan. De serveerster schonk de kopjes nog eens vol en
Ginny bad en peuzelde, kijkend naar de man die naar de
voeten en hoofden keek die voor hem paradeerden.

De tijd verstreek. Marie stond op en ging haar zoon bellen dat hij haar kon komen ophalen en de anderen begon-

nen de rekening te verdelen. De man trok zijn colbert uit.
Precies zoals ze had verwacht, was zijn witte overhemd fris
gesteven en gestreken. Hij rolde de mouwen op tot zijn ellebogen en maakte zijn das los, nam nog een slok thee. De serveerster boog zich over zijn tafeltje en zei iets tegen hem.
Opnieuw schudde hij zijn hoofd. Ze haalde de rekening
voor hem uit haar schortzak en legde hem op tafel. Toen
Ginny net haar spullen bij elkaar pakte om te vertrekken,
verstrakte de man en Ginny volgde zijn blik.

Het was een vrouw naar wie hij keek – een vrouwen-
hoofd eigenlijk, want dat was het enige wat je kon zien
boven de glazen ruit. Het haar van de vrouw was een massa
glanzende rode krullen die boven op haar hoofd slordig vast
gestoken waren. Weer keek Ginny naar de man. Hij was half
overeind gekomen, op zijn gezicht stonden tegelijkertijd
vrees en hoop te lezen. De vrouw kwam de hoek om, stond
even stil en keek de eetzaal rond. Haar ogen gleden zonder
enig teken van herkenning langs Ginny's heer en lichtten op
bij het zien van het stel aan de ronde tafel in het midden. Ze
zwaaide en liep er naar toe. Ginny keek weer naar de man.
Zijn gezicht stond strak van teleurstelling. Hij plofte weer in
zijn stoel, keek weg van de vrouw en staarde even naar de
verste muur. Ze zag hoe hij zich vermannen moest. Hij haalde diep adem, blies uit en pakte zijn portefeuille.

Op dat moment stond Ginny op.

'Ga je weg?' vroeg Cora.

'Nee,' antwoordde ze vlug.

'Ga je naar het toilet?' vroeg Marie brutaal. 'Wacht even.
Ik ga mee,' maar Ginny stapte weg voordat Marie haar rollator had kunnen pakken. Ze stak over naar het tafeltje in de
hoek en bleef staan voor de man met de droevige ogen.
Blauw, zag ze nu, helder blauw. Ze had geen idee wat ze
ging zeggen, maar daar had ze zich nooit door laten tegen-
houden.

'Help me, God,' fluisterde ze.

Hij keek op van zijn rekening en Ginny zag ongewild dat hij een flinke fooi had gegeven. Hij keek beleefd naar haar op, maar had duidelijk geen flauw idee waarom ze hem aansprak. Ze overwoog verschillende dingen die ze kon zeggen. Het was niet zo belangrijk, besefte ze. Je kon een heleboel doen als je negenenzeventig was.

'Jongeman, vindt u het goed als ik even bij u kom zitten?'

'Ja, mevrouw,' antwoordde hij en was meteen overeind. Hij kwam om de tafel heen en hield een stoel voor haar klaar. Hij was netjes opgevoed, dat zag ze wel. Had geen idee wie die rare oude dame was, maar toch erop gespitst haar in haar stoel te helpen.

'Ik wil u spreken,' zei ze toen hij weer aan zijn kant van de tafel zat.

'Ja, mevrouw?' Hij keek nog verbaasder, maar hij knikte en wachtte beleefd.

'Ik heb u gadegeslagen,' zei ze. Ze had besloten meteen ter zake te komen.

Haar onverbloemdheid verraste hem, maar hij knikte. 'Hoe was uw verjaardag dit jaar?' vroeg hij met een lachje. 'Heeft u weer een abonnement op uw favoriete tijdschrift gekregen?'

Ginny knikte lachend. 'Anders zou ik me niet jarig voelen.'

Hij schudde zijn hoofd. 'Weet u, die hoed die ze u opgezet hadden, staat u helemaal niet. Deed me denken aan een countryzangeres. Niet half elegant genoeg voor een vrouw van uw beschaving.'

Wat een lariekoek. Toch glimlachte ze naar hem. Hij was een erg aardige man. Ze voelde een steek van vijandigheid jegens de roodharige vrouw die op de stoel hoorde te zitten die zij in beslag nam, maar ze had er meteen spijt van. Wie weet wat er gaande was geweest tussen deze twee? Elk ver-

14

haal had twee kanten. Dat wist ze maar al te goed. 'Hoor eens,' begon ze. 'Ik heb een boodschap voor u.'

Zijn gezicht lichtte op van verbazing, die snel overging in verwarring vermengd met hoop.

Ginny kon zichzelf wel schoppen. 'Van God, bij wijze van spreken,' voegde ze eraan toe. Ze zag de hoop uit zijn ogen verdwijnen om vervangen te worden door verbijsterde belangstelling.

'Ja, mevrouw?'

Geen tegenwerpingen. Geen ongeloof. Dat beviel haar. Toonde dat hij iets geleerd had over de wegen van de Almachtige, al spraken die twee op het moment toevallig niet met elkaar. 'Dit is niet het juiste moment om te stoppen met bidden,' zei ze, de gedachte herhalend die in haar hoofd en hart had gebrand.

Hij staarde haar perplex aan. 'Dat is het?' vroeg hij. 'Dat is de boodschap van God?'

Ze knikte. 'Dat is het.'

Opnieuw haalde hij diep adem. Ze had hem lang genoeg geobserveerd om te weten dat hij dat deed als hij ontmoedigd was. Ze voelde hoe de Heilige Geest haar drong nog één ding te doen, en ze nam niet de moeite zich te verzetten. Ze had uiteindelijk geleerd dat het niet loonde om ongehoorzaam te zijn. Het spaarde een hoop tijd en hartzeer als ze meteen deed wat Hij zei. Ze legde een benige oude hand op het paar handen voor haar. Zijn ogen gingen wijd-open van verrassing, maar hij vertrok geen spier en haalde zijn handen niet weg. Ze klemde zijn hand vast en hij greep de hare, zijn greep was stevig en warm. Het waren doelmatige, competente handen, maar zoals ze vermoed had, zat er geen eelt op. Ze hield ze zachtjes vast en boog haar hoofd midden in het stampvolle restaurant.

'Jezus,' zei ze. 'Raak zijn hart aan. Raak haar hart aan. Begin hen op ditzelfde moment met een onzichtbaar koord weer naar elkaar te trekken. Knoop een draad door elk van hen en blijf trekken en trekken, tot ze weer bij elkaar zijn. Doe wat U moet doen, God.' Ze zweeg even, wachtte een minuut, maar er kwamen geen andere woorden. Nou ja, als je klaar was, dan was je klaar. Hij hoorde je meteen. 'In Jezus' machtige, dierbare naam,' zei ze.

'Amen,' antwoordde hij zacht.

Ze deed haar ogen open en ontmoette zijn blik. Zijn ogen waren vochtig. Ze keek van hem weg om hem de kans te geven ze af te vegen. Ze keek om naar haar eigen tafeltje. Cora zat haar met open mond aan te staren en Marie stond achter haar rollator alsof ze naar haar toe wilde waggelen om bij hen te komen zitten. Ginny gaf de man nog een laatste kneepje in zijn hand en werkte zich overeind uit de stoel, hem afwerend toen hij wilde opstaan. 'Ik zal voor u bidden,' beloofde ze. Toen draaide ze zich om en keerde terug naar haar eigen tafel.

'Wat was *dat*?' riep Cora uit.

'Zaten jullie daar te bidden?' vroeg Marie.

'Wat is er gebeurd?' eiste Laura te weten. 'Ik kon het niet zien.'

'Kom, we gaan,' zei Ginny. 'Ik vertel het later wel.' Het duurde een paar minuten voordat ze alles bij elkaar hadden gezocht en de fooi uitgerekend. Tegen de tijd dat Ginny haar negen dollar en zevenentwintig cent op tafel legde, was de man in het gesteven witte overhemd en de droevige blauwe ogen verdwenen.

Deel I

1

Sam stapte The Inn uit, de avondschemering in. Hoewel het vandaag zonnig en warm was geweest, bevatte de berglucht nog steeds een nevelige koelte als de zon begon onder te gaan. Alles hier leek schoon en versterkend, hoewel hij wist dat het een illusie was, een behendigheid van de Almachtige. Wat ironisch was, omdat het ook Zijn hand was die onthield wat nodig was. Regen. Vocht. Koel water. Want deze bergen waren, net als de rest van de staat, het hele Zuidoosten, in de greep van een verschrikkelijke droogte.

Het had de afgelopen drie jaar niet geregend. O, er was nu en dan wel een buitje gevallen, net genoeg om de planten tot actie te wekken en hoopvol hun wortels uit te steken, alleen om te verwelken, te verdorren en te sterven als er geen nattigheid kwam. Het afgelopen jaar alleen al was de regenval een halve meter minder geweest dan normaal. De kreken waren opgedroogd, bronnen slijk geworden. Boeren hadden hun oogsten verloren en hun vee verkocht. Nog één zo'n jaar en sommigen zouden hun boerderijen en huizen kwijtraken. Hij vroeg zich af of er verlichting zou komen. Hij keek naar de lucht, in de hoop wolken te zien. Er was niets anders te zien dan strak blauw dat zich vermengde met het avondgrijs, boven de beboste toppen van de Smoky Mountains die zich tot in de verte uitstrekten.

Binnen in hem kolkten de tegenstrijdige emoties die hij altijd voelde als hij hier kwam. Hij slingerde zijn jasje over zijn schouder en liep naar de steile rotswand aan de rand van het terrein van het restaurant. In het oosten lag North

Carolina, de plek die eens zijn thuis was geweest. Hij kon Lake Junaluska zien en daarachter Maggie Valley, Gilead Springs, Wayneville en Silver Falls, en daarachter glinsterden de lichtjes van het centrum van Asheville in de schemering. Achter hem lag in het westen, net over de bergtop, Tennessee, de plaats waar hij nog maar een paar uur geleden vandaan was gekomen. The Inn stond midden tussen twee werelden, net als hij. Hij haalde diep adem en keek om zich heen. Het bos was dicht en mooi, koel onder de bladerengewelven van dennen en eiken, de grond een kruidig geurend kleed van naalden en bladeren. Hier en daar zag hij een flits roze rododendron verlegen door de groene onderbloei van bladeren gluren.

Ze benamen hem de adem, deze bergen, en hij vroeg zich af hoe zij in staat was weg te blijven, hoewel zij zich waarschijnlijk hetzelfde kon afvragen over hem, mocht ze ooit zo lang over hem nadenken. Ook hij was deze vijf jaar een banneling geweest, verjaagd naar Knoxville met zijn snelle verkeer, zijn smoorhete snelwegen, zijn glimmende chroom en brandende hitte. Hij had het gevoel dat een engel met een vlammend zwaard hem de weg zou versperren als hij ook maar een poging zou doen om weer naar huis te gaan. Maar of hij het erkende of niet, deze bergen bleven hem altijd trekken, rechtstreeks aan zijn hart.

Hij staarde naar het uitzicht om hem heen. De met bomen bedekte heuvels van de Smokies glooiden, donkergroene golven werden blauwgroen en ten slotte nevelig blauw in de verte. Hij kende hun geheim. Het waren de bomen die de heuvels nevelig maakten. Ze gaven koolwaterstof af, wat de kenmerkende blauwe mist produceerde. Hij wenste dat hij dit niet wist. Het stoorde hem. Hij had het veel liever willen blijven zien zoals toen hij een jongen was. Toen waren ze magisch voor hem, een etherische, bovenaardse plek. Dat was het niet. Dat wist hij nu met zekerheid.

19

Hij liep een eindje, drong zich door wat kreupelhout en keek neer op de rotsachtige warboel die vroeger de Smoky Hollow Falls was. Eens was het een donderende waterval die over granieten treden neerstortte om een bochtige rivier te vormen die schuimend over een rotsbed stroomde. Nu was er een zwak stroompje klaterend water en de rivier bestond nog maar uit een trage, stilstaande rimpeling. Het zou beter zijn als hij compleet verdwenen was. Dan was er niets meer om hem te herinneren aan hoe het vroeger was. Toch herinnerde hij zich de witte golfstroom, de koele blauwe rivier, het plonzende schuim dat van de berghelling naar beneden stortte, de kolkende stromen als het zijn weg zocht tussen en over de rotsblokken.

Hij vroeg zich tevergeefs af hoe het zou zijn als het weer begon te regenen. Als de lucht openging en zijn leven schenkende water uitgoot. Hij gaf zich over aan een voorstelling van een miezerig straaltje van een rivier die steeds groter werd tot hij ten slotte wild kolkend over de droge bedding stroomde. Hij stelde zich voor hoe het zou zijn als die regen begon te vallen. Hij kon de eerste aarzelende druppels bijna voelen, de druppels die beken werden, zijn gezicht nat plensden en zijn vermoeide lichaam verkwikten, een verfrissende, verkoelende stroom.

Hij knoopte zijn kraag los en haalde een paar keer diep adem. Hij had het gevoel dat hij stikte. De laatste tijd had hij vreemde gewaarwordingen op de meest ongelegen ogenblikken. Het werd almaar moeilijker om door te gaan zonder de gratie die hem altijd aangedreven had. In de afgelopen week had hij twee keer, precies op het moment dat hij klaarstond om de scalpel neer te drukken op een piepklein hartje, zichzelf ineens gezien alsof hij een toeschouwer was bij zijn eigen operatie. *Waar ben je mee bezig?* had hij zichzelf gevraagd. *Wie denk je wel dat je bent?* En zijn hand had geaarzeld. Niemand had het opgemerkt, behalve zijn operatieverpleegkundige, Florence, door de wol geverfd en de bewaarster van veel geheimen. Ze had hem een snelle blik toegeworpen, haar flets geworden grijze ogen boven het masker scherp op hem gericht. Ze vroeg zich waarschijnlijk af of dit het moment zou zijn dat zijn hand uitschoot of niet snel genoeg bewoog. 'Ga je het nog een keer doen?' leek ze te vragen. Zij allemaal.

Al die operaties waren vlot verlopen, maar de voorvallen hadden hem verschrikkelijk dwarsgezeten. Hij wist dat hij nu al jarenlang routinematig werkte. Vijf om precies te zijn. O, hij was technisch nog steeds volmaakt, zij het niet meer briljant creatief. Maar de laatste tijd begon hij bang te worden. Voor zichzelf, veronderstelde hij, hoewel hij niet precies wist wat dat betekende. Hij voelde zich alleen net zo droog en gebarsten als de rivierbedding beneden hem. Hij wist dat hij makkelijk kon ontvlammen als een brandende pijl doel raakte, hoe kalm hij er aan de buitenkant ook uit mocht zien en hoe bekwaam hij nog steeds presteerde. Iets essentieels wat hem beschermd had, was verdwenen. Het uitstekend werkende schild dat die pijlen placht af te weren, en de wilskracht die hij in plaats daarvan had gebruikt, begonnen op te raken.

Hij duwde de zorgelijke gedachten weg en richtte zijn geest op het heden. Hij dacht aan de ontmoeting die hij zojuist had gehad en schudde zijn hoofd, niet zeker wetend of ze een seniele oude vrouw was of een profetes van God. Hij had een voorkeur voor seniele oude dames. In zijn hart voelde hij een onverwachte steek van verdriet bij die vaststelling.

Hij keek omhoog naar de donker wordende hemel. De sterren waren hier zichtbaar. Hij was ver genoeg weg van de stadsverlichting om helder te zien. Hij bleef even staan kijken. Ze zagen er onbeweeglijk uit, maar hij wist de waarheid. Dingen verplaatsten zich. Dingen verschoven en veranderden. Niets was zeker. Niets bleef liggen waar je het neergelegd had. Hij keek weg van de sterren, naar het grind-pad onder zijn voeten.

Hij kwam hier nu vijf jaar. Had vijf jaar lang gebeden.Vijf jaar lang boodschappen achtergelaten waarin hij haar tracht-te over te halen terug te keren naar de plaats waar hij haar had gevraagd zich met hem te verbinden tot de dood hen scheidde. En vijf jaar lang had hij gewacht.

Hij herinnerde zich de dwaze hoop die hem door het eerste jaar heen geholpen had. Ze was getraumatiseerd, had hij zichzelf verteld. Ze had gewoon tijd nodig om te herstel-len van de gebeurtenissen die hen allebei het hart hadden verscheurd. Hij had zich gedwongen haar die tijd te geven. Hij had zich met geweld in bedwang gehouden, hoewel hij zich er niet van had kunnen weerhouden uit te zoeken waar ze was. Hij kon het niet verdragen dat niet te weten. Hij had niet geslapen of gegeten tot hij met eigen oren had gehoord dat ze veilig was. Want dat was zijn taak toch, nietwaar? Voor haar te zorgen? Te zorgen dat alles wat met haar te maken had, verliep zoals het moest? Bitter schudde hij zijn hoofd, zich bewust hoe ellendig hij gefaald had.

Hij had een detective in de arm genomen en het was bela-chelijk makkelijk voor hem geweest om Annie te vinden. Hij had haar binnen een paar uur opgespoord. Sam had geweten, nog voordat ze had opgebeld en haar beknopte boodschap achterliet, dat ze in Seattle zat, aan Brady Way 201, apparte-ment C. Hij had geweten dat ze een baan aangenomen had bij de *Seattle Times*. Dat ze nog steeds in zijn Ford truck reed.

Daarna was hij opgehouden. Hij had zichzelf gedwongen tevreden te zijn met de wetenschap dat ze in veiligheid was. Dat ze de noodzakelijke levensbehoeften had. Buiten dat was er niets wat hij voor haar kon doen. Hij had haar naam op alle bankrekeningen laten staan en gezorgd dat ze alle-maal goed voorzien waren, maar na die eerste duizend dol-lar had ze niets meer opgenomen.

Hij had gewacht, de tijd bijgehouden op de kalender, overtuigd dat ze terug zou komen. Toen het bijna een jaar geleden was en hun trouwdag naderde, had hij de datum aangegrepen als excuus om contact met haar op te nemen. In gedachten had hij zijn toespraak voorbereid en hem geoefend tot hij perfect was. Hij had erop vertrouwd dat hij haar begreep. Ze had verdriet gehad. Ze was boos geweest. Maar nu was ze vast wel klaar om met hem te praten. Om hem weer in haar leven toe te laten. Hij had haar vier keer opgebeld en zijn toespraak uiteindelijk maar in het antwoordapparaat afgestoken. 'Kom thuis,' had hij gezegd. 'Laat me voor je zorgen. Blijf niet weg, Annie. Kom bij me terug.'

Ze had op dezelfde manier geantwoord en had rond het middaguur gebeld, toen ze wist dat hij aan het werk moest zijn, en een boodschap ingesproken. 'Goed,' had ze gezegd. 'Ik zie je wel.' De woorden hadden de deur tussen hen geopend, hoewel de gespannen, angstige klank van haar stem er niet bij paste. Zijn hoopvolle hart had destijds geweigerd de waarheid toe te geven, natuurlijk. Maar dat jaar in The Inn in Smoky Hollow, had hij na de eerste minuten geweten dat ze niet zou komen. Hij herinnerde zich hoe de moed hem in de schoenen was gezakt terwijl hij daar zat te wachten. Toen had hij beseft hoezeer hij haar verdriet en pijn had onderschat. Haar bitterheid.

Nu vroeg hij zichzelf waarom hij jaar na jaar was blijven komen, en hij wist het antwoord. Het was de enig overgebleven verbinding. Die los te laten, was toegeven dat alle hoop vervlogen was.

Hij staarde in de lege riviergeul en dacht aan een toneelstuk dat hij eens had gezien over een vrouw die elke avond in de deuropening stond om haar hond te roepen. Aan het einde komt ze ten slotte tot het besef dat kleine Sheba niet meer terug zou komen.

En degene op wie hij wachtte ook niet. De onherroepelijkheid hiervan trof hem als een slag. Maar hij voelde woede oplaaien en niet de doffe berusting die hij had verwacht. De verse herinnering aan de boodschap van de oude vrouw kwam terug. 'Dit is niet het juiste moment om te stoppen met bidden.'

Wild schudde hij met zijn hoofd alsof hij het zo kwijt kon raken. Ze was geen boodschapper van God, gewoon een eenzame oude vrouw die zijn kleine drama had gadegeslagen en dacht dat ze iets van de Almachtige had gehoord, terwijl het alleen haar eigen wensen waren die ze onder woorden bracht. Bovendien was het te laat. Hij was al gestopt met bidden. Hij kon zich niet precies herinneren wanneer, maar een poosje nadat hij hier vorig jaar om deze tijd had gestaan, was hij ermee opgehouden God te vragen om wat hem nooit gegeven zou worden.

Het was voorbij. Het was tijd om verder te gaan. Hij was dwaas geweest om zo lang te wachten. Het besef had een holle, bittere onherroepelijkheid, maar nu was het tenminste vastgesteld. Het was afgelopen. Hij kwam hier nooit meer terug. Hij staarde in het duister en dacht aan de fouten die hij had gemaakt, en even later deed hij de ring af die hij nog steeds droeg om de derde vinger van zijn linkerhand. Hij reikte in het borstzakje van zijn colbert, haalde er het kleine fluwelen doosje uit met de trouwring van zijn vrouw, stopte de zijne erbij en klapte het doosje dicht. Toen pakte hij zijn sleutels en liep naar zijn auto.

★

Onder het rijden probeerde hij zijn gedachten zo neutraal mogelijk te houden. Hij stak de grens over tussen North Carolina en Tennessee. Toen hij het knooppunt naderde waar hij moest afslaan naar zijn appartement in Knoxville reed hij door, langs de stadsgrenzen naar de kleine buitenwijk van Varner's Grove en volgde een bekende route. In het begin was hij hier elke dag gekomen om te kijken, te hopen, te bidden om een lichte verandering, een verschuiving in de toestand die het teken was van een verlichting van de verpletterende ramp, de muur van onvoorstelbare dwaling die uit alle richtingen op hem neer was gevallen. Het was tevergeefs geweest. Na een tijdje kwam hij nog eens per week. Toen eens per maand. Ergens wilde hij het nu achter zich laten. Vergeten. Maar dat kon hij niet doen, want het volgde hem als een koude schaduw waar hij ook ging. Het was een gruwelijke herinnering dat wanneer de hand uitglijdt, de fout niet altijd hersteld kan worden.

Hij reed een stil parkeerterrein op, waar alleen een paar rijen oude, versleten auto's van het personeel stonden. Hij parkeerde zijn eigen auto, ineens beschaamd om de nieuwigheid en het comfort ervan. Hij sloot hem elektronisch af en liep de betonnen toegangsweg op, langs een betonnen pot vol siernetel en sigarettenpeuken. Rosewood Manor was een door de staat gerunde instelling voor uitgebreide zorg. Het was een vormeloos geheel van steen en beton, versleten linoleum en bladderende verf. Het stonk er en het was de plek waar Kelly Bright de afgelopen vijf jaar van haar leven had doorgebracht.

Hij liep de automatische deuren door, langs de lege receptiebalie naar de verpleegsterspost. Hij herkende de hoofdzuster als een van de vriendelijke. Ze was een jaar of vijftig, te zwaar, en haren en huid hadden dezelfde grauwe tint aangenomen. *Helen*, stond er op haar naamplaatje. Hij begroette haar en stelde zich voor.

'Ik herinner me u wel,' zei ze, en hij verstrakte, maar de ogen die ze op hem richtte, stonden vol medeleven.

'Hoe gaat het met u, dokter Truelove?' Ze legde haar bril op de berg statussen voor zich.

'Matig,' antwoordde hij met opeengeklemde kaken. 'Hoe maakt Kelly het?'

Ze hield haar hoofd schuin, nadenkend over het antwoord dat ze niet verplicht was te geven. 'Wilt u haar status zien?'

'Nee.' Het antwoord klonk kortaf. Hij griezelde bij de gedachte.

'Het gaat erg minnetjes met haar,' gaf Helen met een ernstig gezicht toe. 'Ze heeft weer longontsteking. En ze heeft weer een urineweginfectie. Dokter Evers heeft haar antibiotica voorgeschreven, maar tot nu toe reageert ze er niet op. En ze heeft nog steeds die decubitus op haar billen en hielen, maar dat is het grootste probleem niet.'

Sam verwerkte het slechte nieuws. Alledrie de aandoeningen – de longontsteking, de urineweginfectie en de doorligplekken – waren het gevolg van Kelly's comateuze toestand. Kelly's lichaam bleef doorgaan met lucht in en uit pompen, voeding ontvangen en het uitscheiden. Haar hart en bloedvaten deden het prachtig, het uiteindelijke succes van zijn reparatie was een getuigenis voor de verfijnde wreedheid van God. Maar haar brein werkte niet, het was cruciale zuurstof onthouden terwijl hij stond te knoeien. Het was nu iets meer dan vijf jaar in die staat van schijndood.

Sam liep met lood in zijn schoenen door de uitgesleten gang naar haar kamer. Een stokoude vrouw in een rolstoel versperde hem de weg.

'Waar is Donald?' snauwde ze. 'Heeft u hem gezien? Ik heb gezegd dat hij regelrecht naar huis moest komen, en nu is hij nog niet terug.'

'Nee, mevrouw, ik heb hem niet gezien,' antwoordde hij naar waarheid en liep om haar heen. Hij passeerde nog een paar bewoners en begroette hen met een knikje. Een paar groetten samenhangend terug, en met hen had hij het meeste medelijden.

26

De deur van Kelly's kamer stond half open. Hij klopte aan. Niemand antwoordde. Hij duwde hem helemaal open en ging met de bekende angst naar binnen. Het licht was gedempt, de jaloezieën dichtgetrokken. Marjorie, de hoofdzuster van de laatste keer dat hij was geweest, had gezegd dat ze probeerden het overdag licht te houden en 's nachts donker, en op een of andere manier had die onthulling hem geschokt. Dat er nog een deel van Kelly's brein kon zijn dat wist of zich er vaag om bekommerde of de jaloezieën open of dicht waren, was een mogelijkheid die hem zowel kwelde als een wilde opflakkering van irrationele hoop gaf.

Ze had een eigen kamer. Hij liep naar haar bed. Ze lag stil met haar ogen dicht en daar was hij dankbaar voor. Het was erger als ze mompelde en bewoog, alsof er nog iemand in haar zat die een weg naar buiten wilde vinden. Maar Sam wist dat het een onwillekeurige reactie was en op geen enkele manier zinvol.

Er stond een tros ballonnen op de tafel in de hoek. *Fijne verjaardag*, stond erop. Hij slikte moeizaam. Op het tafeltje naast haar bed lag een verjaardagskaart. *Gefeliciteerd met je zestiende verjaardag.* Hij wankelde vanbinnen, alsof iemand hem had geslagen. Zestien jaar. Ze moest nu galajurken aanschaffen en een vakantiebaantje zoeken, een brommer gaan rijden. Niet dag na dag, week na week, jaar na jaar, in Rosewood Manor liggen. Maar daar lag ze wel en dat bleef zo en er was absoluut niets wat Sam daaraan kon doen. Nu niet meer.

Hij keek op haar neer. Haar haar was kort, niet lang en dik zoals het was geweest op de dag dat hij haar voor het eerst had gezien. Er zaten een paar puistjes op haar gezicht en dat stak hem ook, het feit dat haar lichaam volwassen werd hoewel het geen zin had. Ze was afgevallen, hij zag het zelfs zonder haar status te lezen. Hij vroeg zich af of de behandelend arts de hoeveelheid calorieën van de sondevoeding zou verhogen. Haar ademhaling ging moeizaam. Hij hoorde het zonder stethoscoop. Haar gezicht was bleek en uitgemergeld.

Hij kwam dichterbij en dwong zich de hand op te pakken die dichtgeknepen op de sprei lag. Hij hield hem losjes in de zijne.

'Goedenavond, Kelly, hier is Sam,' zei hij. Hij bespeurde ongeveer evenveel reactie als wanneer hij bad. Hij zei nooit dokter Truelove. Uit schaamte, veronderstelde hij. 'Ik weet dat het een tijdje geleden is, maar ik wilde eens kijken hoe je het maakt,' vervolgde hij. 'Ik hoop dat je je niet al te beroerd voelt.' De woorden schokten hem zodra ze zijn mond verlieten. Wat gemeen en laf om dat te zeggen. Ik hoop dat je je niet al te beroerd voelt. Kom, hij moest de waarheid zeggen. Kelly, het spijt me. Kelly, als ik met je kon ruilen, zou ik het met plezier doen. Kelly, vergeef me. Het spijt me. Het spijt me zo.

Natuurlijk zei hij geen van die dingen. Wie had er iets aan als hij het zei? Kelly zeker niet. Zeker niet haar familie, die op de loer lag om hem bij de strot te grijpen als Kelly's korte leven eindigde. 'Ze wachten,' had zijn advocaat gezegd. 'Ze zijn dom, maar kennelijk niet achterlijk. Ze weten dat ze meer krijgen voor haar dood dan voor haar invaliditeit.'

Hij zou ze met plezier alles geven wat hij had, maar dat zou niet eens toegestaan worden als boetedoening. Zijn verzekering voor medische fouten zou hun een cheque sturen.

'Het is vandaag maandag, Kelly,' vervolgde hij. 'Maandag 2 juni. Het was vanmorgen warm en zonnig. Zo'n beetje wat je om deze tijd van het jaar in Tennessee kunt verwachten. Het raakte vanmiddag een beetje bewolkt, maar het ging niet regenen. Nu is het buiten helder en koel. De wilde aardbeien bloeien in de bergen.'

Hij voelde zich ineens wreed met zijn woorden. Waarom had hij haar herinnerd aan vreugden die ze nooit meer zou ervaren? En hij voelde zich schuldig dat hijzelf al kon genieten bij de gedachte eraan.

Sam hoorde geschuifel bij de deur en hij verstijfde. Zijn pad had maar één keer dat van de familie gekruist, in het begin. Het was de oma geweest, die hem gelukkig niet had herkend. Ze had gedacht dat hij een van Kelly's artsen was, wat hij dus in een bepaalde zin ook was. Dit keer was het de fysiotherapeutisch medewerkster, stond op haar naamplaatje.

'Ik kan straks wel terugkomen,' bood ze aan.

'Nee. Het is goed,' zei hij, blij dat hij een reden had om te vertrekken. 'Dag, Kelly.' Hij richtte zijn woorden tot het stille, bleke gezicht. Hij zag het blauwe web van adertjes op haar oogleden. Ze ademde in. Uit. Geen beweging. Geen teken dat ze hem gehoord had. Hij draaide zich om en ging weg, en het gevoel dat alle andere overschaduwde, was vermoeidheid.

Hij liep het parkeerterrein op, blij dat hij de stank achter zich kon laten. De koele avondlucht was prettig aan zijn verhitte gezicht. De krekels en kikkers zongen schril in de velden naast het gebouw. Hij ging naast een spichtige es staan en liet zijn hand rusten op de bast, tevreden dat hij iets echts en levends aan kon raken. Hij had het gevoel dat beide situaties die zijn leven zo lang overschaduwd hadden, tot een einde kwamen. Dat besef had een lege, bittere onherroepelijkheid.

Kelly Bright had langer geleefd dan iemand had gedacht, en hoewel het mogelijk was dat iemand in een diep coma jarenlang in leven kon blijven, had hij het van haar niet verwacht. Het zou nu niet lang meer duren. Dagen, misschien. Weken. Maanden, hooguit. Hij zag het aan haar, aan haar moeizame ademhaling en de vochtige bleekheid van haar huid. En dat andere? Tja, hij had het gevoel dat dat andere lang geleden gestorven was en hij de begrafenis gewoon niet had willen toelaten. In feite wist hij precies op welke dag zijn huwelijk de dodelijke wond was toegebracht. Hij kon het staven met de datum op de status van Kelly Bright, want beide waren secundaire schade geweest van een andere slag waarvan hij nog steeds wit weg kon trekken, sprakeloos van pijn.

★

Die nacht droomde hij de droom weer.

'Niet doen, Sam. Je bent niet goed in vorm om dit te doen.'

Hij keek naar beneden en daar lagen Kelly Brights hart en aorta al bloot, de voorbereiding was gedaan door de arts-assistenten. Het was een eenvoudige klus, althans voor hem. Hij zou de scheur repareren die een auto-ongeluk had veroorzaakt. Het was een ernstige verwonding, maar hij kon hem herstellen. Het was haast kinderwerk vergeleken met de ingewikkelde defecten die hij in de loop van de tijd had gerepareerd op veel kleinere harten. Iedereen stond op hem te wachten en hij was klaar om te beginnen toen het telefoontje kwam. De omloopzuster ging naar de muur, nam de telefoon op en kwam hoofdschuddend naar hem toe met tranen in haar ogen. 'U moet aan de telefoon komen, dokter Truelove,' had ze gezegd, en hij had haar verbaasd aangekeken. Hij was naar de telefoon gegaan, had hem opgepakt en de stem van zijn moeder gehoord die hem vertelde dat zijn kind gestorven was. Hij luisterde opnieuw naar haar verwilderde uiteenzetting. 'Ze lag te slapen. Ik ging naar de telefoon. Ik ging haar zoeken en ze was weg.' Toen de verwarde details. De beek en de ziekenbroeders en reanimatie en helikopters, en hij hoorde de hysterie in haar stem. In gedachten zag hij haar voor zich, alleen, wachtend tot Annie kwam, wachtend tot hij kwam.

Hij voelde zijn bloed veranderen in iets kouds en stelde

nog een paar vragen. Toen zijn moeder ze niet kon beant-woorden, vroeg hij de behandelend arts te spreken, en ter-wijl hij wachtte tot die aan de telefoon kwam, werd hij over-vallen door de kalmte. O, die kalmte! Hij kon hem in zijn hart voelen binnensijpelen en verspreiden door zijn armen en in zijn benen en in zijn brein, en hij wist dat hij nu of kon flauwvallen of kristalhelder en volmaakt worden, want het was een koude en levenloze aanwezigheid, een hoge witte berg van ijs die hem kalmeerde en verkoelde, en zijn geest ging die lege witte plaats binnen waarvan hij dacht dat het volmaakte concentratie was.

Toen hij terugkwam in de operatiekamer stonden ze met z'n allen te mompelen, de arts-assistent en de verpleegsters en de anesthesist. Hij stroopte zijn handschoenen uit en de arts-assistent zei dat hij dokter Hendricks zou bellen om de operatie te doen, maar Sam trok een ander paar aan en sloot zijn geest af voor alles behalve het probleem voor hem. Zijn geest mocht nergens anders heen.

'Voor Margaret kan ik niets meer doen,' zei hij, nog steeds met die volkomen koudheid. 'Maar ik kan Kelly Bright red-den.'

Ze keken hem geschokt en ontsteld aan en schudden hun hoofd. Alleen Florence, zijn operatiezuster, was begripvol. Ze legde haar hand op zijn arm. 'Ga naar huis, Sam,' zei ze streng. 'Je bent geschokt. Je bent niet in staat –'

'Je hebt me verontreinigd!' Hij haalde scherp naar haar uit met zijn woorden.

Maar zelfs toen trok ze zich niet terug, ze greep hem nog steviger vast en zei: '*Ga naar huis!* Laat iemand anders –'

Toen laaide de woede in hem op, een koude, kwikzilve-ren woede en hij zei: 'Ga uit de weg. Er is niemand anders.' Zelfs nu, zelfs in zijn lucide droom, brandden de woorden als zuur, de bijtende aanmatiging vrat hem levend op.

'Er is niemand die dit beter kan dan ik,' zei hij, trok een

schoon operatieschort aan en schone handschoenen, en nam zijn plaats in achter de tafel. Hij keek ze een voor een aan, daagde ze uit met zijn blik toen ze hem boven hun operatiemasker aanstaarden met verwondering of medeleven, afkeuring of ontzetting.

Hij maakte zijn ogen los van de hunne, sloot zijn geest af voor alles behalve de knoeiboel voor hem – de gewonde aorta die hij moest repareren.

'Forceps,' zei hij knikkend naar Florence, en het begon, en de rest van de droom was hetzelfde. Voorspelbaar, een gruwelijke grijze herhaling, een horrorfilm waarvan hij de afloop kende en toch gedwongen was hem telkens en telkens en telkens weer te bekijken. Hij zag zichzelf de grote arteries loshaken. 'Bypass los' zei hij en toen zag hij de hechtingen wegschieten, haar bloeddruk dalen, hij zag zichzelf knoeien, voelde de paniek van zijn team, van zichzelf, zag zijn trillende handen, de beige handschoenen overdekt met bloed, hij zag hen de scheur repareren, maar pas nadat de schade was aangericht. En ten slotte zag hij zichzelf het bloederige operatieschort en de handschoenen in de plas bloed op het linoleum laten vallen. Hij zag zichzelf Barney eindelijk toestaan hem naar huis te rijden naar Gilead Springs, en herinnerde zich die rit, hij was verscheurd, heen en weer geslingerd tussen de twee gruwelen als een stervend wezen dat door zijn kwelgeesten geteisterd wordt.

Hij zag zichzelf het kleine ziekenhuis binnenlopen waar zijn dochter lag, stil en gevlekt, haar haren nog vochtig. Hij zag zichzelf zijn moeders sidderende schouder aanraken, zag haar het gebogen hoofd schudden, zag zichzelf naar zijn vrouw toe gaan, wetend dat hij haar moest troosten, maar hij bood haar alleen zijn armen en verder niets. Hij bood haar niets meer omdat hij haar niets meer te geven had. Hij had al het andere stevig opgesloten, want wat zou er gebeuren als hij die sluisdeuren openzette? Wat zou er naar buiten razen? Hij kon nog steeds Annies haren voelen tegen zijn droge lippen gedrukt, hij kon haar stem horen waarmee ze hem gesmoord vroeg, als Maria aan de Heiland: 'Waar was je? Waar was je? Als jij maar hier was geweest, dan zou mijn kind niet gestorven zijn.'

En toen lagen ze naast elkaar, Margaret en Kelly Bright, en hij werd wakker badend in het zweet, badend in afgrijzen, allebei vertrouwde metgezellen. Hij bleef stil liggen in het donker en luisterde naar de geluiden in zijn appartement, naar het zoemen van de koelkast, het gonzen van het verkeer buiten. Zijn hart en ademhaling vertraagden, zijn zweet droogde op en hij wenste steeds weer opnieuw dat hij zichzelf kon voorhouden dat het maar een droom was.

2

Exact op het moment, waarop ze de deur van The Inn in Smoky Hollow binnen had moeten komen, was Annie Ruth Truelove-Dalton een kudde Romneyschapen aan het scheren. Ze had al de hele week vrij genomen van haar werk bij de *Times* – een ongehoorde gebeurtenis – dus toen Jossie Delorme had opgebeld en om hulp gesmeekt, had ze haar scheerspullen bij elkaar gezocht en was voor zonsondergang vertrokken. Ze had de hele dag doorgewerkt, en precies op het moment dat Sam vermeld had, half acht plaatselijke tijd, half vijf volgens de ietwat vertroebelde digitale weergave van haar zwarte plastic horloge, was ze bezig met het laatste onderdeel van haar taak, het scheren van een bijzonder eigenzinnige ram met de onwaarschijnlijke naam Hoochy Kooch. Ze was overdekt met modder, een beroepsrisico als je om deze tijd van het jaar buiten werkte in het dubbelhartige noordwesten, en haar laarzen waren aangekoekt met dubieuze substanties. Even voelde ze een sterk verlangen naar hem toen ze aan hem dacht, zoals ze elk jaar deed op die dag en eerlijk gezegd ook wel op andere dagen. Maar het was moeilijk om te treuren als je delicate manoeuvres uitvoerde op de onderste delen van een ram van honderd kilo, dus ze concentreerde zich op haar taak en het ogenblik ging voorbij. Zoals uiteindelijk alle ogenblikken.

Nu, de volgende ochtend, vond ze zichzelf dwaas. Ze was terug in haar echte leven, gewassen en aangekleed en goed bij zinnen, de schapen waren geschoren en de wol op weg om garen te worden. Ze luisterde zijn boodschap nog een keer af en was zich er scherp van bewust dat de gelegenheid er opnieuw was geweest. En opnieuw had ze hem voorbij laten gaan.

Ze was van plan geweest om te gaan. Ze had voorbereidingen gemaakt. Zoals ze altijd deed. Ze had vrij genomen van haar werk, zelfs een jurk gekocht – mooi maagdenpalmblauw – en een paar opalen oorringen met bijpassende ketting. Zoals gewoonlijk. Maar ook zoals gewoonlijk had haar voet geaarzeld de laatste stap te zetten en voordat hij weer op de grond neerkwam, had Jossie Delorme gebeld en om hulp gesmeekt. Dus gisteren, toen ze daar bij hem had moeten zijn, was ze in Marysville schapen aan het scheren. Nu werd ze overvallen door iets als paniek en even overwoog ze overhaaste, hartstochtelijke acties.

Ze kon hem opbellen. Ze kon er nu zelfs heen gaan in plaats van in het vliegtuig naar Los Angeles te stappen. Maar vandaag zou hij het druk hebben. Vandaag zou hij boos zijn dat ze niet was gekomen. Vandaag zou hij dokter Truelove zijn en zij een sta-in-de-weg. Gisteren had ze haar kans gehad.

Weer voelde ze de paniekerige radeloosheid. Het was niet te laat. Ze kon – Ze hield op. Wat had het voor zin? Elke nieuwe plot liep altijd op dezelfde manier dood. Ze konden wel samen in één ruimte gaan zitten, maar wat had het voor zin als hun harten niet veranderd waren?

Zijn hart, om precies te zijn. Het hare was hetzelfde, verzekerde ze zichzelf. Zij was hetzelfde meisje met wie hij getrouwd was, tot op haar laatste sproet. Hij was degene die iemand anders was geworden. Iemand die boos was en geobsedeerd. Iemand die ze niet kende. Iemand die ze niet wilde kennen. Ze dacht aan wat hem veranderd had en voelde haar zelfvertrouwen wankelen, voelde dat iets het van haar wilde winnen en ze zette er de pas in om het voor te blijven.

Ze zette de hele zaak uit haar hoofd. *Dat moet je doen,*

hield ze zich voor. *Druk bezig blijven en aan iets anders denken.*
Denk maar aan vandaag. Ze trok haar beige pakje aan, een
concessie aan de zakenwereld, maar drapeerde een sjaal
onder de revers, goudkleurig met koraalrode en roestkleuri-
ge krullen. Ze had nog een slecht ogenblik toen ze haar
amber ketting en oorringen aandeed die Sam haar had
gegeven op de ochtend nadat ze getrouwd waren. Toen ze
wakker werd, had ze het kleine pakje op het kussen naast
haar gevonden. Dat was een oude traditie, had hij gezegd,
het Ochtendgeschenk, het geschenk van de bruidegom aan
zijn bruid aan het begin van hun eerste dag als man en
vrouw. Ze deed ze nu aan en weigerde eraan te denken wat
ze beduidden en wie ze haar gegeven had. Het waren siera-
den, niets meer. Ze pasten goed bij haar haren.

Ze boog naar voren en draaide dat haar deskundig in een
knot. Op haar toilettafel zocht ze naar een haarspeld. Ze kon
er geen vinden en zette het vertwijfeld vast met twee potloden die ze uit een pot op haar nachtkastje pakte. De haarspelden vond ze later wel. Ze zaten waarschijnlijk ergens onder
in haar tas, een omvangrijk zwart leren geval die haar laptop
bevatte, potloden, pennen, aantekenboek, portefeuille, adres-
boek, mobiele telefoon, het bevestigingsnummer van haar
elektronische ticket, een flesje water, een stemgeactiveerde
microcassetterecorder, een lichtelijk geplette Snickers, een
kam en haar complete cosmetische verzameling.

Ze was snel klaar met inpakken. Ze had zo vaak ingepakt
dat ze het in haar slaap kon, en soms leek dat inderdaad zo.
Ze rolde haar nachtpon strak op en schoof hem naast haar
wandelschoenen. Even was ze stil en luisterde naar de geluiden van het ontwakende appartementengebouw. Ze
noemde het een appartementengebouw, maar eigenlijk was
het gewoon een krakkemikkig oud huis en het haar toebe-
deelde vierkantje lag midden op de tweede verdieping.
Boven hoorde ze de televisie van mevrouw Larsen het

weerbericht schallen. Ze keek op haar horloge. Ze moest even bij haar langs, haar nog een keer vertellen waar ze heen ging en wanneer ze terugkwam, zodat ze niet ongerust zou zijn.

Ze bekeek voor de laatste keer de inhoud van haar koffer. Ze hadden gezegd dat ze op een diner onthaald zou worden en ze voelde een knoop in haar maag. Ja, daar was de jurk die ze had gekozen. Had ze de schoenen ingepakt die erbij hoorden? Ja. Jasje? Dat had ze niet nodig. Het was ten slotte Los Angeles, en juni. De enige plek waar het het hele jaar door regende, was hier in Seattle. Ze ritste haar koffer dicht. Haar maag rommelde, nog steeds bezig de impulsieve actie in te halen die ze gisterochtend had ondernomen. Onderweg naar Jessies boerderij had ze Max Kroll gebeld en zijn aanbod aanvaard van een sollicitatiegesprek bij de *Los Angeles Times* en haar vliegtuigticket overgeboekt van Asheville naar Los Angeles. Het was tijd, zei ze tegen zichzelf, en ze duwde de gedachte weg dat de acties die ze overwoog, de acties die ze beslist van plan was te ondernemen, haar leven voor altijd zouden veranderen. Ze zouden haar zelfs nog verder van huis brengen, realiseerde ze zich met een schok.

Ze merkte dat ze een schokje kreeg bij het woord *huis*, en wist niet of het van toepassing was op de drie gemeubileerde kamers in dit appartement in Seattle of op de plek die ze in geen jaren had gezien, de plek die ze onmiddellijk voor zich kon halen door enkel haar ogen te sluiten. Ze voelde een sterk verlangen en een scherpe pijn, hoorde het ruisen van de wind door de bomen, voelde de hitte op haar armen en gezicht, zag de dichte bossen, de wolken van blauwe nevel, rook de zoete geur van appelboomgaarden, proefde de zoete smaak van ijsthee.

Tja, je moest nu eenmaal keuzes maken in het leven, hè? Ze praatte energiek op zichzelf in en hoopte dat Max Kroll haar de baan zou aanbieden van schrijfster van hoofdartikelen voor de *Los Angeles Times*. Dan kon ze haar tijdelijke leven hier in Seattle achter zich laten. Het werd tijd om zich te vestigen en een nieuw leven te beginnen, het oude voor eens en voor al te vergeten. Ze was er klaar voor. Ze knipte het licht uit, wierp één laatste geoefende blik in het rond om te zien of alles op zijn plaats was en deed de deur achter zich op slot.

Ze stapte de overloop op, liet haar koffer bij haar voordeur staan en ging naar boven. Ze klopte aan en na een hele tijd gluurde het gerimpelde gezicht van mevrouw Larsen naar buiten. Annie voelde een golf van vertedering. Ze was dol op oude mensen. Er was zoiets *vredigs* aan hen, en ze veronderstelde dat het te maken had met het feit dat ze hun leven voor het grootste deel achter de rug hadden. Alle drama's en hartzeer en ellende lag achter hen. Daar benijdde ze hen om.

'O, dag kind.' Mevrouw Larsen schoof de grendel opzij en deed de deur open.

'Hoe gaat het met u?' schreeuwde Annie. Mevrouw Larsen was een beetje hardhorend.

'Goed, hoor. Kom je niet binnen om een kopje koffie te drinken?'

'Dat zou ik graag doen,' zei ze, 'maar ik moet een vliegtuig halen. Weet u nog?'

'O, ja.' Vriendelijke glimlach, lege blik.

'Heeft u eraan gedacht uw medicijnen in te nemen?'

Verwarring in de ogen.

'Laten we maar eens kijken.' Annie glimlachte bemoedigend, en mevrouw Larsen stapte opzij, blij dat ze nog een paar minuten gezelschap kreeg. Annie liep naar de keuken en vond het doosje met gleuven voor de pillen dat ze de vorige dag gevuld had. De ochtenddosis was weg.

'Ik heb ze ingenomen. Nu weet ik het weer.'

'Tja, dat zal wel. Ze zijn verdwenen.'

'Ja. Ja, zeker. Ik heb ze ingenomen met mijn thee en toast.'

'Weet u het zeker?'

'Ja. Ik weet het zeker.'

'Goed. Nou, niet vergeten de pillen bij de lunch in te nemen.'

'O, nee hoor.' De plezierige, lieve blik was terug en Annie voelde een steek in haar hart. Mevrouw Larsen moest iemand hebben die voor haar zorgde, ze kon niet meer alleen wonen. Ze had een dochter vlak in de buurt wonen die zelden op bezoek kwam en Annie wond zich even op, tot ze bedacht: 'Gij zult niet oordelen.' Bovendien zouden haar oren waarschijnlijk tuiten als ze kon horen wat ze thuis over haar zeiden.

De vrouwelijke dominee waar mevrouw Larsen zo dol op was, mengde zich vanuit de televisie in hun gesprek. 'De god van deze tijd heeft een heleboel mensen verblind, en ik zal u iets zeggen. Een blinde kan de dingen niet zien zoals ze werkelijk zijn,' verkondigde ze. 'U mag dan denken dat u de dingen goed ziet, maar de waarheid is dat u, tenzij Jezus u de dingen laat zien zoals ze zijn, op weg bent naar de hel.'

Annie voelde een rilling onder haar ribben. Het was geen prettig gevoel. 'Goed,' zei ze tegen mevrouw Larsen. 'Ik moest maar eens gaan.'

'O, werkelijk?'

'Ik ben bang van wel.' Ze gaf mevrouw Larsen snel een knuffel en een kus, toen zwaaide ze haar vanaf de overloop gedag. Ze keek nog een keer naar de predikante die nog steeds aan het woord was. 'Laat uw inzicht niet verwringen door de god van deze tijd. Vraag God u de waarheid te laten zien.'

Ze ging de trap af en de stem van de dominee stierf weg. Arme mevrouw Larsen. Over vijf minuten zou ze vergeten zijn dat Annie zelfs was geweest. Ze vroeg zich af hoe het zou zijn om in mevrouw Larsens schoenen te staan. Haar ouders waren uit Noorwegen naar Ballard verhuisd toen ze vijf was. 'Bent u ooit terug geweest?' had ze haar eens gevraagd.

'Nee,' had mevrouw Larsen gezegd, met een vage blik in haar ogen omdat ze zich die plaats probeerde te herinneren.

Het had Annie getroffen hoe verdrietig het was om je oude huis uit het oog te verliezen en ondanks haar besluit hoorde ze de stem van de dominee weer galmen.

Ze ging weer naar beneden en klopte aan de deur van het appartement naast het hare. Even later werd er opengedaan.

'Annie!' Adrienne lachte haar hartelijk toe en Annie voelde zich zoals altijd meteen opgevrolijkt.

'Alsjeblieft, lieverd,' zei ze en gaf Adrienne de sleutel van haar voordeur.

'O, dank je, dank je, dank je!' Adrienne sprong op en neer. 'Ik wist niet of je er wel aan zou denken.'

Annie schudde haar hoofd en klakte met haar tong. 'Adrienne! Ik dacht dat je meer vertrouwen in me had.'

Adrienne grijnsde. Haar bretels waren deze week paars. 'Weet je zeker dat je het niet erg vindt?' vroeg ze met een hoopvol gezicht. 'Mijn moeder zei dat ik je tot last was.'

Annie lachte en schudde haar hoofd. 'Ben je mal? Het is me een eer dat mijn nederige stulp wordt gebruikt voor jouw dertiende verjaardagspartijtje. Als je de boel maar niet laat afbranden.'

'Je bent de beste, Annie.' Adrienne sloeg haar armen om Annie heen en Annie knuffelde haar, met een steekje van pijn in haar hart. Ze zou Adrienne missen en even leek het reden genoeg om te blijven.

Ze klopte op de wang met sproetjes, in dat opzicht hetzelfde als de hare. In feite, besefte ze weer, leek Adrienne genoeg op haar om haar dochter te kunnen zijn. Ze hadden hetzelfde rode haar, dezelfde wipneus en schuine ogen, hoewel die van Annie groen waren met gouden spikkeltjes en die van Adrienne bruin. 'Kattenogen,' had Ricky Truelove haar geplaagd. Ze pakte haar koffer op en liep naar de trap, gedachten aan Sams jongere broer wegduwend naar waar ze hoorden.

'Je cadeautje ligt op de keukentafel,' riep ze achterom naar Adrienne. 'Morgen pas openmaken.'

'Beloof ik,' riep Adrienne haar na.

'Ja, vast! Voordat ik de deur uit ben, sta je al binnen,' riep Annie terug. De drie pakjes op haar keukentafel bevatten een set van twaalf lipglossen in roze en oranje tinten, een zilveren armband waaraan een grote A bungelde, en een gestreepte das die ze zelf had gebreid. Goed, ze had zich een beetje laten meeslepen. Het speet haar alleen dat ze niet bij het feestje kon zijn. Ze had de taart kunnen bakken en het appartement kunnen versieren. Een poosje dacht ze aan ballonnen en slingers voordat ze zichzelf aanpakte. Adrienne was het kind van iemand anders, niet van haar.

Ze dacht aan het leven van Adrienne, die heen en weer pendelde tussen twee kamers, twee ouders, twee levens. Het kon niet makkelijk zijn, maar ja, dat was niemands leven. Iedereen droeg zijn eigen verdriet mee, sommigen aan de buitenkant waar het te zien was, en anderen meer besloten.

Ze reed naar het vliegveld, zette haar auto op het terrein voor lang parkeren en stapte in het vliegtuig naar Californië. Ze dronk koffie, at als ontbijt de Snickers op nadat ze moeizaam de verpakking eraf had gepeld die één was geworden met de karamel en de chocola, pakte haar laptop en schreef een paar vragen op voor het volgende interview met de moeder van twee autistische zoons. Ze probeerde zich voor te stellen hoe het was om hun gesloten gezichten te zien en te weten dat je er nooit in kwam. Ze bagatelliseerde haar pijn niet zodanig dat ze het dacht te begrijpen, maar ze had enig idee. Ze herinnerde zich dat gevoel van buitengesloten te worden, de vergeefsheid als je iemand aansprak.

Ze dacht over het werk dat ze had gekozen en vroeg zich af waarom ze het deed. Niet alleen de nachten die ze had doorgewerkt in alweer een ander goedkoop hotel, de sloten koffie die ze gedronken had, de kilometers die ze had afgelegd in vliegtuigen en huurauto's. Maar het werk zelf. De donkere tunnels waar ze doorheen gereisd had. De vieze, gore plaatsen die ze onderzocht had en de eenzame zielen die ze daar had gevonden, met verhalen die ze met gratie en compassie probeerde te vertellen. Dit was niet wat ze zich voorgesteld had dat ze zou doen. Ze had zich voorgesteld dat ze aardige dingen zou schrijven. Pure, prachtige werkjes vol deugdzaamheid en charme. In plaats daarvan had ze geschreven over een week leven in een kamp voor rondtrekkende seizoenarbeiders; over ritten achter in een stampvol busje met illegale Mexicaanse immigranten; over het schaduwen van een agente van de zedenpolitie in Seattle en dan het verhaal vertellen van de tol die ze betaalde met haar geest, haar gezondheid, haar gezin; het verhaal verslaan van de eerste moord in een klein eilandstadje in Washington en de rimpelingen volgen van het verdriet.

Misschien waren dit geen lieflijke verhalen, maar ze waren echt en ze weefde ze op dezelfde manier als ze eens tapijten had geweven, ze rekte de schering van de waarheid zo strak dat het patroon erop kon verschijnen. Ze had niet eens geweten dat zulke verhalen bestonden toen ze haar dromen nog droomde, laat staan dat ze haar woning zouden worden, een mistige halfwereld die haar vaderland zou worden. Maar er waren mensen die daar woonden en hun verhalen waren het waard verteld te worden, hun pijn moest recht worden gedaan. Ze verdienden een getuige, maar ze had zich niet voorgesteld dat zijzelf hun stem zou zijn. Ze had zich voorgesteld dat ze in het koninkrijk van het licht zou leven, niet tussen de schaduwen. Ach, mensenlief, wat was ze idealistisch geweest en ze lachte wrang om het leven dat afrekende met idealen, om het effect van de werkelijkheid op dromen. Ze schudde haar hoofd en negeerde de knoop in haar maag die sinds de vorige dag niet was weggeweest. Sinds vijf jaar. Ze probeerde niet te denken aan de pijn die haar vertelde dat ze uit de pas liep. Niet op haar plaats was. Dat ze iets belangrijks had gemist. Dat ze ten slotte toch niet in haar vaderland was, hoe natuurlijk dit land ook lijken mocht.

Het vliegtuig landde. Ze stond op, haalde haar handbagage uit het compartiment boven haar hoofd en stapte naar buiten. Het was warm. Langs de oprijlaan van het vliegveld stonden palmbomen. Ze stak haar arm op en er stopte een taxi naast haar.

'West First Street 202,' zei ze tegen de chauffeur toen ze op de achterbank zat. Hij was Indiaas of Pakistaans, maakte ze op uit zijn kleding en de naam op zijn vergunning die aan de zonneklep hing. Hij knikte zwijgend en reed weg.

Het was in Los Angeles druk en licht, heel anders dan het nattige halfduister dat ze in Seattle had achtergelaten. Ze draaide het raampje open om de hete wind langs haar gezicht te laten strijken, maar het verkeerslawaai was luidruchtig en de lucht rook naar uitlaatgassen. Ze draaide het weer dicht. Ze kronkelden door een doolhof van snelwegen. Optrekken. Stoppen. Weer optrekken. Ze keek op haar horloge. Het was op het nippertje, maar ze zou het halen. Ze zette haar onrust opzij en keek uit het raam.

Het was droog en stoffig in Zuid-Californië. En niet mooi, althans niet in deze buurt. De snelweg was afgezet met hekken van vierkant gaas met prikkeldraad aan de bovenkant. De betonnen muren van de steunberen waren bedekt met wervelende graffiti en fel gekleurd kunstwerk. Nou, hier waren wel verhalen te vinden. Dat was duidelijk. Misschien geen aardige verhalen, maar ja, wie had er nou echt aardige verhalen?

De taxi verliet de snelweg en na nog een paar afslagen kwamen ze in het centrum onder een doolhof van betonnen torenflats. De stoepen waren vol zakenmannen en -vrouwen en menigten toeristen met camera's om hun nek. De palmbomen die de hoeken sierden, leken misplaatst en overal waren auto's en neveligheid.

De taxi stopte langs de stoeprand. Ze betaalde en vroeg om een bonnetje. Hij schreef het grommend uit en ronkte weg zo gauw ze was uitgestapt en het portier had dichtgegooid. Ze bleef even om zich heen staan kijken. Er was niets bekends hier. Niets wat haar ontroerde of raakte in het hart. Ze kon hier wonen. Ze ging de hal binnen van het gebouw van de *Times*, blij dat ze weg was uit de smog en de hitte, en keek op haar horloge.

Ze had nog even tijd om zich op te frissen.

Ze vond het damestoilet, evenals haar lippenstift en haarspelden, maar niet zonder haar hele tas naast de wasbakken leeg te maken. Ze stiftte haar lippen met de kaneelkleurige lippenstift, wreef een klein beetje op haar wangen, bracht een beetje mascara aan op haar wimpers, kamde haar haar en stak het opnieuw op. Het zag er beter uit dan met de gele potloden. In gedachten hoorde ze Ricky Trueloves honende stem in die lang vervlogen kindertijd. *Vuurtoren! Rooie!* Ze glimlachte bij de gedachte aan haar zwager, die voor haar dicht in de buurt kwam van een eigen pesterig broertje. Gemeen als een slang en wild als een prairiehaas, en ze zou van hem houden tot de dag dat ze stierf. Waarom vertelde ze hem dat niet? Ze schudde haar hoofd, verzamelde haar spullen en arriveerde vijf minuten te vroeg in het kantoor van Max Kroll.

Ze meldde zich bij de receptioniste, aanvaardde het aanbod haar koffer te stallen en nam plaats om te wachten. Ze hield zich in gedachten bezig met een paar ideeën voor verhalen waar ze mee rondliep. Het loonde niet als je te lang

niets omhanden had. Dan begon er mos te groeien en dingen wortel te schieten. Ze rommelde in haar tasje op zoek
naar haar aantekenboek en potlood, zocht een schone bladzijde en begon vlug te schrijven voordat ze de lijn van haar
gedachten kwijtraakte.

Ze werd onderbroken door iemand die zijn keel schraapte.

'Annie.'

Ze keek op. De hoofdredacteur was haar in eigen persoon
komen begroeten. Hij was rond de vijftig, corpulent, met
een geaffecteerde stem, scherpe ogen en wenkbrauwen die
op oude tandenborstels leken, borstelig en wit. Ze hadden
elkaar maar één keer eerder ontmoet – aan het diner van de
Washington Press Club voorafgaand aan de uitreiking van
de Scripps Howard Awards, waarvan zij er een had gekregen.
Ze stond er nog steeds versteld van. Met verbijsterd ongeloof had ze geluisterd toen de prijs werd aangekondigd. 'De
prijs voor het schrijven van speciale hoofdartikelen is toege-
kend aan Annie Ruth Dalton van *The Seattle Times* voor haar
intieme, prachtig geschreven verhalen over het Amerikaanse
leven.' Max Kroll had zich aan dat diner aan haar voorgesteld
en een paar maanden later had ze een briefje van hem
gekregen waarin hij zijn bewondering uitsprak voor haar
werk en haar uitnodigde om eens op bezoek te komen bij
de *Times*.

Kroll stond geamuseerd naar haar te kijken. Ze vroeg zich
af hoe lang hij daar had staan wachten voordat ze opkeek.

'Prettig om je weer te zien,' zei ze, moeiteloos een
begroeting vissend uit de verzameling gespreksopeningen
die ze met zich meedroeg bij haar reservediskettes en potloden.

'Jou ook,' zei hij. 'Je neemt nooit een dag vrij, zie ik.' Met
een blik naar haar aantekenboek.

'Liever niet.' Ze stopte het in haar tas.

'Jammer voor je. Op een dag val je dood neer.'

Ze voelde een akelige schok bij zijn woorden, maar ze had langgeleden geleerd zulke gedachteloze wreedheden langs haar rug te laten afglijden. Ze wisten het niet. Ze begrepen het niet. Hoe konden ze ook? 'Wij allemaal,' zei ze zacht, en volgde hem in zijn kantoor.

★

'Dit is de afdeling hoofdartikelen,' kondigde Max Kroll aan. Het was de laatste halte van de rondleiding. Annie bleef in de deuropening staan staren alsof ze op heilige grond was. Maar nu ze beter keek, was de ruimte hetzelfde als alle andere redactievloeren. Groter misschien, maar toch gewoon een stampvolle rommel van bureaus en computers, kronkelende snoeren en drukke mensen. Er klonk het elektronische tjirpen van telefoons, het lage lawaai van geluiden, de zoemende energie die bij elke krant gewoon is. Maar dit was niet zomaar een krant, hield ze zichzelf voor. Het was de *Los Angeles Times*, een van de vier grootste kranten van het land. En ze wilden haar hebben. Dat feit was eindelijk bevestigd in het gesprek dat Max Kroll en zij zojuist beëindigd hadden.

'Dit wordt jouw bureau,' zei Kroll. Hij leidde haar naar een metalen bureau.

Annie glimlachte. Ze had nog geen ja gezegd, maar ze vond het wel prettig om zo voortvarend het hof te worden gemaakt.

'De vrouw die je gaat vervangen, is met een opdracht in Mexico en haar eigenlijke vertrekdatum is pas over een maand of zo. Maar als je eerder wilt beginnen, vinden we in de tussentijd wel wat te doen voor je.'

Ze ging achter het bureau zitten en betastte het toetsenbord van de nieuwe computer. Ze probeerde zich voor te stellen hoe het zou zijn om vast te zitten op één plaats. Om wortel te schieten, bladeren voort te brengen en misschien vruchten.

'Is dit de beroemde Annie Dalton?' De stem bereikte haar oren voordat haar ogen het bijbehorende lijf zagen. Ze zette haar stekels op en draaide zich om.

'Jason Niles,' zei de man glimlachend. Hij stak zijn hand uit. Er stond geen spot op zijn gezicht te lezen, alleen maar vriendelijke belangstelling.

Aha. Haar aanstaande baas, die geen reden had om iemand als zij te honen. Hij had zelf aardig van zich doen spreken, had alles geschreven van hard nieuws tot hoofdartikelen. Hij had voor de Associated Press gewerkt en een paar jaar geleden ten slotte een Pulitzerprijs gekregen voor zijn verslaggeving van 11 september. Ze had die stukken zelf gelezen. Ze waren scherpzinnig, welsprekend en ontroerend zonder sentimenteel te zijn. Dus hij had ook besloten eens een tijdje op zijn plaats te blijven. Ze keek hem belangstellend aan, nu ze eindelijk een gezicht bij de naam zag. Hij was lang, rond de één meter negentig, slank en gebruind. Hij leek voor in de veertig en had blond haar dat aan de zijkanten wat dunner begon te worden.

'Annie Dalton,' zei ze terwijl ze hem een hand gaf, 'maar dat weet je al.'

'Ik laat je achter in Jasons bekwame handen,' zei Max Kroll. 'Hij vertelt je waar we vanavond eten.' Ze namen afscheid en Max Kroll vertrok.

Jason Niles leidde haar rond over de afdeling. Ze ontmoette een hele stoet van mensen, van wie ze de namen op den duur vast wel uit elkaar zou kunnen houden.

Hij nam haar mee uit lunchen naar een Japans restaurant niet ver van de krant. Ze had geen honger, maar ze deed alsof ze at, nam kleine hapjes en luisterde aandachtig naar zijn verhalen, nu en dan een opmerking makend. Ze stuurde de conversatie naar haar verhalen, haar opleiding, en bleef ver uit de buurt van persoonlijk terrein. Het kwam maar één keer ter sprake.

'Ik vind je accent leuk,' zei Jason. 'Mag ik vragen waar je vandaan komt?'

'North Carolina,' zei ze. 'Het westelijke gedeelte, bij de grens met Tennessee, waar de Blue Ridge bij de Great Smoky Mountains komt.'

'In de buurt van Asheville?' vroeg hij.

'Inderdaad,' zei ze glimlachend.

'Daar ben ik een paar keer geweest. Het is er prachtig.'

'Het is de meest adembenemende plek op aarde,' zei ze. Toen raakte ze in verlegenheid. 'En jij?' vroeg ze vlug. 'Waar kom jij vandaan?'

'Ik ben geboren en getogen in San Fernando Valley. Niet adembenemend.'

Ze glimlachte. 'Heb je hier ook gestudeerd?' vroeg ze, en daar gingen ze weer, naar het veilige terrein van werk en opleiding.

Uiteindelijk bracht hij haar terug naar het kantoor van Max Kroll, zodat ze haar koffer op kon halen en een taxi nemen naar het hotel. Ze had zin in een hete douche. En om die grotemensenschoenen uit te schoppen. 'Ik verwacht veel van je,' zei hij, 'maar ik weet zeker dat je aan mijn verwachtingen zult voldoen. Je werk is uitstekend.'

Ze voelde een golf van plezier bij zijn lof. 'Dank je. Het is een prachtige kans.'

'Ja. Inderdaad.' Hij gaf haar weer een van zijn vriendelijke blikken en ze vroeg zich af of er meer achter zat. Dat moest wel.

'Ik haal je om zeven uur op bij je hotel voor het diner,' zei hij.

'Ik wacht in de lobby.'

Hij knikte, zwaaide gedag en de liftdeuren gingen dicht.

Ze pakte haar koffer op, belde een taxi om haar naar het hotel te brengen en ging buiten staan wachten tot hij kwam. Het verkeer stroomde langs en de gebouwen om haar heen rezen omhoog als hoge rotszuilen, mensendozen, en ze probeerde te bedenken hoeveel mensen er achter elk glazen vierkantje zaten. Ze probeerde langs de gebouwen heen te kijken naar de bergen die zoals ze wist de stad omringden, maar ze kon ze niet zien. Ze probeerde zich voor te stellen dat ze hier een leven begon. Dat kon ze, zei ze tegen zichzelf. Dat kon ze.

★

Het hotel was een torenflat in hartje centrum. Als ze uit haar raam keek, kon ze het stadhuis zien, het Staples Center, een paar andere hotels en talloze kantoorgebouwen. Ze zag auto's heen en weer schieten en mensen als mieren over de stoepen krioelen. Ze draaide zich om en inspecteerde de kamer. Die was aardig. Nou ja, zacht uitgedrukt. De muren waren van een prachtig glanzend goud, er hingen smaakvolle kunstwerken en de bruine leren stoelen waren van uitstekende kwaliteit. Er stonden verse bloemen en een schaal fruit op tafel. Ze dacht aan de kamers die de krant van Seattle voor haar boekte als ze de stad uit ging om een verhaal te maken. Dan was het altijd iets heel eenvoudigs. *Nou ja, geniet er maar van*, dacht ze met een glimlach en ze moest ineens denken aan de manier waarop Sam haar het hof had gemaakt. Zo galant en ridderlijk, en ze herinnerde zich dat hij haar op de avond van zijn aanzoek had meegenomen naar de bergkam achter The Inn in Smoky Hollow en haar hand had vastgehouden.

'Ik wil je een mooi leven geven,' had hij gezegd. 'Ik wil ervoor zorgen dat je nooit verdriet hebt.' En hij had haar hand gekust en de diamanten ring van zijn oma om haar vinger gedaan. Ze waren toch allebei dwaas geweest om te geloven dat dat kon?

Ze dacht aan wat hij had gezegd toen hij haar dat eerste jaar had gevraagd naar The Inn te komen en hoe de woorden in haar oren hadden nageklonken, nog nadat ze had gezegd dat ze zou komen. Kom thuis, had hij gezegd. Laat me voor je zorgen. Laat me het herstellen, had hij evengoed kunnen zeggen.

Omdat ze ineens een droge mond kreeg, liep ze naar de minibar en pakte een blikje suikervrije frisdrank. Toen ging ze haar koffer uitpakken. De jurk die ze had gekocht, was van goudkleurige zijde. Hij moest gestreken worden. Ze trok haar pakje uit en hing het op, trok de dikke badstof badjas van het hotel aan en ging een paar minuten liggen. Ze deed haar ogen dicht, vastbesloten om te rusten, maar na een tijdje besefte ze dat ze ze dicht kneep en er hoofdpijn van kreeg. Ze ging rechtop zitten, ze was moe maar legde zich er bij neer dat ze niet ontspannen genoeg was om te slapen.

Ze aarzelde even voordat ze haar adresboekje tevoorschijn haalde en het telefoonnummer van haar zus opzocht. Ze draaide het. De basstem van haar zwager bulderde uit het antwoordapparaat en ze voelde een golf van opluchting dat ze hem niet persoonlijk hoefde te spreken. Althans niet op dit moment. Ze sprak een boodschap in, het telefoonnummer van het hotel en het toestelnummer.

'Ik hoop dat ik jullie morgen kan komen opzoeken,' zei ze, 'voordat ik naar Seattle terug ga.'

Ze stond op en beende door de kamer. Ze voelde zich raar. Opgewonden, maar verveeld. Gespannen, maar vermoeid. Ze overwoog een heet bad te nemen, maar besloot in plaats daarvan te gaan wandelen. De stilte van de kamer werkte haar op de zenuwen. Het hotel was geluiddicht en zelfs al waren er honderden mensen om haar heen, ze kon niets anders horen dan nu en dan het gedempte open en dicht gaan van een deur.

Ze trok gemakkelijke kleren aan, een T-shirt en haar wandelschoenen, stopte de sleutelkaart van haar kamer in haar zak, zwaaide haar tas over haar schouder en vertrok.

Ze liep naar het transferium bij Union Station, waar ze keek naar de komende en gaande bussen zonder te weten waar ze heen wilde. Ze bestudeerde de lijst van mogelijke bestemmingen. *North Hollywood.* Nee. Ze had geen zin om te kijken naar andermans naam op een stoep. *Beverly Hills.* Nee. Geen filmsterren of exclusieve winkels. *Chinatown.* Nee. *Santa Monica,* las ze en dacht aan het strand en zand en zout water. Ze vond de juiste bus, stapte in en betaalde haar kaartje.

Ze reden. Af en toe wisselde ze een blik of een klein lachje met de vrouw die naast haar zat. Het was een Zuidoost-Aziatische, ze had warme bruine ogen en huid en prachtige gouden armbanden en ringen. Annie vroeg zich af wat haar hierheen had gebracht. Wat voor leven ze nu leidde en wat voor leven ze achter zich had gelaten. De bus stopte op de Third Street Promenade en Annie stapte uit. Ze pakte een dienstregeling en stopte hem in haar tas. Toen oriënteerde ze zich om te zorgen dat ze de weg terug kon vinden.

Het was warm, over de dertig graden nog in de late namiddag. Er was geen zon, maar de lucht was nevelig, en dat deed haar aan thuis denken. Ze keek etalages, wandelde over de promenade, snuffelde in boetieks en cadeauwinkels en liep daarna langs het water. Er stond een stevige bries, maar de koele wind op haar gezicht was prettig na de spanning van de dag. Ze liet hem langs haar gezicht strijken en ontspande zich een beetje, ademde de zilte lucht in. Ze liep langs de pier en keek weer op haar horloge. Ze keerde om en ging op weg terug, maar koos een andere route, door een woonwijk een paar straten van de waterkant.

Er stonden appartementen en kleine strandhuisjes. Ze stond stil voor zo'n huisje, een klein vierkant van witte pleisterkalk met een gazonnetje als een postzegel waar bloeiende planten stonden. Felroze bloesem klom omhoog langs de omheining van de veranda. Over het prieel en het hek kronkelden rozen. Massa's roze, paarse, rode en oranje bloesems vormden een wal om het huis. De eigenaar had aan de tafel midden op het grasveld gezeten. Hij werd overschaduwd door een paars met roze gestreepte parasol. Er stond een kopje koffie en er lag een puzzelboekje. Ze bleef even staan kijken en stelde zich voor dat ze dat pad op zou lopen en de sleutel in die deur omdraaide, dan weer naar buiten kwam en met een lekker drankje ontspannen in die stoel ging zitten kijken hoe de zon onderging boven het strand. Ze stelde zich voor dat ze daar woonde met iemand anders, iemand van goud en licht, niet duister en gedreven. Iemand met wie ze alles en iedereen kon vergeten die ze vroeger had gekend.

Ze draaide zich om en liep vlug terug naar het winkelcentrum. Algauw werden de huizen weer afgewisseld met winkels en na een paar minuten lopen kwam ze bij een openluchtmarkt. Vlak voor haar hing een vrouw handbeschilderd weefsel uit, krullen van magenta, indigo, saffraan en smaragd. Ernaast stonden tafels afgeladen vol glazen kralen in lichtgevende pastelkleuren, fel beschilderde maskers en beeldjes gesneden uit glanzend bruin mahonie. Ze glimlachte en liep door, langs de Chinese kruiden, langs de groenteboer wiens kratten vol appels, sinaasappels, bananen en kolen hoog opgestapeld waren. Ze rook barbecue en besefte dat ze honger had.

Toen ze de promenade naderde, begon de menigte te veranderen. Mannen en vrouwen in zakelijke kostuums zigzagden om haar heen met de gerichte blik van mensen die na het werk op weg naar huis zijn. Thuis was ieders doel. Waar warm eten wachtte, waar de mouwen werden opgerold, iets koels gedronken, kinderen in bad werden gedaan en met ze werd gespeeld of ze werd voorgelezen voordat ze in hun vertrouwde bedjes werden gestopt. Ze had bijna het gevoel of ze voor hun huizen naar binnen stond te kijken terwijl het licht van hun ramen op de donkere stoep viel. Ze voelde een bekende steek van verlangen en ze zette de pas erin om het tegen te gaan.

Ze knikte naar een donkere man met een paardenstaart die in de schaduw van een kartonnen doos zat en liet een paar dollar in zijn hoed vallen. Ze passeerde de kunstgaleries, de rijkeluisboetieks, de juweliers en de kleine bars en bistro's, en de menigte die laat had geluncht of vroeg ging dineren die zich over de stoep verspreidde.

Bij de volgende deur bleef ze staan. *O'Hara's Antiek en Verzamelobjecten* stond met gouden letters op de deur. Annie keek op haar horloge. Het was vijf uur, maar ze had nog tot zeven uur. Ze had tijd en zo'n winkeltje kon ze nooit voorbijlopen. Er was iets mee dat haar aansprak en dit keer was geen uitzondering. Ze duwde de deur open en stapte naar binnen, deed haar ogen dicht en snoof, want de geur was altijd wat haar het eerst trof. Die tilde haar op en liet haar vallen in het verleden, de geur van iets dat vertrouwd en dierbaar was op deze vreemde, onbekende plaats. Het was een mengsel van oud papier en mufheid en houtrook, misschien gevangen in een handdoek, een tafelkleed of een deken. Een bitterzoet gevoel bekroop haar. Ze liep door het eerste gangpad. De airconditioning bezorgde haar kippenvel op haar armen, of was het iets anders?

De eerste nissen die ze passeerde, waren een teleurstelling. Ze stonden vol Californische kitsch. Broodroosters uit de jaren vijftig, stoelen, meubels, alles in roze en babyblauw, veel chroom en puntige hoeken.

Maar verderop was een uitstalling vol met kleding. Een

klassieke trui uit de jaren veertig zou haar opgevallen zijn, ook als ze geen kippenvel had gehad. Hij was van kasjmier, in die tint van roodachtig oranje die persimmon genoemd wordt, haar favoriete kleur. Het is *jouw* kleur, hoorde ze hem in gedachten zeggen. Hij past bij je haar en je ogen. Ze haalde hem van de hanger en streek over het prachtige kralenpatroon aan de voorkant. Ze kon hem vanavond bij haar jurk dragen. Ze trok hem aan. Hij was zacht en warm tegen haar huid, als een troostende hand. Het kaartje hing aan een draad aan de mouw.

Ze liep langs de mannenafdeling, zo makkelijk te herkennen. Er stonden verzamelingen telefoons, gereedschap, oorlogsmedailles, golfclubs.

Toen ze bij de kassa kwam, die natuurlijk antiek was, werd ze begroet door een klein, mollig vrouwtje.

'Goedemiddag,' zei de vrouw. Ze glimlachte en Annie werd getroffen door haar mooie ogen. Ze waren van mooi, helder blauwgroen met lachrimpeltjes in de hoeken.

'Goedemiddag,' antwoordde ze en besefte met schaamte dat ze de koopwaar aangetrokken had. 'Deze trui is van u,' bekende ze.

'Geen probleem,' zei de vrouw. 'Steek uw arm maar uit.' Annie stak haar arm uit.

De vrouw pakte een schaar en knipte het kaartje af. 'Ik zal hem afrekenen,' zei ze.

Annie glimlachte en knikte. Ze kon nooit uit zo'n winkel weg komen zonder een aandenken te kopen. Een zakdoek, een stuk kant, een boek, een waaier. Maar ze ging geen broodrooster uit de jaren vijftig kopen, hoe graag ze ook een souvenir wilde.

'Ik wilde net een pot verse koffie gaan zetten,' zei de vrouw. 'Wilt u misschien een kopje als het klaar is?'

'Graag,' zei Annie. *Wat aardig. Wat onverwacht*, dacht ze, en ze voelde zich buitensporig dankbaar.

Rondkijkend liep ze door de winkel en achterin vond ze de curiositeit. Het was een reeks ommuurde ruimtes met ramen, als een huis binnen in de winkel. Het was vroeger waarschijnlijk een kantoor geweest, maar de eigenaar had de ruimte gebruikt om een Victoriaans huis te creëren en had de buitenkant van de muren zelfs voorzien van peperkoek en lijstwerk. Annie stapte over de drempel in de zogenaamde woonkamer en haar mond viel open van verwondering. Ze had het gevoel of ze zo in een andere eeuw stapte.

Twee wijnkleurige stoelen stonden naast een kachel. Op de vloer lagen oosterse tapijten. Uit Victoriaanse lampenkappen stroomde warm licht op de gewreven mahoniehouten tafels. Reproducties van Maxwell Parish sierden de muren. Ze knipperde met haar ogen en bleef even staan kijken voordat ze verderging naar de slaapkamer. Naast een hemelbed stond een wiegje. Het was leeg.

Vlug liep ze door naar de keuken. Die was ingericht alsof iemand net een taart aan het bakken was. Deegroller en taartschaal lagen op tafel. Er lag zelfs een stuk bladerdeeg en er was meel gestrooid voor het effect. Ze voelde eraan met haar vinger, half en half verwachtend dat het zacht en buigzaam was. Op de tafel lag een roodwit geruit kleed en er was gedekt met Blue Willow servies. Een assortiment gietijzeren pannen stond op de branders van het fornuis. Ze wandelde terug naar de woonkamer en liet haar ogen nog eens door de kamer dwalen.

Deze keer viel haar iets op wat ze eerst niet had gezien – een klein rood vierkant aan de muur met een afbeelding van Jezus in reliëf. Hij had een vriendelijk gezicht. Hij hield een lam in zijn rechterarm en in zijn linkerarm een herdersstaf. De randen waren versleten, maar de krulletters op de pluizige voorkant waren volkomen gaaf. Ze las de boodschap met bonzend hart, alsof de woorden een grote betekenis hadden. *Mijn schapen horen mijn stem.*

Ze liep ernaartoe en stak haar hand omhoog om het aan te raken, en zo gauw ze dat deed, wist ze dat het voorbestemd was om van haar te zijn. Ze haalde het van de muur, hield het voorzichtig vast, draaide het om en keek naar de achterkant. Iemand had er met prachtig spenceriaans schrift iets op geschreven. *Op aarde is geen verdriet dat de hemel niet kan helen.*

De woorden doorboorden haar hart, een wond in plaats van balsem. Ze las de naam onder de uitspraak. *Annie Johnson-Wright, Silver Falls, North Carolina, 1920.*

Ze knipperde met haar ogen en moest het nog eens lezen, niet zeker wat ze zojuist had gezien. Haar hart bonsde en haar mond werd droog. Hoe was dit mogelijk? Het was schokkend onwaarschijnlijk. Silver Falls was op een steenworp afstand van haar huis, maar een paar kilometer van haar eigen stadje Gilead Springs. En de naam van die vrouw! Wat was dit voor een toeval? Deze vrouw die haar naam deelde, die haar verdriet begreep, had haar over afstand en jaren heen licht op de schouder getikt en tot haar gesproken. Ze had het gevoel alsof ze met een voet op twee bewegende stukken land stond en snel moest besluiten wat te doen. Of ze moest denken dat het een onwaarschijnlijk toeval was en niets te betekenen had. Of iets meer. Of ze moest geloven. Of niet.

Ze ging met het plaatje in de schommelstoel zitten. Wat had deze boodschap te betekenen? En wat betekende het dat ze hem hier had gevonden, in deze plaats, waar ze heen was gegaan om zich te verstoppen? Ze streek over het zachte fluweel en las die woorden nog een keer. *Mijn schapen horen mijn stem.*

Ze had Zijn stem al zo lang niet meer gehoord dat ze zich niet kon herinneren hoe die klonk. Was zij dan geen schaap van Hem? Eens had ze gedacht van wel. Maar nu wist ze niets meer zeker. Ze keek neer op het lam. Op het vriende-

lijke gezicht van de herder. Ze haalde diep adem. Waar was
Hij? Deze Christus van Golgotha die harten genas en levens
veranderde? Zij zag Hem niet meer.

'O, daar bent u.'

Annie schrok op. Het was de vrouw, met een plastic
bekertje met koffie in haar hand.

'Sorry,' zei de vrouw. 'Ik wilde u niet laten schrikken.'

'Het geeft niet. Dank u.'

'Mooi, hè? De vrouw keek naar het plaatje in Annies
hand.

Annie knikte. Ze hief haar gezicht op naar de vrouw en
hoopte dat ze er niet uitzag of ze een geest had gezien. 'Hoe
komt u eraan?'

'Deze kraam is van Lottie Anderson,' antwoordde ze. 'Ze
maakt veel reisjes om spullen te kopen. New York, North
Carolina, zelfs Europa soms. Ze kan het overal vandaan hebben. Ik kan haar wel bellen om het te vragen als u het echt
wilt weten.'

Annie schudde haar hoofd. 'Dat hoeft niet.'

'Zal ik het voor u mee naar voren nemen?'

'Ik wil het alleen even vasthouden, als u het goed vindt.'

'Natuurlijk,' zei ze vriendelijk en verdween.

Annie leunde achterover in de schommelstoel en toen
was ze niet langer in Los Angeles, maar hier, in de keuken
met het hoge plafond, aan de eikenhouten tafel, waar ze het
gladde tafelzeil onder haar hand voelde, zoete thee dronk,
het gekletter van vaatwerk hoorde en het gemurmel van
bekende stemmen. Ze deed haar ogen dicht en de vrede
waarnaar ze verlangde, gaf van zijn aanwezigheid blijk als de
zwakke geur van iets moois dat langs dreef op de wind.

3

Annie douchte en kleedde zich aan voor het diner, zenuw-achtig alsof ze naar haar eerste bal ging. Ze droeg de amber ketting en oorringen weer, de mooie roodoranje trui en de goudkleurige zijden jurk. Tien minuten te vroeg stond ze al bij de draaideuren in de lobby op Jason Niles te wachten. Ze voelde zich leeg en nerveus.

'Annie.' Een stem achter haar.

Ze draaide zich om en zag hem. Hij was vanuit de tegen-overgestelde richting binnengekomen.

'Ik moet even vlug bij mijn huis langs,' zei hij veront-schuldigend toen hij haar naar de auto bracht. 'Ik ben nog niet thuis geweest.'

'Goed, hoor,' stemde ze toe.

'Ik moet even bij mijn dochter kijken en controleren of alles in orde is voor vanavond. Trouwens, het ligt op de route.'

'Geen probleem.'

Hij zigzagde door het verkeer en kronkelde over de ene autoweg na de andere. Hij nam een afslag naar El Segundo, reed nog een stuk door een propere, groene stad, reed een nieuwbouwwijk in en stopte voor een kleine bungalow. Het gazon was groen. Een volle korte palmboom was de enige versiering.

'Kom binnen, dan kun je Delia zien,' inviteerde hij.

'Wat een mooie naam.'

'Die heeft mijn vrouw gekozen. Ze is twee jaar geleden gestorven aan kanker.'

'Wat erg.' Ze zei de woorden vriendelijk en met gevoel, maar niets meer, want wat viel er meer te zeggen? Ze voelde een verwantschap met hem die ze eerst niet had gevoeld. Ze volgde hem het huis in terwijl hij zijn dochter riep.

'Delia! Delia!'

Geen antwoord, maar even later verscheen er een tienermeisje met een bolle toet uit de keuken. 'Hoi, meneer Niles,' zei ze. 'Delia is in de achtertuin.'

Aan het basketballen, zag Annie toen ze bij de glazen deur kwamen. Jason opende hem en riep zijn dochter nog een keer.

'Delia, kom es. Ik wil je even aan iemand voorstellen.'

Ze kwam aanrennen, bezweet, haar lange bruine haar stond alle kanten op en ze liep op blote voeten. Ze liet de basketbal op de kleine patio vallen en kwam binnen. Ze gaf hem een knuffel, sloeg haar magere armen om zijn middel. Ze leek een jaar of negen. Tien misschien. Hij bukte zich en plantte een kus op haar wang. Iets in Annies borst deed pijn.

Delia liet haar vader los en keek Annie met oprechte nieuwsgierigheid aan.

'Delia, dit is Annie Dalton. Ze komt misschien bij ons werken op de krant. We gaan vanavond bij meneer Kroll thuis eten.'

'Hallo,' zei ze.

Toen ze glimlachte, zag Annie dat ze grote, nieuwe voortanden had en een ontbrekende kies. 'Hallo,' antwoordde Annie en ze lachte terug.

'Ik ga me even verkleden,' zei Jason. Hij liep de gang in. 'Delia, laat Annie het huis zien.'

Delia haalde haar schouders op en lachte weer. '*Nou*,' zei ze. 'Wat wil je zien?'

Annie lachte. '*Nou*, wat wil je me laten zien?'

Delia haalde nog steeds lachend weer haar schouders op. 'Ik zou je mijn konijn kunnen laten zien.'

'Dat lijkt me een prima idee,' antwoordde Annie, en ze volgde Delia de achtertuin in.'

'Niet te ver, Delia,' waarschuwde de oppas. 'De pizza's komen over tien minuten.'

'Nee,' zei Delia tegen de oppas. 'Hier zit ie,' zei ze tegen Annie en ze ging haar voor naar een hok in de hoek van de tuin. 'Hij heet Stamper.'

Annie gluurde door het kippengaas en zag twee roze oogjes die haar aanstaarden. Stamper was een buitengewoon weldoorvoede witte reuzenangora met robijnrode ogen.

'Tjonge. Hij is prachtig,' zei ze. 'Zorg je zelf voor hem?'

'Meestal wel.' Delia maakte het hok open en haalde het konijn eruit. Het was een hele vracht voor haar en hij wriemelde om neergezet te worden.

'Heb je hem wel eens geschoren?' vroeg Annie.

'Ik heb hem pas een paar maanden,' antwoordde Delia. 'Maar die mevrouw van wie ik hem heb gekregen woont hier in de straat, en zij zou me laten zien hoe het moet.'

'Ik had vroeger tientallen zulke konijnen,' zei Annie met een glimlach. 'Maar ik woonde landelijk.'

'Op een boerderij?'

'Ja.'

'Wat voor dieren had je nog meer?'

'Een grote kudde schapen. Koeien. Kippen. Een hond. Een paar erg valse ganzen. En twee lama's.'

'Tjonge.' Delia glimlachte het gat tussen haar tanden bloot. 'Waar was dat? Je hebt een accent.'

'Het was in de bergen van North Carolina. Maar dat is al heel lang geleden. Ik woon nu in een appartement. In Seattle.'

'Ga je hierheen verhuizen en bij mijn vader werken?'

'Ik denk van wel,' zei Annie. 'Ik weet het haast zeker.'

Delia knikte en zette Stamper neer in het gras. 'Ik moet op hem passen,' verklaarde ze ernstig. 'Als hij de tuin uit gaat, krijgen de honden hem te pakken.'

Stamper probeerde te ontsnappen naar het hek en Delia versperde hem de weg. Hij probeerde het nog een keer, en even later werd het een spelletje. Delia en het konijn speelden en Annie keek toe. Het was een prachtig kind, zo ongedwongen en vrij.

'Zo, daar ben ik weer.' Het was Jason, opgefrist en netjes aangekleed.

'Dat heb je vlug gedaan,' zei Annie.

'Ik vraag weinig onderhoud.' Hij wendde zich tot zijn dochter. 'Geef me een zoen,' zei hij, bukkend. 'Ik kom laat thuis, dus niet lastig zijn voor Gina als ze zegt dat je huiswerk moet maken en naar bed moet.'

'Nee, pap,' beloofde ze.

'Dag, Delia,' zei Annie. 'Het was leuk je te ontmoeten.'

Ze nam haar in zich op en prentte zich het levendige gezichtje, de warme bruine ogen en het glanzende haar goed in.

'Tot ziens,' zei Delia. Voordat ze zich omdraaiden om weg te gaan, was ze alweer met het konijn aan het spelen.

★

Max Kroll woonde met zijn vrouw Rachel in een mooi huis in Hermosa Beach. Eigenlijk *op* Hermosa Beach, en paleisachtig buitenverblijf was een toepasselijker beschrijving dan huis. Het besloeg minstens twee kavels en was een lage, wijdverbreide massa van roodhout en priëlen, fris goudkleurig hout en hoge plafonds, bonsaiboompjes en vijvers met koikarpers, ongetwijfeld gefinancierd door het inkomen van zijn vrouw die makelaar in onroerend goed was. Annie wist dat geen enkele krant zo goed betaalde, of je nu de grote baas was of niet. Het was prachtig, schoon, open, verfrissend. Er was niets dat haar aan thuis herinnerde, en dat beviel haar het best.

De mensen vond ze ook aardig. Ze mocht de humeurige

Max Kroll, ondanks al zijn razen en tieren. Ze mocht zijn vrouw Rachel, die scherpzinnig en gevat bleek te zijn. Ze mocht Jason met zijn rustige manieren. Ze aten op de zonneveranda met het regelmatige ritme van de branding op de achtergrond. Ze aten verse oesters uit de Grote Oceaan met een frisse Chablis, toen een soort kerrie-kokosschotel met gegrilde asperges met tijm en weer wijn. Toen chocolade-aardbeientaart en sterke, bittere espresso. Als ze hier kwam werken, zou ze wel niet meer zo vriendschappelijk omgaan met de baas, maar vanavond was het geweldig. Ze voelde zich opgevrolijkt en zeker van zichzelf.

Aan het eind van de avond bracht Jason haar terug naar haar hotel.

'Je moet er wel voor omrijden,' zei ze. Nu ze gezien had waar hij woonde, kon ze precies zien hoe ver het om was.

'Dat vind ik niet erg,' zei hij.

'Je hebt een kostbare dochter.' Ze zei het zacht en gebruikte precies het woord dat ze bedoelde.

'Weet ik. Ik besef het meer nu haar moeder er niet meer is.'

Ze reden enige tijd in stilte verder tot hij weer sprak. 'Delia heeft het niet makkelijk gehad toen Libby stierf. Het was een moeilijke tijd. Ik heb een poosje vrij genomen.'

'Dat is goed,' zei Annie meteen vol overtuiging. 'Dat moest ook.' Weer zo'n zekerheid.

Ze waren bij het hotel en het speet haar.

Hij parkeerde, maakte haar portier open en liep met haar de lobby in. 'Ik verheug me erop je te leren kennen,' zei hij, en zijn ogen ontmoetten de hare. 'Ik hoop dat je besluit te blijven.'

'Dank je.' Ze wendde haar ogen af en voelde zich schuldig alsof ze iets verkeerds had gedaan.

Ze namen afscheid. Ze ging naar haar kamer en zat een tijdje na te denken over wat ze moest doen. Er moesten stappen ondernomen worden en in specifieke volgorde, en al had ze kordaat besloten dat ze die zou nemen, ze voelde onverwachte emoties, een onvermoede ambivalentie. Een klein stemmetje, zoals oma Mamie het genoemd zou hebben, waarschuwde haar fluisterend. *Nee.* Ze schudde haar hoofd. Het stemmetje was alleen van haarzelf, wat oma Mamie ook gezegd zou hebben.

4

Annie werd vroeg wakker, pakte haar spullen in en schreef zich uit uit het hotel. Ze hield een taxi aan en gaf de chauffeur de aanwijzingen die haar zus haar die ochtend door de telefoon had gegeven. Ze had gemengde gevoelens gehad toen ze Theresa's stem hoorde. Deels teleurstelling, deels pure, zoete vreugde. Ze spraken een kort bezoek af voordat Annie 's avonds het vliegtuig terug naar Seattle moest halen. Haar zus en zwager waren kortgeleden uitgezonden naar Los Angeles. Ze hadden het grootste deel van de afgelopen jaren doorgebracht in San Francisco, waar het hoofdkantoor van Dovs pastoraat was gevestigd.

Ze keek toe hoe de chauffeur zijn weg zocht door de binnenstad van Los Angeles en besefte dat haar relatie met Theresa, zoals zo veel andere dingen, schade had geleden van de gebeurtenissen die haar leven vijf jaar geleden verwoest hadden.

Ze was rechtstreeks naar hen toe gegaan toen ze Sam had verlaten. Ze woonden destijds in New Jersey en ze herinnerde zich dat ze hen had horen ruziemaken, haar zus en de man van haar zus, op de ochtend na haar komst. De muren van hun appartement waren dun en Dov had geschreeuwd. Theresa probeerde hem tot stilte te manen. Het hielp niet. Hij was een Israëli en grootgebracht in een luidruchtig, hartstochtelijk gezin.

'Ze moet terug,' had Annie hem horen zeggen. 'Ze moeten er samen uit zien te komen.'

Meer sussende woorden en toen Dovs stem weer. 'Hoe

kunnen ze het oplossen als zij in Newark zit en hij in North Carolina?'

Theresa had iets teruggezegd, een zacht gemurmel. Annie draaide haar hoofd om en kneep haar ogen stijf dicht, al wist ze dat de slaap geen uitweg bracht. Haar verdriet hield de wacht over haar tijdens de lange uren van de nacht. Er kwam geen verlichting. Ze stond op en trok haar kleren aan. Dezelfde die ze de dag ervoor had gedragen, toen ze had geprobeerd weer naar haar werk te gaan. Ze kon niet werken. Wat had ze dan gedacht? Dat ze kon schrijven over schoolbestuursvergaderingen en parkbudgetten?

Ze borstelde haar haar en trok het naar achteren. Ze maakte het bed op, vouwde de geleende nachtpon op en legde hem naast het kussen. Ze trok haar schoenen aan en ging naar de badkamer, lawaai makend zodat ze wisten dat ze op was en ophielden ruzie over haar te maken.

Ze waren voorbereid toen ze de keuken binnen kwam. Dov, een reusachtige man, zag er mal uit met zijn grote lijf aan de piepkleine eettafel, en als het anders was geweest, had Annie geglimlacht. Zijn naam betekende *beer* in het Hebreeuws, en hij deed haar inderdaad aan een beer denken met zijn enorme massa, zijn ruige haar en baard, en zijn zware, lage stem. Die was diep en leek door zijn borst te weergalmen voordat hij de kamer vulde. 'Goedemorgen, Annie,' zei hij. De woorden vibreerden op muzikale golven naar haar toe.

'Goedemorgen,' antwoordde ze, zijn blik ontwijkend. Ze had er geen energie voor. Bovendien wist ze al dat ze vandaag vertrok. Ze was nooit van plan geweest hier te blijven. Nou ja, misschien had ze gehoopt een tijdje te kunnen blijven, maar het was toch niet erg? Ze voelde geen bitterheid jegens een van beiden. Ze kon er geen emoties meer bij hebben. Geen teleurstelling of pijn om hun reacties.

Haar zus was onnatuurlijk druk bezig bij het aanrecht. Ze

lachte Annie al te meelevend toe. 'Hier,' zei ze en gaf haar een kop koffie met suiker en room zoals ze het lekker vond.

'Ga zitten,' zei Dov. 'Neem wat te eten.'

Annie nam plaats naast de kinderstoel. De baby van haar zus smeerde een banaan uit over het blad. Uit de woonkamer waar haar neefje aan het spelen was, hoorde ze zijn vrolijke schaterlach. Ze nam wat van de schaal met eieren die Theresa voor haar had neergezet. Ze was een beetje misselijk en nam een slokje koffie.

Het was zondagochtend en in het leven dat ze verlaten had, zouden ze naar de kerk zijn gegaan. Sam en zij zouden zich netjes aangekleed hebben en tussen nette mensen zijn gaan zitten en hun kerkgezicht op hebben gezet en aandachtig geluisterd hebben en de lof gezongen hebben van Hem die alle dingen goed doet. 'Prachtige preek,' zouden ze bij de deur gemompeld hebben als ze de dominee de hand schudden. En alles zou een leugen zijn geweest. Ze vroeg zich af of de kerk van Theresa en Dov ook zo was, vol leugenaars op zijn eigen manier. Ze gingen 's zaterdags naar de kerk en Dov begon de dienst met het blazen op een ramshoorn. Haar zwager, de rabbijn.

'Annie,' liet Dov zich weer horen. 'Wil je soms praten?'

Annie keek hem aan. Zijn ogen stonden vriendelijk en zacht, en ze wist dat hij het goed met haar meende. In een gewone situatie zou hij haar voor onbepaalde tijd verwelkomd hebben in hun kleine appartement en hun drukke leven. Maar dit was geen gewoon ogenblik.

'Wat is er gebeurd tussen Samuël en jou?' hield hij aan. Hij sprak Sams naam op z'n Hebreeuws uit, *Schmuel*, en ze glimlachte bijna toen ze bedacht hoe moeilijk het moest zijn voor zuidelijke oren om te begrijpen wat hij zei. En echt weer iets voor Dov om plompverloren van wal te steken en recht op zijn doel af te gaan, maar het was misschien wel goed. Hij was een zendeling voor Jezus onder joden, en iemand voor wie het gewoon was om onbekenden aan te klampen op het vliegveld had er geen moeite mee de huiselijke problemen van zijn schoonfamilie aan de orde te stellen. Ze probeerde zich voor te stellen hoe het zou voelen om op een onbekende af te lopen die in de rij stond voor de bagagecontrole en te vragen of hij de Messias kende. Eens had zij zulk soort dingen gedaan met een volkomen overgave die ze betwijfelde ooit weer te zullen voelen. Voor wat dan ook. Voor wie dan ook.

'Er is niets gebeurd,' zei ze, en het was de absolute waarheid. Er was niets gebeurd. De relatietherapeut had gezegd dat ze er eens uit moesten gaan en 'praten over hun pijn'. Dat had ze plichtsgetrouw gedaan, Sam had zelfs vrij genomen van zijn werk, wat hij nooit eerder had gedaan, in een poging haar te laten zien dat hij zijn best deed. Zij had een kamer gehuurd in de Cape Hatteras Inn en daar hadden ze twee beroerde dagen in stilte doorgebracht. Sam had naar de vloer gestaard en Annie had opgekeken naar zijn stoïcijnse gezicht, zich afvragend wanneer de vulkaan zou uitbarsten. Toen ze thuiskwamen, was hij opgeroepen onmiddellijk naar het ziekenhuis te komen. Een kind had hem nodig en hij was bijna vrolijk geworden van opluchting. Ze had hem nagekeken toen hij wegreed, de stofwolk gezien die na zijn vertrek langzaam neerdaalde, en op dat moment had ze geweten dat ze daar niet langer kon blijven. Ze had een kort bezoek aan haar werk gebracht, alleen om het netjes af te sluiten en haar bureau leeg te ruimen. Toen was ze thuisgekomen en had op Sam gewacht om het hem te vertellen. Maar hij was niet thuisgekomen. Hij had rond tien uur gebeld om te zeggen dat hij in het ziekenhuis bleef slapen. Er stond de volgende ochtend vroeg een operatie op het programma en hij was moe. Ze had zijn woorden rustig aangehoord en toen de telefoon opgehangen.

Ze was naar het echtelijk bed gegaan en had een uur of

twee in het donker van de slaapkamer liggen staren, maar het huis was te vol herinneringen om te kunnen slapen. Dus na een tijdje had ze haar schoenen aangetrokken en haar tasje opgezocht, een eenvoudig afscheidsbriefje geschreven en was vertrokken.

Ze had Sams truck van het erf gereden, was over de geul in de weg gehobbeld en almaar doorgereden. Over de harde zandweg naar het grindgedeelte, naar de tweebaansweg, de vierbaansweg en ten slotte over de snelweg. Door Asheville, toen naar Virginia, naar Maryland, Pennsylvania, New Jersey. Ze had gereden en gestopt en geslapen in de cabine van de truck, toen weer gereden. Ze had nauwelijks tijd gehad om te denken toen ze Newark bereikte, met zijn stampvolle doolhof van drukke straten en krappe gebouwen. In hun schaduw was ze kalm geworden, was de schroeiende pijn enigszins verlicht, als een brandwond die onder koud stromend water wordt gehouden. Haar zus had haar ontvangen met open armen en zonder woorden. Dov had kennelijk omhaal van woorden nodig.

'Ik ga weg,' had ze tegen hem gezegd op een toon waarvan ze hoopte dat hij duidelijk maakte dat ze niet geneigd was in details te treden. 'En je hoeft je niet ongerust te maken. Ik stel het op prijs dat ik mocht blijven slapen, maar ik ben nooit van plan geweest om hier te blijven.' Haar zus keek gekweld.

'Waar ga je heen?' vroeg Theresa, op de rand van tranen.

'Ik weet het niet precies. Maar maak je geen zorgen. Ik heb alles wat ik nodig heb,' zei ze, bracht haar kopje naar het aanrecht en pakte haar jas en tas bij elkaar.

Theresa had gehuild. 'Ga nu niet zo weg,' had ze gesmeekt.

'Je weet dat je welkom bent in ons huis,' zei Dov. 'Dat is het punt niet.'

'Weet ik,' zei ze eenvoudig en gaf hem een kus op zijn

wang. 'Het is beter zo.' Ze gaf haar zus een kus en drukte haar even tegen zich aan. Ze vertrok, deed de deur achter zich dicht en hoorde hoe ze weer ruzie begonnen te maken. Dit keer overstemde Theresa's schrille en boze geluid Dovs lage gemurmel en het gehuil van de baby.

Ze was in de truck gestapt en was even blijven zitten. Het was oktober en grijs. De blaadjes begonnen te vallen. De lucht was zwaar van regenwolken. Ze wist dat ze ergens heen kon waar de dingen groeiden, waar de dingen groen en levend waren.

Zijn loof zal niet verwelken.

Ze wist dat ze dat ergens eerder had gehoord, waarschijnlijk gelezen in de Bijbel. Zonder er verder over na te denken, pakte ze de kaart en zette een route uit naar Seattle, denkend aan groenblijvende bomen. Ze wist er niets anders van dan dat het een plaats was waar het hele jaar door dingen groeiden, zelfs hartje winter. Ze had zo ontzettend weinig van alles geweten, besefte ze nu, alleen dat ze geen strenge winter kon verdragen met uitzicht op de kale bomen.

De taxi verliet nu de snelweg om Compton in te rijden en maakte een bocht. Nog een. En nog een, toen stopte hij langs de stoeprand. Annie controleerde het nummer op het papier in haar hand. Daar had je het. Een verwaarloosde bungalow in een slecht stadsdeel. Dov vond het niet goed om zich af te zonderen van de mensen die hij onder zijn hoede had. De tuin stond vol driewielertjes, steppen, fietsen en basketballen, de sporen van hun grote en gelukkige gezin. Annie was niet jaloers op haar zus, hield ze zichzelf nog eens voor. Ze had die beslissing bewust genomen, alsof ze een kledingstuk aantrok toen elk van de vier kinderen van Theresa en Dov geboren waren. Ze had de eerste twee geboorten met vreugde meegemaakt, want die waren vóór haar verdriet geweest. Ze had de warme lijfjes van haar nichtje en neefje vastgehouden. De derde keer had ze hetzelfde gedaan en had iedereen laten geloven dat haar tranen van vreugde waren. De vierde keer had ze opgebeld en cadeautjes gestuurd en helemaal geen tranen vergoten. Nu zag ze haar nichtjes en neefjes zelden, maar ze stuurde ze kaarten met hun verjaardag en met Kerst, altijd met een bankbiljet erin. In ruil ontving ze bedankbriefjes in verschillende stadia van gekrabbel en foto's die hun voortgang toonden van baby's met ronde gezichtjes tot kinderen met ontbrekende voortanden. Ze had niet het gevoel dat ze ze echt kende, als méér dan een verzameling namen, leeftijden en foto's op de koelkastdeur.

Ze betaalde de taxichauffeur en zocht haar spullen bij elkaar. 'Kunt u over twee uur terugkomen?' vroeg Annie. 'U hoeft alleen te toeteren. Ik let wel op.'

★

Het bezoek was pijnlijk en ze was dankbaar dat ze niet kon blijven eten. Niet om de hereniging met haar zus, die zoals altijd hartroerend was. Theresa was weliswaar zeven jaar ouder, maar ze was altijd een raadgeefster en vriendin geweest. Maar de verwijdering tussen Annie en Sam, en Dovs uitgesproken meningen over de kwestie, had hun relatie sterk onder druk gezet.

De tijd had hem niet milder gemaakt. Hij was er en hij stond op haar te wachten, was niet aan het werk zoals ze had gehoopt. Hij gaf haar een harige knuffel en ze inspecteerden elkaar.

'Je bent mager geworden,' zei hij met een frons.

'Jij niet.' Ze glimlachte terug.

'Ik wou dat je kon blijven eten,' zei Theresa. 'De kinderen komen zo uit school.'

Annie voelde een steek van spijt en vroeg zich af waarom ze de reis niet anders had geregeld. Ze had geen plannen. De week lag als een gapend gat voor haar. Natuurlijk had ze hier een dag extra kunnen blijven. De gedachte flitste door haar heen en werd overstemd door de doffe dreun van het gesprek. Ze volgde Theresa door het huis, verlangend om Dov in de woonkamer achter te laten. Ze prees Theresa erom hoe ze de boel had opgeknapt en ingericht. Ze bekeek de naaimachine die ze van Dov had gekregen voor Kerstmis en de quilt die Theresa aan het maken was, en dat was het leukste gedeelte van het bezoek. Haar zus was opgehouden een vreemde voor haar te zijn en was haar zus weer, en het was of ze weer bij oma Mamie aan de eikenhouten tafel zaten en met lapjes speelden uit de zakken die hun oma uit de kast van de logeerkamer had gehaald. Ze waren van bonte katoen, met streepjes en stippels, stukjes van elk kledingstuk dat de moeder van haar vader in de voorafgaande vijftig jaar had gemaakt. Annie grinnikte als ze dacht aan de quilts die zij tweeën toen hadden gemaakt, rare, scheve creaties, onevenwichtig van kleur, met schreeuwende woeste patronen en scheve zomen.

'Je bent vooruitgegaan,' zei ze lachend tegen Theresa. 'Dit lijkt totaal niet meer op die van vroeger, meid.'

Theresa grijnsde terug en Annie zag haar zus zoals ze toen was, met lange, veulenachtige benen, bruin haar in een vlecht, ernstig bezig met het spelden van de stof en het maken van steekjes. Het samen naaien was een van de weinige herinneringen aan het samen opgroeien, vanwege het grote leeftijdsverschil. Tegen de tijd dat zij dertien werd, was Theresa weg, waardoor Annie nog eenzamer was geworden. Maar Sams moeder Mary was altijd een surrogaatmoeder voor haar geweest en oma Mamie was er ook het grootste deel van haar kindertijd geweest. Het was niet nodig geweest dat papa het probleem oploste door te gaan *trouwen*.

Nu viel het haar in dat papa misschien met Diane was getrouwd omdat hij dat wilde, en ze schaamde zich een beetje nu ze zich herinnerde hoe ze haar stiefmoeder uit de weg was gegaan. Niet dat Diane daarvan wakker gelegen had. Annie zag nog steeds voor zich hoe ze compleet opging in het spinnen en weven, en ze voelde de bekende tegenstrijdige emoties als ze bedacht dat Diane degene was geweest die haar in die passies had ingeleid. Met tegenzin had ze Diane toegestaan het haar te laten zien, haar hand te leiden over de donzige wollen vacht die uitgesponnen werd tot verwerkbaar garen. Haar stiefmoeder en zij waren toen tot een soort overeenstemming gekomen.

Theresa had nooit de problemen met Diane gehad die Annie had. In feite was Diane Theresa's trouwste bondgenoot geweest toen ze Dov had ontmoet en de hele familie op zijn kop had gezet door weg te lopen en met hem te trouwen. Dov was destijds nog geen messiasbelijdende jood, alleen joods, wat een hele beproeving was door de baptistische Dalton-clan. Later waren Theresa en Dov tot geloof gekomen. En hoe, dacht Annie treurig, en opnieuw vreesde ze de confrontatie met haar zwager die moest komen voordat het bezoek ten einde was. Er was elke keer als ze hem zag wel een aanvaring, al was het maar een intense blik en een vermaning haar bitterheid opzij te zetten en naar haar echtgenoot terug te gaan. Hoe kon hij begrijpen dat het niet alleen bitterheid en hopeloosheid waren die haar bij hem weg hielden? De wetenschap dat de man die zij eens had liefgehad, zich ver weg had teruggetrokken en ergens heen was gegaan waar zij hem nooit zou kunnen bereiken.

Ze keek naar haar zus, die haar net had verteld waarom ze deze kleuren had gekozen voor deze speciale quiltcreatie, een uitvoering van de Missouri Star in tinten van groen en rood. Annie bedacht weer eens hoe eigenaardig het huwelijk was, hoe vreemd en uitgesproken raar dat voor een altaar gemompelde woorden op een of andere manier twee mensen die zo verschillend waren als Dov en haar zus konden samenvoegen in het onzichtbare koninkrijk, twee mensen zo absoluut bij elkaar konden houden als hun levens op een gewelddadige manier uit elkaar waren gerukt. Nou ja, daar waren hulpmiddelen voor.

'Als ik terug ben in Seattle ga ik de scheiding aanvragen,' zei ze zacht toen Theresa uitgepraat was. Haar zus leek niet verbaasd om de abrupte wending van het gesprek. Ze kreeg tranen in haar ogen, de enige aanduiding dat ze het gehoord had. Het bleef even stil. En nog iets langer.

'Ga je niks zeggen?' vroeg Annie.

Theresa schudde haar hoofd. Annie vroeg zich af wat ze niet uitsprak. *Je bent veranderd*, veronderstelde ze. *Kom terug. Wees de persoon die je vroeger was.* Zinloze, wrede dingen en ze begreep waarom haar zus liever zweeg dan ze uitsprak.

Ze gingen weer naar beneden. Ze praatten. Ze dronken thee en voor één keer hield Dov zijn vermaningen voor zich. Toen ze zei dat ze weg moest, gaf hij haar een vriendelijke omhelzing, keek haar aan met de droevige bruine ogen en zei gedag, en Annie voelde zich troosteloos toen de taxi wegreed. Onverklaarbaar en onverwacht beroofd.

5

Toen Annie terugkwam in Seattle was iedereen weg. Toen ze donderdagochtend wakker werd, was het griezelig stil in haar appartement. Geen geluiden van het weerbericht, Joyce Meyer of de Ontbijtshow die van boven schalden. Mevrouw Larsen had haar gisteravond verteld dat haar dochter haar meenam naar Vancouver om bij haar zoon op bezoek te gaan. Ook klonk er geen bonken, roepen of harde muziek van de overkant van de gang. Ze zag geen sporen van het verjaarspartijtje, behalve een paar papieren bordjes in de afvalbak.

Ze stapte uit bed, waste haar gezicht en trok haar badjas aan. Hij was van schitterende blauwgroene katoen met een rits aan de voorkant en ze had hem voor drie dollar negenennegentig gekocht in de winkel van het Leger des Heils. Ze stelde zich graag voor dat hij van een lieve oude dame was geweest die hem elke morgen aan had gehad als ze theedronk en een kruiswoordpuzzeltje maakte. Ze dacht er niet graag over na hoe hij in de tweedehands winkel was beland. Maar hij paste haar, voelde prettig aan in de koude winterochtenden en knuffelde haar 's nachts warm als het smalle bed mijlenver weg leek en ze niet kon slapen.

Ze liep naar het raam en vergeleek haar uitzicht met dat wat ze gisteren had gehad uit het hotelraam in Los Angeles. Dit was iets minder. In plaats van wolkenkrabbers en stralende lichtjes zag ze het interessante, ofschoon niet mooie, landschap van het industrieterrein van het Ballarddistrict van Seattle, het gedeelte aan de voet van de brug. Daar was het bord van Bardahl Oil, de parkeergarage, de plaatwerkerij, het eethuis. En daar was Shirley, die beneden op het postzegeltje gras haar Tai Chi oefeningen deed ondanks het mistige wolkendek van de ochtend. In Seattle neigde zelfs begin juni meer naar een drassige lente dan naar zomer. Annie liet het gordijn vallen en opende de schuifdeur naar haar balkon. Ze stapte naar buiten op het gammele geval van balkjes die tegen de stenen gevel gesmeten waren.

'Hé, Shirley,' riep ze.

'Hoi Annie!' antwoordde Shirley zonder het ritme van haar bewegingen te onderbreken.

De energievelden van haar huisbaas moesten uitgebalanceerd worden, wat voor weer het ook was. Hier betekende dat voornamelijk regen, van september tot juni. Annie was er nog steeds niet aan gewend. Ze dacht aan thuis, waar de grond nog steeds verschroeid was en smachtte naar wat leven gevende vochtigheid. O, de bloemen zouden bloeien, de bijen uitvliegen op zoek naar de nectar, maar de bloesem zou minder overvloedig zijn, de pluk geringer. Tegen het midden van de zomer zouden de weinige bloemen die er waren, verwelken aan de steel. Tegen september zou de grond gebarsten en uitgedroogd zijn, het gras bruin verschroeid. Ze keek om zich heen naar het vochtige groen en kon zich nauwelijks voorstellen dat die andere wereld bestond. Maar hij bestond. Die wereld was daar en zij waren daar, al was zij er niet bij en een ogenblik verlangde ze ernaar haar pijnlijke botten te warmen in de zon van thuis. Ze schudde haar hoofd. In Californië was het zonnig en warm. Daar kon ze vinden wat ze nodig had.

Vandaag regende het tenminste niet, troostte ze zichzelf. Maar zonder ook maar te hoeven kijken, had ze geweten dat het mistig was. Vanmorgen had ze een misthoorn gehoord op het water. Het was een laag, treurig geluid. Het deed haar denken aan de fluit van de trein die ze als klein meisje elke nacht had gehoord. Hij was elke avond door het station gereden en Annie kon het eenzame geluid horen in de kamer waar ze sliep. Weer klonk nu de hoorn, lang, laag en dreigend, en vrij plotseling besefte ze iets. Het waren allebei waarschuwingen. De trein floot niet om de stationschef gedag te zeggen. Het was een waarschuwing. *Blijf uit de buurt*, zei het. *Ga van het spoor af. Er komt iets aan en het is groter dan jij*. En de schepen die de diepe, angstaanjagende stoot lieten horen, waarschuwden andere boten. *Pas op. Kruis mijn pad niet, of je krijgt de koude oceaan over je kop.*

Ze huiverde. Het gevoel dat ze gewaarschuwd werd golfde door haar heen, maar ze hield zich voor dat ze niet bang was. Ze vertelde zichzelf dat ze niets meer te verliezen had, en hoewel dat haar onbevreesd had moeten maken, vroeg ze zich bevend af of er nog fouten gemaakt konden worden en of er nog dingen waren die ze kwijt kon raken.

Ze wierp nog een laatste blik op Shirley en stapte naar binnen. Ze had het koud ineens. Ze wenste dat Kirby er niet op had gestaan dat ze zich aan het oorspronkelijke plan hield en de hele week vrij nam. 'Laat het even rusten,' had haar redacteur gisteravond gezegd toen ze hem opgebeld had om te vertellen dat ze terug was. 'Bovendien,' had hij eraan toegevoegd, 'weet ik wat je me gaat vertellen en ik heb geen zin om mijn weekend te laten verknoeien. Ik zie je maandag wel.'

Ze voelde zich rusteloos en leeg, een afgrijselijke combinatie. Aan vrije dagen had ze net zo'n hekel als aan de weekends. Er was zo veel lege tijd en zo weinig om het mee te vullen. *Het wordt tijd om daar allemaal verandering in te brengen,* hield ze zichzelf streng voor. *Het is tijd om door te gaan,* en ze hoefde alleen maar om zich heen te kijken om te zien hoe lang ze het onvermijdelijke en overduidelijke had uitgesteld. Dit was haar leven, deze nietszeggende kamer met afgedankte meubels. Ze vergeleek het met de rijke achtergrond van haar verleden en schudde ongelovig haar hoofd. Maar het was jarenlang – meer dan vijf, om precies te zijn – alles geweest wat ze nodig had, alles wat ze gewenst had.

Inpakken zou niet veel werk zijn. De kleren in de kast waren van haar en een Ford F 10 truck, omdat die op de dag dat ze Sam verliet op de oprit stond met de sleutel in het contact. Om de andere auto te kunnen nemen, had ze het huis in moeten gaan om de sleutels te zoeken, en dat had ze niet gekund. Niet omdat ze een groots aftreden maakte – er was niemand bij geweest om het te zien – maar gewoon omdat ze op datzelfde moment moest vertrekken. Ze moest weg. Ze moest daar weg om zo veel mogelijk afstand te maken tussen zichzelf en die enorme verpletterende muur van pijn.

Toen ze in Seattle was aangekomen, had ze zich inge-schreven in een goedkoop hotel en drie dagen aan één stuk geslapen. Toen ze eindelijk wakker werd, had ze eten gekocht bij de kruidenier op de hoek en haar kleren gewas-sen in een wasserette, naast een gezin dat alleen Spaans sprak. Ze had duizend dollar opgenomen van de lopende rekening en de waarborgsom en de eerste maand huur betaald voor dit kleine appartement aan de vriendelijke, praatzieke Shirley, de huisbaas. Na een week of twee had ze ook een baan gevonden via Shirley, die veel moeite deed aan Annies behoeften tegemoet te komen. Hoe groot was de kans dat een vrouw met een graad in de journalistiek in haar appar-tement belandde? Want Shirley had de leiding van de afde-ling rubrieksadvertenties bij *The Seattle Times* – flink wat hoger dan de baan die Shirley voor haar in de wacht sleep-te, ondanks haar journalistieke graad. Annies eerste baan bij de *Times*, de baan die ze zonder tegenwerpingen had aange-nomen, was het schrijven van overlijdensberichten. Dat had op een of andere manier juist geleken omdat de dood haar metgezel was, de ijskoude arm om haar schouders. Als zij en de dood niet op goede voet stonden, dan waren ze toch minstens aan elkaar gewend.

Elke dag had ze de bak vol met feiten ter hand genomen die ze leverden met een verkreukelde foto van de overledene, en ze had haar fantasie aan het werk gezet. Wie was ze werkelijk? had ze de verraste familie gevraagd. Hoe zag hij eruit toen hij jong was? Wat waren haar dromen en ambities? Wat deed hij voor buitengewoons? Wat bracht zij deze wereld dat nooit vervangen kan worden? Bijna allemaal hadden ze graag met haar willen praten, hoewel de gesprekken bijna altijd in tranen verliepen. Huilend vertelden ze, dankbaar dat iemand hun de kans gaf de naam van de geliefde nog een keer te noemen, over de dierbare dingen van de overledene. 'Hij was een fantastisch leraar.' 'Hij kweekte prachtige rozen.' 'Ik heb hem nooit een verkeerd woord over iemand horen zeggen.'

Ze verzamelde haar feiten, ging achter haar bureau zitten en schreef over mensen die dood waren, en nooit, nooit stond ze zichzelf dat eerste jaar toe iets te denken of te voelen wat verderging dan de doffe, vlakke pijn die er altijd was. Ze werkte en at en sliep, en toen dat niet langer genoeg was, ging ze naar de openbare bibliotheek en leende armenvol boeken, maar altijd dezelfde soort boeken. Boeken die langgeleden speelden en ver weg. Boeken die goed afliepen. Ze las ze en stelde zich voor dat ze ging slapen en wakker werd in die oude tijden. Haar pijn zou makkelijker te doorstaan zijn in de rust van die tijd, dacht ze, verdriet was makkelijk te dragen in de zachte gloed van lamplicht.

Oude dingen troostten haar. Eens per week ging ze naar de antiekwinkel waar ze langskwam op weg naar huis. Dan liep ze door die muf ruikende winkelpaden en stelde zich voor dat ze in een andere tijd leefde, op een plaats waar haar pijn haar niet kon volgen. Ze stelde zich voor dat ze boter karnde, water putte uit de bron, kale houten vloeren veegde met een zelfgemaakte bezem, over rotsige paden liep op hoog dichtgeknoopte schoenen. Ze wist dat geen verdriet haar daar kon volgen, en och, wat zou ze graag de poort vinden waardoor ze weg kon.

Na een maand of zo had ze naar huis gebeld om te vertellen dat ze nog leefde, maar het tijdstip van bellen zorgvuldig zo gepland dat ze wist dat niemand de telefoon zou opnemen. Eerst had ze Sam gebeld, zonder op de tijd te letten omdat ze wist dat hij er niet zou zijn, hoe laat ze ook belde. 'Ik ben veilig,' zei ze tegen het antwoordapparaat, terwijl haar hart nog bonsde na het horen van zijn stem op het bandje. Sams moeder, Mary, had ze op zondagochtend gebeld toen ze in de kerk zat, en ook een boodschap ingesproken. Ze had papa gebeld en dat was het moeilijkste. Ze had hem in zijn spreekkamer gesproken, omdat ze geen zin had in een scherpe preek van Diane. Hij was vriendelijk geweest, wat oneindig veel erger was dan wanneer hij boos was geweest. 'Je weet dat ik van je houd, kind. Kom weer naar huis als je er klaar voor bent.'

Ze had niemand anders gesproken. Ze had er niet de moed voor. Het had te veel pijn gedaan en pijn was iets waar ze niet meer van kon verdragen.

Dus ze deed de dagelijkse taken die ze zichzelf had opgelegd, als een ritueel, zonder omwegen. Ze stond elke ochtend op, trok haar kleren aan, kamde en vlocht haar haar en ging naar haar werk, een trui om haar middel gebonden, lunchzakje in de hand geklemd – boterhammen met pindakaas, appel, blikje cola light – en een boek van langgeleden onder haar arm. Ze ging naar het souterrain van het gebouw van de *Times* en nam plaats achter haar kleine bureau in de hoek, achter de stapel levens van andere mensen. Niemand bekommerde zich erom wat ze aan had of wat ze dacht of wie ze was of wie ze was geweest of wat haar was overkomen, en ze werd getroost door die anonimiteit.

Na een maand of zes was papa haar komen opzoeken. Ze

herinnerde zich nog de ongewone ernst, het verdriet bijna in zijn ogen toen hij haar en haar troosteloze appartement had gezien. Hij bracht wat vrolijkheid mee en wat zorgvuldig gecensureerd nieuws van thuis. Hij was vier dagen gebleven, langer kon hij niet weg uit zijn praktijk. Hij had haar overgehaald voor hem te koken en heel even had ze een glimp opgevangen van de persoon die ze was geweest, maar toen vertrok hij en het beeld verdween.

Ze was doorgegaan. Jaren waren verstreken en eindelijk begon ze vanbinnen iets te voelen. Ze had het met schrik opgemerkt, alsof een gevaarlijk beest zich begon te roeren in zijn kooi. De eerste keer gebeurde het toen ze over straat liep, in een etalage keek en een mooie blauwe jurk zag. Hij deed haar denken aan de jurk die ze bij Sams afstuderen had gedragen en even had ze naar binnen willen gaan om hem te passen. Ze was vlug doorgelopen, met haar boek en lunch tegen zich aangeklemd alsof ze haar konden beschermen tegen deze prikkels.

Rond dezelfde tijd had de leiding van de *Times* haar verhalen opgemerkt. Ze kreeg commentaar en lof en ze hadden haar een promotie aangeboden, en ondanks het feit dat een deel van haar zich nog steeds wilde begraven in het koele, donkere souterrain en met rust gelaten worden, had ze het aangenomen. Ze was goed in haar werk. Ze vond overal verhalen waar ze maar keek, want ze keek langs de gebeurtenissen heen naar de echte mensen en naar de krachten die hen dreven. Het was niet gewoon een auto-ongeluk, een faillissement, een beursdaling, een ontslag. Dat waren allemaal sneetjes in het scherm dat mensen scheidde van de werkelijkheid. Het was alsof mensen het grootste deel van hun leven leidden in een wazige, doorschijnende wereld, een nevelig, dun gordijn tussen hen en de scherpe pijn van leven en dood. Maar nu en dan scheurde die sluier. En daar was de pijn. Daar was ook het verhaal, en zij was er goed in door de scheur heen te kijken en op te schrijven wat ze zag. Het was bekend terrein.

Haar artikelen waren regelmatig in de *Times* verschenen, en toen had ze de prijs gewonnen. Nu voelde ze een nieuwe verandering in zich. Ineens leek het kleine appartement te klein, te bekend, en ze voelde iets wat ze in jaren niet had gevoeld. Eenzaamheid. Ze wilde iets permanents. Iets echts. Iets wat van haar was, want ze had nooit het gevoel gehad dat dit echt haar thuis was. Ze had zich verplicht gevoeld te leven met haar spullen half uitgepakt, als iets tussen bezoeker en inwonende vreemdeling. Het zou wel normaal zijn, alles in aanmerking genomen. Maar het was tijd om verder te gaan. Ze deed het. Ze was er klaar voor. Max Kroll had haar ervan verzekerd dat de baan bij de *Los Angeles Times* van haar was als ze wilde. En ze wilde. Ze was er eindelijk klaar voor om te stoppen met zwerven en dit nieuwe leven in te stappen dat haar aangeboden werd.

Ze zette een pot koffie en schonk zich een kopje in, dronk langzaam. Ze keek naar de telefoon, liep erheen, pakte de hoorn op, drukte de knop in om haar opgeslagen boodschappen af te luisteren en voelde zich een dronkaard die een fles ontkurkt. Ze wist niet waarom ze het weer deed. Het was nauwelijks een troost, maar verborgen onder zijn harde woorden was zijn stem. Een deel van hem dat vertrouwd was, beheersbaar, dat ze tevoorschijn kon roepen wanneer ze maar wilde.

'Annie, met Sam.' Zijn stem, diep en vol, was als een plens koud water op een blootliggende zenuw. Adrenaline golfde door haar heen en ze wist niet wat haar ertoe gebracht had zichzelf nogmaals te kwellen, behalve de wens om zichzelf te straffen.

'Ik zal er weer zijn dit jaar,' zei hij. 'Nog één keer,' en weer hoorde ze die mengeling van vermoeidheid en dreigende onherroepelijkheid.

Ze deed haar ogen dicht en zag zijn donkere haar, weggeborsteld van zijn mooie hoge voorhoofd, zijn regelmatige trekken, zijn warme huid en zijn ontstellend blauwe ogen. Ze zag de snelle flits van zijn glimlach, zijn rechte witte tanden. Ze voelde het gladde linnen van het tafelkleed onder haar hand, hoorde het zachte gemurmel van de stemmen van de andere gasten, hoorde het getinkel van bestek op porselein.

Ze dacht aan wat Kirby had gezegd toen ze hem had verteld dat ze misschien zou vertrekken. Kirby, haar redacteur, die het dichtst in de buurt kwam van een vriend. Hij vroeg haar voor feestjes met Kerst en Thanksgiving, maar ja, hij vroeg het halve personeel van de krant. Shirley was een vriendin. Mevrouw Larsen, Adrienne. Zo'n beetje. Maar dat waren losse banden, makkelijk aangegaan en makkelijk weer losgemaakt. Ze was hier niet gebonden. Dat begreep Kirby natuurlijk.

'Ik had nooit gedacht dat we je voor altijd konden houden,' had hij gezegd. 'Ik hoop alleen dat je weet wat je wilt. Ga je de goede kant op?' had hij aangedrongen.

Ze had iets gemompeld en haar blik afgewend, maar ze voelde nog steeds de golf van emotie die zijn vraag had opgeroepen. *Ga je de goede kant op?* Het weerklonk, nog steeds onbeantwoord.

Ze legde de hoorn weer op het toestel. Ze liep naar de voordeur en pakte de krant. Haar verhaal over de school in de daklozenopvang stond op pagina een van het plaatselijke katern. Ze dronk haar koffie en las het, haar kritische oog zag waar ze beter had gekund. Opnieuw zag ze de muffe kleren van de kinderen voor zich, hun geklitte haar, maar nu en dan een flits van humor, een glimp van gevatheid, een sprankje van het rotsharde uithoudingsvermogen dat hen in leven hield.

Ze legde de krant opzij en waste haar koffiekopje af. Ze

nam een douche en kleedde zich aan en bij gebrek aan iets anders omhanden nam ze haar breiwerk ter hand. Ze ging zitten en begon, maar ze voelde de kille eenzaamheid weer en dacht aan de warmte van Essies winkel. Dus ze stopte haar naalden en garen in haar tas en vertrok, sloot de deur zorgvuldig achter zich af.

Ze zat graag in de hoek van de garenwinkel met andere vrouwen te praten, vooral in de winter. Ze hield van hun gezelschap, het troostende geluid van hun stem. Ze hield van het tikken van de regen op de vlakke ruit, de kruidige geur van de sinaasappelthee die Essie kocht op de Pike Place Market, een heet, vettig brouwsel dat brandde op de tong.

Ze liep naar haar auto, reed naar Essies winkel, vond een parkeerplaats op de smalle straat. Ze stapte uit en liep erheen. Ze duwde de kruk naar beneden van de glazen voordeur en hoorde de winkelbel rinkelen. Binnen rook het naar kruidnagelen en kaneel en een koor van vrouwenstemmen murmelde zachtjes.

'Hallo, pop!' begroette Essie haar zoals altijd.

'Hallo, Essie,' antwoordde ze glimlachend. Dat was niet moeilijk. Essie was een vriendelijke vrouw en mooi met haar kalme bruine ogen, haar ronde gezicht met kuiltjes in de wangen, haar donkere haar met een opvallende grijze streep, in een knot gedraaid. Annie had haar eens gevraagd wat haar volledige naam was. 'Estella,' had ze geantwoord. 'Dat betekent ster.' Annie vond het een mooie en passende naam voor haar.

Ze nam even de tijd om om zich heen te kijken. De muren waren bedekt met planken en vakken, allemaal volgestopt met kleurige bollen, gedraaide strengen wol, katoen, linnen en zijde. Er waren handgeverfde schitterende garens die alle kleuren van de regenboog hadden. Er waren hobbelige bollen ruwe wol die er uitzagen of ze zo van het schaap geschoren waren, gesponnen, opgewonden en afgeleverd. Ze waren ruig en ruw, glad en glinsterend, kleuren van elke soort. Donkerpaars met sporen van donkerblauw, groen-blauw dat neigde naar esoterisch groen, dieprood dat tinten bevatte van koraal, gevlochten strengen nachtblauw met een zweempje amethist. Ze dronk ze in als wijn en ze zag een oneindige hoeveelheid combinaties en mogelijkheden voor zich.

Ze konden je laten schrikken of je troosten, een lach teweegbrengen of een fluistering van ontzag. Ze konden gehaakt worden of gebreid of geweven, kleuren konden worden vermengd en ingebracht om een patroon te vor-men. Haar stiefmoeder had haar leren weven en breien en spinnen, en ze zag zich nog zitten in de reusachtige voorka-mer van het huis van haar vader, achter een wiel dat groter was dan zijzelf, de trapper op en neer duwend met een rus-tig ritme. Haar spinnewiel was in North Carolina, haar weefgetouw stond klaar op die plek waarvandaan ze zo lang geleden was vertrokken. Ze waren van haar weg, maar ze had twee naalden en ze kon nog steeds iets maken wat er eerder niet was geweest. Dat troostte haar. Het voelde als een oeroude bezigheid en verbond haar met dingen waar ze geen andere band mee had.

'Kom binnen en ga zitten,' inviteerde Essie en gebaarde naar de vrouwen die om de lage tafel heen zaten, waar ze theedronken en breiden en kletsten. Enkelen keken op en zeiden gedag. Ze begroette hen en lachte even. De vrouwen waren van alle vormen en maten, en van alle leeftijden. Er waren twee studentes, twee heel oude dames, en twee die ongeveer van haar leeftijd waren. Hun vingers vlogen. Ze nam een stoel in de hoek en haalde haar werk tevoorschijn, een paar dikke, bobbelige sokken voor Shirley om de komende herfst in haar Birkenstocks te dragen.

Ze bleef bijna de hele dag. De anderen pakten in en ver-trokken een voor een. Rond twee uur begon het weer te

regenen, het tikte zachtjes tegen de ruit. Ze maakte de sokken af en koos zachte, donkerpaarse merinoswol uit voor
een sjaal voor mevrouw Larsen. Ze legde het op de toonbank en wachtte terwijl Essie haar aankoop aansloeg.

Annie merkte Essies ketting op. Ze droeg een mosterd-
zaad en Annie herinnerde zich dat ze er zelf ook eens een
had gehad. Papa had hem haar gegeven op haar dertiende
verjaardag. Ze staarde ernaar, dat minuscule fragment van
geloof in glas gevat. In plaats van haar te herinneren aan
waarheid en hoop, leek het een koud beeld van haar eigen
hart en ze voelde verlangen. Ze was niet altijd zo geweest.

'Hoe houd je je geloof vast, Essie? Als het gordijn
scheurt?' Het geluid van haar eigen stem die de vraag eruit
flapte, gaf haar een schok. Ze voelde haar gezicht warm worden van verlegenheid, maar Essie was totaal niet van haar
stuk gebracht. Kalm stopte ze het bonnetje in de tas, gaf hem
aan Annie en dacht even na.

'Het gordijn…?'

Annie haalde haar schouders op en probeerde het uit te
leggen. 'Vroeger zag ik nooit pijn en verdriet. Die waren
voor me verborgen.'

'Maar toen scheurde het gordijn,' murmelde Essie zachtjes en Annie knikte met dichtgeknepen keel.

'Je vraag verbindt twee koninkrijken die niet samengaan,'
zei Essie, en Annie trok rimpels in haar voorhoofd, probeerde het te begrijpen.

'Je vroeg hoe je je geloof kunt behouden als het gordijn
scheurt. Het scheurende gordijn is zien, nietwaar? Het zien
van de pijn en de afstotelijkheid van het leven in deze gevallen wereld.'

'Ja. Dat is het,' antwoordde Annie zacht.

'Maar kijk, wat je ziet en wat je gelooft, kun je niet laten
overeenstemmen. Niet in deze wereld.'

Essie praatte dat bekende afgezaagde taaltje en Annie had

85

zin om het te zeggen. Maar het was haar eigen schuld dat ze het had gevraagd. Waarom had ze gedacht dat die vraag haar nieuwe informatie zou verschaffen? Ze hield haar mond stijf dicht en haar lippen werden strak van het gedwongen binnenhouden van haar tegenwerpingen.

Essie keek haar vriendelijk aan en zweeg even voordat ze antwoord gaf. 'Lang geleden heb ik vastgesteld dat Hij genoeg was,' zei ze, en Annie wist precies wie *Hij* was. 'Misschien krijg je in dit leven nooit het antwoord op je vragen,' zei ze zacht, 'maar als Hij tot je spreekt van vrede, zullen je vragen minder worden.'

Annie schudde haar hoofd. Ze wilde dat ze het niet gevraagd had. Ze had op een of andere manier geweten dat dit het onbevredigende antwoord zou zijn.

'Ik ken je niet goed, Annie,' zei Essie.

Iets in die erkenning stak Annie en schudde haar uit haar zwijgende protest. *O jawel*, wilde ze tegenwerpen. *Je kent me.* Ze zei niets, knikte alleen licht en wachtte tot Essie doorging.

'Maar ik heb heel vaak voor je gebeden en eerlijk gezegd heb ik vandaag nog voor je gebeden. Toen je binnenkwam, voelde ik de zwarte last van je geest.'

Annie knikte zonder verbazing. Had ze niet geweten dat dit een veilige plaats voor haar was? Een plaats van troost en ontferming?

'Je kent Hem, nietwaar?' vroeg Essie, haar bruine ogen onderzoekend in de hare.

Annie knikte. Hoe kon ze het ontkennen?

'Vertrouw dan op Hem. Bij Hem is vrede en vrijheid.'

Ze staarde Essie aan en verwonderde zich erover hoe weinig mensen eigenlijk van elkaar wisten en hoe makkelijk de antwoorden leken voordat de werkelijkheid bekend werd. O, het klonk zo eenvoudig. Hoe vrij en makkelijk. Maar dat was het niet. Ze schudde even met haar hoofd. De winkelbel rinkelde en er kwamen twee vrouwen binnen, pratend en lachend. Het ogenblik was voorbij.

'Dank je,' zei ze tegen Essie en pakte de tas van de toonbank.

Essie legde haar hand op de hare. 'Ik zal blijven bidden,' zei ze. 'Kom gauw weer.'

Annie knikte, draaide zich om en stapte naar buiten in de mist.

★

Het was stil, koud en donker in haar appartement. Ze knipte een paar lampen aan en smeerde een boterham, maar ze at weinig, want ze had zichzelf beloofd dat ze het vandaag zou doen en vandaag was bijna voorbij. Er zat een knoop in haar maag. Het was tijd. Ze voelde een golf van angst en dacht aan wat ze eens in een boek gelezen had. *Aan elke grote vergissing gaat een moment vooraf, een onderdeel van een seconde waarin hij nog herroepen en misschien voorkomen kan worden.* Ze voelde zich wankelen, alsof ze op het randje balanceerde van zo'n voorafgaand moment.

Ze schudde haar hoofd en duwde die gedachten weg, toen pakte ze vlug de telefoon op voordat ze van gedachten kon veranderen. Ze draaide het nummer van Max Kroll en na wat uitgewisselde beleefdheden aanvaardde ze zijn aanbod van de baan bij de *Los Angeles Times*.

'We zijn blij dat je komt,' zei hij hartelijk. 'Ik zal Jason vragen je maandag te bellen om te bespreken wanneer je kunt beginnen.'

Ze bedankte hem, hing op en draaide zonder aarzeling het nummer van de advocaat wiens nummer ze een jaar lang in haar tas had gehad.

Ze wachtte tot hij aan de telefoon kwam. Haar hart bonsde en haar mond was droog. 'Met Annie Dalton, meneer

Carson,' zei ze toen hij opnam. 'Ik heb besloten dat het tijd is.'

Ze praatten. Er werden details besproken en plannen in gang gezet om een eind te maken aan haar huwelijk. Ze zou volgende week bij hem komen en de aanvraag werd klaargemaakt. Hij zou hem indienen. Er was een verplichte wachttijd van negentig dagen. Ze zou terug moeten vliegen naar Seattle en voor de rechtbank verschijnen op de dag dat de echtscheiding uitgesproken werd. Ze bedankte hem, nam afscheid en hing op.

Ze liep naar het raam van het appartement en keek weer naar buiten, de hoorn nog in haar hand. Ze liet de opgeslagen boodschap nog één laatste keer afspelen en hoorde Sams diepe, volle stem. In plaats van het automobielbedrijf en het eethuis en de rij uitgedroogde struiken langs de rand van het parkeerterrein, stelde ze zich voor dat ze een rij hoge dennen en acacia's zag, en de mistige blauwe bergen erachter. Ze knipperde met haar ogen en ze waren verdwenen. Vlug, voordat ze zich kon bedenken, wiste ze zijn boodschap. Ze liet het gordijn vallen en draaide zich om naar de lege kamer, haar hart was een uitgestrekte, winderige woestijn.

6

Elijah Walker zat in de keuken van het roodstenen rijtjeshuis van zijn zus en verveelde zich vreselijk. De klok tikte. De kat likte zijn poot. Zijn zus kneep haar lippen op elkaar en sloeg de bladzijde om van de catalogus die ze bekeek. Ze omcirkelde iets en sloeg de bladzijde weer om. Hij staarde uit het raam, maar zelfs buiten leek de wereld eigenaardig verstild, want dit was een van de oudste wijken van Pittsburgh, vol oude mensen en oude versleten auto's aan weerskanten van de smalle straat. Hier geen kinderen die in en uit schoolbussen stapten, geen bendes jongens die basketbal speelden, geen groepjes meisjes samen aan de wandel, hun hoofden dicht naar elkaar gebogen geheimen delend.

Hij had nu al bijna drie maanden lang elke dag uit dit raam gestaard en wist precies wat er ging gebeuren en wanneer. Rond tien uur 's morgens ging mevrouw Pettibone van de overkant met haar chihuahua wandelen. Peppy. Volgens Elijah was het een broodmager, zielig type hond, maar hij hield zijn mening voor zich. Met z'n tweeën liepen ze beverig door de straat, stopten als Peppy zijn behoefte moest doen, draaiden om en gingen terug. Rond het middaguur ging de oude meneer Swanson van hiernaast naar buiten voor zijn dagelijkse wandelingetje. Hij wankelde naar de andere kant van de straat, draaide om bij de lantaarnpaal en kwam terug. Het hoogtepunt van de dag vond rond twee uur plaats, over een paar minuten in feite, als de buurt in heftige activiteit uitbarstte. Dat was als de postbode kwam. Bij het geluid van zijn voetstappen gingen alle deuren open, de bewoners stapten de stoep op en soms, als het niet regende, werd er een groet gewisseld. 'Hoe gaat het met u?' 'Last van mijn jicht.' 'Kwaal zus en zo speelt op.' 'Volgende week staaroperatie.'

Hij sloot zijn ogen een ogenblik. Ach, wat zou hij niet overhebben voor een eerlijke, fikse klus. Een boom omhakken. Een kamer schilderen. Een tuin omspitten. Alles behalve dit onafgebroken zitten en kijken. Het water kookte, de ketel liet zijn schrille fluit horen en Elijah voelde een bijna tastbare opluchting dat de zware deken van stilte doorkliefd werd.

Zijn zus stond op en liep naar het fornuis. Hij zag dat ze twee bekers pakte.

'Voor mij niet, Frances, dank je. Ik ga een eindje wandelen.'

Ze draaide zich bezorgd naar hem om. 'Zou je dat nu wel doen?' vroeg ze. 'Het is pas tweeënhalve maand geleden.'

Sinds ze hem hadden opengesneden, de bypassoperatie uitgevoerd en hem weer dichtgenaaid hadden. 'Het gaat best,' zei hij met een kort lachje. 'Ik moet oefenen. Dat maakt deel uit van mijn herstel.'

Ze keek nog steeds twijfelachtig, maar hij stond op zonder verder te argumenteren. Ze was zijn oudste zus en ze was altijd moederlijk geweest. Oude man of niet, hij bleef altijd haar kleine broertje.

Hij ging naar zijn kamer, kleedde zich om in trui en T-shirt, hing de stopwatch om zijn nek. Hij zette er flink de pas in tot hij langs het huis was en begon pas te joggen toen hij het park bereikte. Hij deed één rondje en rustte even. Hij had geen pijn, dus hij deed nog een rondje. Tegen de tijd dat hij acht kilometer had gedaan, met tussendoor rusten om zijn hartslag te meten, was er bijna drie kwartier verstreken.

Hij wandelde nog een rondje om af te koelen. Bovendien genoot hij van de drukte hier. Verderop liep een groepje jonge vrouwen achter wandelwagen. Een stel snaterende tienermeisjes in sportkleding holde langs hem heen. Vier jongens waren aan het basketballen en een echtpaar tenniste. Hij maakte zijn rondje af en wilde weer op weg naar huis gaan, maar stond er even bij stil wat hij met dat woord bedoelde. Het rijtjeshuis in Pittsburgh was beslist niet zijn thuis. Zo veel stond vast, maar geen van de andere twee beelden die bij dat woord in hem opkwamen, paste beter. Niet de uitgestrekte lucht en het zand van de plaats waar hij het grootste deel van zijn leven had doorgebracht, noch het andere huis, de glooiende heuvels en dalen van zijn jeugd, weggestopt in zijn herinnering.

De wereld van zijn zus was geen slechte plaats, moest hij toegeven. Ze was hier vijftig jaar geleden kort na hun huwelijk heen verhuisd met haar echtgenoot, had haar zoon grootgebracht in dat hoge, smalle huis, en was er blijven wonen nadat haar man gestorven was en Roger volwassen en het huis uit. Pittsburgh was een prima stad, gaf hij toe, voor zover dat mogelijk was bij een stad, en Frances had hem vriendelijk ontvangen en geholpen. Hij had niets te klagen, besefte hij, als hij bedacht hoe ze hem vertroetelde en verwende. En die hulp had hij nodig gehad toen hij net was aangekomen, ziek en alleen. Maar nu was hij beter. Volkomen hersteld en het werd tijd dat hij iets ging *doen* voordat hij zijn verstand verloor.

Hij nam aan dat hij hier iets te doen kon vinden. Hij had een daklozenopvang gezien op een van zijn bustochtjes naar het ziekenhuis. En de kerk waarvan zijn zus lid was, ofschoon die hem koud en streng leek, organiseerde wel een voedsel- en kledingprogramma. Misschien kon hij daar iets te doen vinden, maar het vooruitzicht kon hem niet opwinden.

In feite voelde hij een vage ontevredenheid bij de gedachte hier te blijven. Het leek niet goed, en hij dacht aan de hoge bergen, de groene inhammen en plonzende rivieren van thuis. Hij dacht aan de mensen, aan één persoon in het bijzonder, en hij probeerde dat dierbare gezicht voor zich te halen, zich voor te stellen hoe het eruitzag na al die jaren.

Hij rukte zich los van zijn gedachten en zette de pas er weer in. Nu hij weer in vorm was, of zo goed als, kon hij weer terug naar het werk dat hij had achtergelaten. De afgelopen twintig van zijn vijfenveertig jaar in Afrika, had hij in de Soedan gezeten, en zijn werk in het door oorlog verscheurde gebied had veel geëist van lichaam en geest. Toen hij was vertrokken, was zijn gezondheid zo slecht, dat hij zich al bij zijn pensioen had neergelegd. Maar nu was hij beter. Het was zelfs tijd dat hij naar het zendingsbestuur schreef en om herplaatsing vroeg. Hij duwde de lichte schaduw weg die over zijn geest viel. Het was zijn ziekte en het verblijf in deze vreemde plaats waardoor hij zich zo vreemd voelde. Hij had gelijk als hij weer aan het werk ging.

Hij had natuurlijk in gebed gevraagd wat hij moest doen, maar de resultaten waren verwarrend. Hier kon hij de stem van God niet duidelijk horen. Het gedreun van het verkeer en de televisie leek het te overstemmen en hij verlangde naar open ruimtes en... wat? Hij verlangde naar mensen, besefte hij. Mensen die midden in het leven stonden. Die iemand nodig hadden. Die hem nodig hadden.

Zijn zus was kleren aan het opvouwen toen hij weer binnenkwam. Bezorgd inspecteerde ze hem, zoals elke keer als hij weggeweest was. Hij glimlachte geruststellend. Hij keek naar de televisie. Frances keek naar die talkshow waar die psycholoog tegen mensen schreeuwde en ze beschaamd maakte zodat ze zich netjes gedroegen. 'En hoe bevalt u dat?' vroeg hij nu, en de man die hij aangesproken had haalde zijn schouders op en liep rood aan, wierp een onheilspellende blik op de vrouw naast hem. Frances keek veel televisie. Las een hoop boeken en tijdschriften. Vulde elk loterijbriefje en ongewenste reclamedrukwerk in dat door de brievenbus kwam. Hij veronderstelde dat ze eenzaam was. Haar man was vier jaar geleden gestorven en haar enige zoon woonde in New York. Ze wilde graag dat hij bleef, wist hij.

'Het eten is zo klaar,' zei ze. 'Gestoofd rundvlees en groenten.'

'Lekker.' Hij glimlachte vriendelijk, maar hij dacht met afschuw aan de lange, lege avond die zich voor hem uitstrekte.

★

Na het eten kwam hij tot een besluit. Frances zat naar een of andere politieserie te kijken en hij ging naar zijn kamer, hij wilde het niet meer zien. Hij had moorden in overvloed gezien en hij was beslist niet kinderachtig als het om bloederigheid ging. Het was de gedachte aan verdorvenheid als vermaak die hem tegen de haren in streek. Hij ging zitten en sloeg zijn Bijbel open, bad, en begon te lezen. 2 Samuël. De laatste woorden van David:

Maar niet alzo mijn huis bij God! Hij voelde een steek toen hij het op zichzelf toepaste, want hij had geen huis. Geen nalatenschap, hoe bevlekt of verscheurd ook.

Toch heeft Hij mij een eeuwig verbond gegeven, geordend in alles en verzekerd. Inderdaad, stelde Elijah zich gerust. God had hem beloofd dat het hem aan niets goeds zou ontbreken en hij hield zich tegen zijn twijfels in vast aan die belofte nu zijn leven leeg was geworden.

Want al mijn heil en alle welbehagen, zou Hij die niet laten uitspruiten? Natuurlijk wel. Maar wat betekende dat echt? Voor hem? Vandaag? De laatste woorden doorboorden hem als een scherpe pijl, want hij had zijn verlangens vele jaren geleden opzijgezet. Dat schip was uitgevaren, had hij zichzelf streng voorgehouden, en het gevoel van verlies dat dat besef opriep, duwde hij weg.

Hij legde zijn Bijbel opzij en ging zitten nadenken en bidden. Hij wist niet hoe lang, maar na een tijdje pakte hij het blok lijntjespapier uit de la van de commodekast en zocht een envelop en postzegels. Hij schreef een brief aan het zendingsbestuur waarin hij om herplaatsing verzocht, adresseerde hem en nam hem mee naar beneden.

'Ik ga naar het postkantoor,' zei hij, met zijn hand op de deurknop.

'Het is donker,' zei Frances, opkijkend van het nieuws. 'Kun je niet beter tot morgen wachten?'

'Het zal wel gaan,' zei hij en staalde zich tegen haar tegenwerpingen.

Tot zijn verrassing kwamen die niet.

Hij maakte het korte tochtje, maar zonder de rustige tevredenheid die hij na het genomen besluit had verwacht. Hij voelde een schok van ongerustheid bij de gedachte dat ze hem misschien niet zouden aannemen. Hij schudde zijn hoofd en nam zichzelf onder handen. Hij had toch van God gehoord? God had hem uitgenodigd zijn verlangen na te volgen. Dit was zijn verlangen, want hij kon aan niets anders denken, maar toen hij de envelop uit zijn vingers liet glijden, werd zijn twijfel zo sterk dat hij hem terug wilde halen. Het was te laat. Hij was weg, verdwenen in het donkere gat. Onderweg, zo goed als afgeleverd, al was hij de brievenbus nog niet uit. Hij schudde zijn hoofd en duwde zijn vreemde gevoelens weg. Sinds zijn operatie was hij almaar zo wisselvallig en grillig. Het zou beter gaan als hij maar weer aan het werk kon, en zijn hart en hoofd klaarden op bij die gedachte.

Toen hij weer thuiskwam, zette hij een kop thee voor Frances en zichzelf en nam die mee naar de woonkamer. Ze glimlachte verrast, maar toen ze zijn gezicht zag, wist ze het.

'Je gaat weg, hè?' vroeg ze.

Hij knikte en glimlachte vriendelijk.

'Wanneer?'

'Wanneer ze een opdracht voor me hebben,' zei hij. 'Maar weet je, ik geloof dat ik eigenlijk eerst wel een tijdje naar huis wil.'

Haar gezicht lichtte op met een mengsel van genegenheid en weemoedig verlangen.

'Ga ook mee,' bood hij aan.

Ze schudde haar hoofd en hij wist waarom.

'Ik weet dat er waarschijnlijk niets meer voor me over is,' zei hij, en hij wist dat hij het goed had gezien toen ze hem medelijdend aankeek. 'Maar ik wil er gewoon heen om het nog één keer te zien.'

Ze knikte en even was ze de zus die hij zich herinnerde. Het sterke, onafhankelijke meisje, niet deze passieve oude vrouw die ze geworden was. 'Ik vroeg me af wanneer je zover zou zijn,' zei ze, en hij glimlachte om haar wijsheid. Ze praatten nog even en dronken hun thee. De kat stond op, rekte zich uit en rolde zich weer tot een bal. Het nieuws was afgelopen. De klok sloeg en ineens popelde Elijah om weg te gaan.

7

Sam werd om half vijf wakker en was meteen alert toen zijn voeten de grond raakten, een vaardigheid die hij tijdens zijn opleiding geneeskunde ontwikkeld had. De zon was nog niet op, zag hij toen hij de slaapkamergordijnen opzijtrok. Hij liet ze vallen en ging naar zijn piepkleine keukentje, mat koffie af, schonk water in het apparaat en knipte de schakelaar aan. Zoals elke morgen, vroeg hij zich af waar zij was. Hij vroeg zich af wat ze deed. Hij vroeg zich af of hij ooit zou ophouden zich dat af te vragen. Het was het dagelijkse ritueel dat hij uitvoerde onder het scheren en douchen. Nu hield hij op, beloofde hij zichzelf. Trouwens, gezien het tijdverschil lag ze natuurlijk te slapen. Haar dag begon nog in geen uren.

Hij ging naar de badkamer, douchte en kleedde zich aan. Hij schonk zich een kop koffie in, zette het koffiezetapparaat uit en deed het licht uit, dronk terwijl hij met de lift naar de parkeergarage ging. Er gingen dagen voorbij dat hij niets anders zag dan de binnenkant van zijn appartement, zijn auto en het ziekenhuis.

Hij reed de garage van zijn flat uit en de straat op. Het was een standaard torenflat, in geen geval een luxe appartementencomplex. Koop er een, drong Barney altijd aan. Koop een huis. Ga golfen. Koop een Lexus. Ga leven. Sam wilde geen Lexus. Hij wilde geen koopflat. Een boot bezitten zou hij niet erg vinden, maar wanneer moest hij hem gebruiken? Wat hij wel graag wilde, was zijn truck terugkrijgen.

En hij moest naar huis. Hij wilde naar huis. Hij wist niet waarom hij niet ging, dat zei hij althans tegen zichzelf, maar diep vanbinnen wist hij het wel. Het was een andere wereld. Een plaats waar goede dingen leefden, weggestopt in het verleden, en hij wist niet precies wat hij daarmee bedoelde, behalve dat wanneer hij tegen de sombere muur van wanhoop aanliep, naar huis gaan een laatste strohalm van hoop leek. Hij was bang voor wat er zou gebeuren als hij daarheen ging en erachter kwam dat zijn hoop vals was.

Hij was afgelopen juli niet eens naar de Truelove-reünie gegaan, hoewel de gedachte daaraan een glimlach om zijn lippen bracht. Hij wist hoe het geweest zou zijn. De hele familie en de halve provincie – vrienden die niet uitgesloten konden worden van een mooi feest, weliswaar geen bloedverwanten, maar familie in het hart – zouden gekomen zijn. Iedereen zou zijn instrument bij zich hebben en gospel en countrymuziek zouden over het erf geschald hebben. Er zouden kinderen rondrennen in het veld naast de met kreupelhout begroeide helling, op het grote gazon van zijn ouders, en volwassenen zouden waarschuwingen roepen die niets méér voor hen betekenden dan het blaffen van een hond in de verte. Er zouden paardenhoeven klinken, het slaan van slaghout en bal, en in de verte het geluid van kinderen die gilden en plonsden in de kreek. Er zou eten staan op elk beschikbaar oppervlak, de tafels zouden kraken onder hun last. Er beefde iets in zijn borst. O, ja. Hij had graag willen gaan, maar hij was bang dat het op een of andere manier allemaal zou verdwijnen als hij ernaar op zoek moest gaan, en het was beter, veel beter, om er vol genegenheid aan te denken dan het te gaan zoeken om te ontdekken dat het verdwenen was. Daarom was hij bijna opgelucht toen hij, pas twintig minuten weg uit Knoxville, naar het ziekenhuis was teruggeroepen.

Er was een spoedgeval geweest. Een pasgeboren baby was binnengebracht met een complexe stoornis, medisch jargon voor een hart dat weinig leek op een normaal functionerende pomp, en in feite weinig leek op enige herkenbare stoornis. Dit specifieke geval had een spoedoperatie vereist en hij had dienst. Hij had snelweg 40 verlaten en naar een tankstation gereden om op te bellen, had geluisterd, enkele instructies gegeven en daarna zijn auto gekeerd om terug te rijden naar het ziekenhuis. Hij had de hele weg terug aan het geval gedacht en was zelfs vergeten zijn moeder op te bellen om te vertellen dat hij niet naar huis kwam.

Het kind had het overleefd maar lag nu, een jaar later, weer in het ziekenhuis. Hij zou zijn korte leven waarschijnlijk afwisselend binnen en buiten de intensive care doorbrengen om een eindeloos arsenaal aan tests en procedures te ondergaan. Tja, daar kon hij niets aan doen. Dat deel viel buiten zijn beheersing. Hij had zijn deel gedaan zo goed als een mens kon. Niemand anders had het beter kunnen doen.

Hij was de beste. Hier in de buurt in ieder geval, dat zeiden ze tenminste. Hij nam aan dat ze gelijk hadden, hoewel hij het besefte met de zware verantwoordelijkheid die het met zich meebracht en niet met de trots die hij eens had gevoeld. De Clevelandkliniek had Roger Mee. Michigan had Ed Bove en Frank Hanley. Boston had Richard Jones. En het Barmhartige Samaritaan Kinderziekenhuis van Knoxville had Sam Truelove.

Hij dacht na over zijn vaardigheden en wist dat ze geen verklaring waren voor zijn succes. Hij kon hechten met mooie, kleine steekjes en hij kon het vlug, en hij had het vermogen objecten in de ruimte te visualiseren en te manipuleren. Maar geen van die vaardigheden verklaarde wat hij was geweest. Vroeger. Hij had niet hoeven plannen of nadenken. Hij had bijna instinctief geweten hoe iets wat kapot was, gerepareerd moest worden. Het was een moeiteloze actie geweest, vol gratie en energie.

Nu kon hij zich dat nauwelijks meer herinneren. Hij zette de cd-speler aan en *The Ambassadors*, het gospelkwartet van zijn oom weerklonk. Hij luisterde ernaar onder het rijden. *Ik keer terug naar mijn Vaders huis*, verklaarden hun stemmen. Hij zag hun gezichten voor zich terwijl ze zongen, vol vertrouwen, stralend, en hij vroeg zich af wanneer hij was opgehouden te geloven.

Het lied was afgelopen. Het volgende begon. *Ik houd van mijn Heiland en mijn Heiland houdt van mij*, zongen ze. Hij drukte de knop in en ze zwegen. Hij had rust nodig. Hij moest nadenken. Hij klapte zijn aktetas open terwijl hij door het verkeer manoeuvreerde en nam af en toe een slok koffie terwijl hij de statussen bekeek van de operaties die hij vandaag zou uitvoeren.

De eerste was een reparatie van een transpositie van de grote vaten. Hij had een nieuwe techniek ontwikkeld voor het herstel voor deze stoornis waarbij de grote vaten omgekeerd zijn, de aorta brengt zuurstofarm bloed naar het lichaam en de longslagader brengt zuurstofrijk bloed naar de longen terug. Zijn succescijfer gaf anderen het idee dat de riskante procedure voor hem bijna routine was. Hij repeteerde, stelde zich de piepkleine vaatjes voor en verplaatste ze in gedachten, het hart en omstreken driedimensionaal in de ruimte van zijn verbeelding.

Het tweede geval was de uitvoering van deel twee van de correctie in drie stappen van een onderontwikkelde linker harthelft. Jaren geleden, en in een minder goed uitgeruste instelling ook nu nog, zou dit kind gestorven zijn. Bij haar geboorte bleek de cruciale pompkamer van haar hart niets meer dan een misvormde massa niet functionerend spierweefsel. Hij had zelf de eerste stap gedaan, die de spanning op het hart had verminderd. De procedure van vandaag zou van het hart een pomp met twee kamers maken. De derde stap zou het zo functioneel mogelijk maken. Het was nog steeds een verschrikkelijk mankement, en het stond nog te bezien wat de vooruitzichten op de lange duur voor het kind waren. Maar het was niet zijn taak om dat te weten, zelfs niet om daar over na te denken. Zijn taak was op dit moment het beste voor hen te doen wat hij kon.

De volgende procedure was de correctie van een tetralogie van Fallot. Hij zou twee mankementen repareren die bij het syndroom hoorden: de opening tussen de kamers en de vernauwing van de longslagader. Opgelucht bedacht hij dat hij deze dingen kon doen. Hij kon het. Toch repeteerde hij in gedachten en stelde zich de stappen voor die hij zou nemen.

Het programma van morgen zag hij met afschuw tegemoet. Het eerste geval was weer een complexe stoornis. Het hart van het kind was één grote ramp, een groteske verzameling van defecten. De eerste weken van zijn leven waren een kwelling geweest. Twee andere kinderhartchirurgen hadden geweigerd hem te opereren, daarom waren de ouders naar hem toe gekomen. Naar degene die de reputatie had iedere uitdaging aan te gaan. Degene die beter was dan alle anderen. Hij klemde zijn kaken op elkaar en voelde de bekende pijn in zijn eigen hart.

Het waren kinderen. Ze hadden nog geen leven gehad, en hij wilde niet werkloos blijven toekijken en ze laten gaan als hij er iets aan kon doen. Hij zou waarschijnlijk weinig kunnen doen voor dat kind, maar de ouders hadden hem gesmeekt. Letterlijk gesmeekt, en hij had beloofd hem open te maken en een kijkje te nemen.

Hij voelde de woede in zich opkomen dat een pril en kwetsbaar kind pijn gedaan werd, en hij wist op Wie zijn woede was gericht, ongeacht of het wel mocht. Hij was nu al vele jaren in oorlog met de Almachtige. Vijf, om precies te zijn, en er was geen vijandschap zo bitter als die tussen hen die eens intieme vrienden zijn geweest.

Hij klemde zijn kaken op elkaar en gooide het laatste dossier opzij. Hij kon de operaties aan. Hij had ze eerder verricht. Hij kon het weer, al wist hij hoe het in werkelijkheid zat. Wat hij nu deed was mechanisch en routineus vergeleken met vroeger. Toen had hij bijna magie in zijn handen gehad. Nee. Dat was fout. Hij staarde naar het verkeer en besefte wat het geweest was. Hij was gevuld en had de macht ontvangen. Hij had gevoeld dat zijn handen slechts het instrument waren dat de Almachtige Zelf had gebruikt om die gebroken harten te repareren. In zijn borst was een zware bitterheid. Toen God hem had verlaten, had Hij ook de gave weggenomen.

Maar goed, hij was nog steeds beter dan wie dan ook. Met of zonder goddelijke interventie. Hij voerde al zijn wilskracht aan, maar vanbinnen voelde hij de vermoeidheid nestelen als een diepe, koude misère die hem in zijn greep had gekregen en hem niet losliet. Wat eens moeiteloos was gegaan en hem nieuwe energie gegeven had, deed hem nu trillen van moeheid en holde hem uit met een niet aflatende, knagende honger naar stilte en vrede en rust. Hij schudde even met zijn hoofd en nam nog een slok koffie.

Zijn mobiele telefoon ging. Hij nam op. 'Truelove,' zei hij kortaf.

'Hé, broeder.' Het was Ricky, niet het ziekenhuis, en Sam ontspande een beetje.

'Wat voer je in je schild?' vroeg Sam zijn broer. Zijn gewone begroeting, en het grootste deel van hun leven een legitieme vraag. Uit welk lastig parket moet ik je redden? Wat heb je nu weer uitgespookt? Maar het laatste telefoontje in die trant was vele jaren geleden.

Ze praatten over niets, maar Sam wist waarom zijn broer hem had gebeld. Hij controleerde hem. Alleen maar even controleren. Ze waren hem tegenwoordig almaar aan het controleren en over hem aan het tobben. Zelfs zijn moeder, die niets moest hebben van echtscheiding en opnieuw trouwen, had erop aangedrongen dat hij meer uitging en wat vrienden maakte. Iets anders deed dan werken en slapen.

Hij stelde zijn broer gerust, maakte een eind aan het gesprek, pakte zijn stemgeactiveerde recorder en dicteerde een paar brieven. Eén aan een verzekeringsmaatschappij, vier aan artsen die naar hem hadden doorverwezen en wiens patiënten hij had bezocht. Tegen de tijd dat hij in het ziekenhuis aankwam, was het zes uur in de ochtend. Zijn operatie begon om negen uur. Hij zou de hele dag aan de operatietafel staan, tot ver in de avond. Hij zou vandaag de hele dag de zon niet zien, en opnieuw vroeg hij zich af waarom hij eigenlijk de moeite nam om nog uit het ziekenhuis te vertrekken. Hij parkeerde zijn auto op de artsenparkeerplaats en nam de lift naar de afdeling intensive care kindercardiologie. De zorgunit was aan de ene kant, zijn praktijk aan de andere. Hij ging naar binnen en zoals altijd was Isabella er al.

Isabella, zijn rechterhand, combinatie van moeder en secretaresse en beschermengel. Zijn bureauchef. Ze was een weelderige, mooie vrouw met witte strepen in haar haar, kuiltjes in haar wangen en vriendelijke ogen, een jaar of zestig, en hij vreesde de dag dat ze met pensioen ging. Daar wilde hij niet eens aan denken. Hij praatte er nooit over, in de hoop dat zij er ook niet over beginnen zou als hij het niet ter sprake bracht.

'Goedemorgen, Izzy.'

'Goedemorgen, Sam.' Ze wierp hem een scherpe blik toe, alsof ze hem op beschadigingen inspecteerde, zoals ze altijd deed om deze tijd van het jaar.

'Ze is niet op komen dagen,' had hij haar vorige week kort verteld. Ze had niets gezegd, had hem alleen maar met verdrietige ogen aangekeken, toen had ze geknikt en hem zijn tonic overhandigd en een stapeltje telefonische boodschappen. Dat deed ze vanochtend ook, met haar gewone toevoegingen.

'Je ontbijt is onderweg naar boven,' zei ze opgewekt. 'Hier zijn je telefoontjes, dringendste bovenop. Dokter Winkler heeft twee keer gebeld, hij wilde weten wanneer je zijn patiënt gaat inplannen.' Ze keek hem aan en lachte even.

Hij knikte en ging naar zijn spreekkamer. Hij kwam langs Karen, zijn doktersassistente. Ze zat al aan de telefoon. Een paar spreekkamers van zijn partners waren al bezet. Die van Barney was nog donker en leeg. Na de eerste paar jaar een waanzinnig tempo te hebben aangehouden in de praktijk, had Barney een andere filosofie omhelsd. Een paar jaar geleden had hij Sam mee uit eten genomen en hem er ernstig van op de hoogte gebracht.

'Mijn werk is belangrijk,' had hij gezegd, 'maar mijn leven ook. Ik ga het een niet opgeven voor het ander. Zou jij ook niet moeten doen,' had hij niet kunnen laten eraan toe te voegen. Dat recht had Barney verdiend, vond Sam. Hij was een goede vriend en een uiterst begaafd arts. Hij was een jaar of tien ouder dan Sam en koploper onder de chirurgen voordat Sam was gekomen. Hij had weinig jaloezie of wrok tentoongespreid toen Sam erbij kwam en zijn rol geaccepteerd, was zelfs een van Sams grootste aanhangers geworden. Tijdens had etentje had hij Sam in feite bedankt. 'Ik wil een leven,' had hij gezegd. 'Ik ben blij dat jij erbij gekomen bent.'

Sam ging achter zijn bureau zitten. Hij concentreerde zich op de dossiers die voor hem lagen. Hij las de statussen en haalde de echocardiogrammen erbij op zijn computerscherm. Hij zag hoe het bloed opwelde en wegstroomde en stelde zich in zijn hoofd voor wat hij zou doen om Gods fouten te corrigeren. Hij bekeek een EEG die een collega hem had gestuurd om hem te raadplegen. *Misschien durf jij het aan, Sam. Laat me weten wat je ervan vindt*, stond erbij, en Sam staarde ernaar. Soms stuurden collega's hem hopeloze gevallen en soms kon hij er iets aan doen. Hij zag die gevallen als een uitdaging. Maar vandaag vond hij het wreed dat er weer een zijn kant op was gestuurd. Hij staarde naar het scherm, naar de echo die de andere arts verzonden had. Het was er een van een onderontwikkelde linkerhartkamer, nog erger verminkt door een verknoeide operatie. Sam voelde een golf van pure haat jegens de arts die de operatie had verprutst in plaats van hem door te verwijzen naar iemand die goed werk leverde, en jegens de arts die hem de walgelijke beelden had gestuurd. En heel even, een onderdeel van een seconde, jegens de God die toestond dat dit allemaal maar doorging.

Hij staarde mismoedig naar de muur, maar vreemd genoeg herinnerde hij zich iets wat Ricky had gezegd toen Sam hem had zitten stangen omdat hij de kost verdiende met het verlossen van baby's van jonge vrouwen en het voorschrijven van hormonen aan oudere. 'Dat geeft niks, broer,' had hij stralend gezegd. 'Ik weet dat het niet de snelste weg is, maar wat jij doet, zou ik nooit kunnen. Ik kan er niet tegen zieke kinderen te zien.'

'Ik ook niet,' had Sam gesnauwd. 'Daarom repareer ik ze.'

Hij dacht aan Ricky, bruisend van leven en verfrissing, en aan de plaquette in zijn spreekkamer. *Een baby is Gods mening dat de wereld door moet draaien*, stond erop. Een aardige uitspraak, maar hij had waarschijnlijk te veel van de andere kant gezien. Hij staarde naar de muur en schrok op toen Izzy hem riep. 'Je wordt op de afdeling verwacht,' zei ze om de hoek van de deur.

Hij knikte en stond op om te vertrekken.

Hij krabbelde een aantekening op de status van het kind met de verprutste reparatie. *Ja. Ik zal het kind bezoeken,* schreef hij. Misschien was het hopeloos, maar hij zou zien wat hij kon doen.

Hij ging op weg naar de kinderafdeling om zijn ronde te doen.

★

Het was pas zeven uur, maar het was druk in zijn praktijk. De telefoons rinkelden, patiënten werden opgenomen. Hij stak de gang over en zag een groep artsen en studenten bij een klein bedje staan. Ze zouden elke patiënt op de afdeling bezoeken. Sam voegde zich bij hen en nam snel de laboratoriumuitslagen van vandaag door. Hij luisterde naar de opmerkingen van anderen en voegde de zijne toe. Zorgvuldig hield hij zijn gedachten in bedwang, weigerde deze nietige patiëntjes te zien als kinderen, verbonden aan slangen en monitors. Hij vernauwde zijn blik tot hun status, tot het formuleren van zijn aanbevelingen voor het plan van actie.

Ze stonden lang stil bij het bed van Evan Ridgeway, een drie maanden oud jongetje dat nog nooit van de intensive care af was geweest. Zijn hart werkte al niet goed meer toen hij geboren was. Weer een complexe misvorming. Zijn hart was een inefficiënte spons, de vaten en kamers waren tegendraads en willekeurig geplaatst. Zijn enige hoop was een transplantatie, en die leek nu ver weg omdat hij geïnfecteerd was geraakt. Hij zou van de transplantatielijst worden gehaald tenzij zijn toestand verbeterde, en dat was niet waarschijnlijk. De arts-assistent nam alle falende systemen door.

'Ik zal met de ouders praten over het staken van de behandeling,' zei hij.

De rest knikte. Sam klemde zijn kaken op elkaar. Barney wierp hem een snelle blik toe, voordat hij weer naar de status voor zich keek.

Eindelijk was de ronde afgelopen. Hij ging naar de operatiekamer. Hij hing zijn pak zorgvuldig in zijn kast, trok zijn operatiepak aan, deed zijn horloge af en legde het op de plank. Even staarde hij naar zijn kale ringvinger, toen deed hij zijn kast dicht en op slot. Hij ging naar de chirurgenkamer, zette zijn kap op, masker, laarzen, loepbril, zijn vezeloptische headset en ging naar de wasruimte om te schrobben. Hij werkte methodisch. Elke vinger, vier kanten, drie minuten. Op, neer. Tussenin. Nu zijn onderarmen. Hij schrobde zonder haast, met grondige regelmaat. Zijn geest vernauwde zich, sloot zich af voor de buitenwereld, de gang, zelfs voor elk deel van zichzelf dat hij de komende uren niet nodig had. Hij sprak niet en niemand sprak tegen hem. Ze wisten dat ze dat niet moesten doen. Als het tijd was om een operatie te doen, ging hij een speciaal universum binnen waarin ruimte was voor maar twee mensen. Hijzelf en het kind op de tafel.

Hij dacht eraan wat hij aan de transpositie zou doen. Repeteerde het in gedachten. In het normale hart werkten de twee zijden in prachtige symbiose. De rechterkant nam bloed op dat terugkwam uit het lichaam, vol koolzuur en ontdaan van zuurstof, en pompte het via de longslagaders naar de longen, waar het bloed het koolzuur verwisselde voor zuurstof. Dan keerde het via de longaders terug naar de linkerkant van het hart, waar het in de aorta gepompt werd en door het lichaam heen.

In het geval van het kind dat op hem lag te wachten, een driejarig meisje dat Elise Sanders heette, waren de pompen omgekeerd verbonden. De aorta verscheen uit de rechterkant van het hart, zodat het slecht van zuurstof voorziene bloed naar het lichaam circuleerde in plaats van naar de longen. De longslagaders namen het zuurstofrijke bloed mee terug naar de longen in plaats van naar het lichaam. Het was een mooi kindje en bij haar geboorte had ze er bedrieglijk normaal uitgezien. De ellende was pas aan het licht gekomen toen de opening tussen de kamers van het hart, die bij pasgeborenen normaal was, gesloten was en zelfs de minimale vermenging van zuurstofarm bloed en zuurstofrijk bloed verhinderd werd. In het geval van Elise had de cardioloog een nieuwe opening gemaakt met een klein ballonnetje dat een gat maakte in het tussenschot. Ook dat zou Sam vandaag repareren.

Hij ging de operatiekamer binnen, de druipende handen opgestoken. De hartchirurg in opleiding en zijn assistent hadden het hart al geopend en blootgelegd. Zijn ogen gingen door de operatiekamer. Het kind werd van zuurstof voorzien, er zaten slangetjes in de halsader, de voet, de arm. Er hing bloed klaar. De perfusionist stond klaar met de hartlongmachine, de magische uitvinding die het hart toestond op te houden met pompen, zodat Sam zijn werk kon doen. Het was een vreemd gezicht, al die mensen waarvan alleen de ogen te zien waren. Al het overige was bedekt met ziekenhuisgroen. Alle persoonlijke zaken waren weg. De komende uren waren zij verlengstukken van hem. Zijn extra handen en ogen.

De omloopzuster overhandigde hem een steriele handdoek, hielp hem in een operatieschort, hield zijn handschoenen klaar. Hij liep naar de tafel, zijn geest in een andere wereld. Het was stil. Er was geen muziek. Geen gepraat. Hij nam het operatieplan door zoals hij het in zijn hoofd ontworpen had. Hij begroette zijn team met een knik. Meer verwachtten ze niet.

Hij ging aan het werk. Hij markeerde de plaatsen waar hij de hartslagaders zou verbinden met de longslagader en bracht de bypasscanule in. De machine begon, het zachte suizen nam het jachtige slaan van het kinderhart over. De anesthesioloog gaf het hart een dosis kaliumoplossing en het hield op met slaan. Even stopte Sam ook.

Daar had je het weer. Die aarzeling. *Waar ben ik mee bezig?* schreeuwde hij inwendig, kijkend naar het piepkleine, stille orgaantje dat wachtte op zijn mes. Hij haalde diep adem en begon te werken.

Hij sneed de aorta door. Hij sneed de hartslagaders los.

Hij sneed de longslagaders door, en terwijl hij absurd genoeg moest denken aan de keuken van zijn moeder en het stel roddeltantes die quiltsteekjes maakten, begon hij te naaien. De hartslagaders aan de longslagader. De longslagader aan de aorta. Netjes repareerde hij de opening die ze in het tussenschot hadden gemaakt, zorgvuldig steekjes makend, terwijl hij dacht aan wat zijn moeder had gezegd tegen Annie en zijn zusje. 'Gelijke steekjes maken, meisjes. Te losjes en alles vliegt alle kanten op. Te strak en het gaat rimpelen.' Tja, hiermee was het ook zo. Hij werkte rustig en snel. Hij was klaar.

'Bypass los,' zei de perfusionist. Sam hield zijn adem in. Het moment van genade was daar. Het hart trilde even en begon te slaan. Langzaam blies hij zijn adem uit. Alles was in orde, stelde hij zichzelf gerust, terwijl zijn ogen snel het operatiegebied in zich opnamen. Alles zat waar het hoorde te zitten. De rechterventrikel pompte nu bloed naar de longen. De linkerventrikel naar de aorta en naar het lichaam. Hij bleef even zwijgend staan staren, alsof hij wachtte of het niet een wrede grap was, dat alles straks ineens losschoot. Dat gebeurde niet.

'Bedankt allemaal,' zei hij ten slotte, waarmee hij het eind van de operatie aangaf.

Ze mompelden iets terug.

Hij trok zijn schort uit en verliet de operatiekamer. Pas in de gang haalde hij diep en lang adem. Hij voelde de adrenaline wegvloeien, een zuigende vermoeidheid achterlatend. Op dit punt dankte hij vroeger de Almachtige. Nu deed hij dat niet, maar hij voelde niettemin een golf van dankbaarheid dat er vandaag geen ramp was gebeurd.

Hij dacht aan de honderden operaties die hij had uitgevoerd en aan de relatief weinige complicaties, maar hij had het gevoel dat het geluk al jaren niet meer met hem was en dat hij puur door wilskracht de zaken bij elkaar hield. Hij herinnerde zich dat hij eens gedacht had dat hij magisch was, betoverd. Gezegend. Hij had geloofd dat hij de genezing in zijn handen had en dat alles wat hij aanraakte goed werd. Tja, nu wist hij wel beter, hè? Hij ging de hoek om naar de hal om met de ouders van het kind te praten, en de vermoeidheid werd nog dieper. Ze stonden gretig op toen hij verscheen en keken hem hongerend aan.

'Het is goed gegaan,' zei hij.

'Is alles goed met haar?' vroeg de moeder zenuwachtig, haar ogen waren rood van het huilen. Ze klemde Sams hand vast en hij herinnerde zich dat hij vroeger zijn patiënten en hun familie aanraakte. Vroeger keek hij hen diep in de ogen en schonk hun iets van zijn kracht. 'We doen het samen,' zei hij dan. 'U staat niet alleen.' Hij herinnerde zich dat hij radeloze ouders zijn privé-telefoonnummer gaf en hen op alle uren van de dag of de nacht te woord stond. Hij herinnerde zich dat hij aan de rand van het bed met hen bad. Hij herinnerde zich dat hij meeging naar begrafenissen en dat hij daar zat met een zwaar hart onder het verpletterende bewustzijn van zijn feilbaarheid, maar nog steeds gelovend in de Ene Die alle dingen goed deed. Hij was zich nu bewust van de hand van de moeder om de zijne, maar zijn overheersende emotie was de sterke wens dat ze hem losliet.

'Alles is in orde met haar,' stelde hij haar gerust. 'We hebben alles bereikt waar we op gehoopt hadden.'

Ze hadden nog meer vragen, wilden meer begrijpen, en ineens deden hun gapende monden hem denken aan vissen op de oever. Hij gaf hun informatie, gaf de vochtige hand van de moeder een klopje en maakte hem zachtjes los van de zijne.

Hij ging terug naar de kleedruimte en trok een schoon schort aan en nieuwe handschoenen. Hij had nog twee operaties te doen vandaag.

8

'Maak die zoete aardappeltaart maar weer,' zei Kirby. Zijn lange haarlok viel over het draadmontuur van zijn bril. 'En die grote biscuits. Hoe noem je ze ook alweer?' vroeg hij. Hij wist het heel goed.

'Kattenkoppen,' antwoordde Annie droog.

'O ja.' Kirby grijnsde. Hij vermaakte zich kostelijk ten koste van de boerentrien uit het zuidoosten, noorderling als hij was. 'Die waren ontiegelijk lekker.'

'Wat ben je toch slim en onderhoudend,' zei Annie.

'Tot vanavond.' Hij grinnikte nog eens en ging weer aan het werk. Ze ging naar haar bureau en pakte haar doos met persoonlijke bezittingen. Haar plekje was leeg en kaal. Ze keek rond of er iemand was om gedag te zeggen, maar iedereen had het druk. Aan de telefoon, in gesprek, aan het typen. Nou ja, ze zou ze vanavond allemaal wel zien, stelde ze zichzelf gerust.

Het verbaasde haar helemaal niet dat Kirby haar opdracht had gegeven zelf het eten te verzorgen voor haar afscheidsfeestje. Het was kenmerkend. Hetzelfde deed hij met Kerst en Thanksgiving, hij nodigde het halve personeel bij zich thuis uit, en gaf dan op wat ze moesten meebrengen. Annie bekeek het filosofisch. Ze vond het een wederzijds bevredigende situatie, want ze had geen hekel aan koken en bakken. Ze kon er zelfs helemaal in opgaan en zich er enthousiast aan overgeven. Maar het bracht haar ook in beroering, en tegen de tijd dat ze op de avond voor de feestdag klaar was in de warme keuken, had ze een pijnlijk gevoel, een holle plek vlak onder haar ribben die niet gevuld kon worden, hoeveel ze ook snoepte van de vers gebakken lekkernijen. Het maakte gevoelens en herinneringen wakker aan dat andere leven, en ze vermoedde stiekem dat dat precies de reden was waarom Kirby erop stond dat ze het deed. Hij was altijd aan het graven en stoken. Hij wilde dat ze praatte. Dat ze die vaak verheerlijkte stap zette in de juiste richting.

Ze reed naar huis, bracht de doos naar binnen en zette hem bij de andere. Haar hele leven moest passen in zeven kartonnen dozen, die ze morgenochtend achter in haar truck zou laden. Ze had afscheid genomen van Adrienne, die voor drieënhalve dag bij haar vader was. Morgenochtend zou ze mevrouw Larsen een knuffel en een kus geven en de inhoud van haar koelkast. Ze had het energiebedrijf en de telefoonmaatschappij ingelicht dat ze morgen zou vertrekken. Dan zou ze naar Los Angeles rijden. De eerste weken zou ze in een motel logeren. Tot ze een appartement gevonden had, of misschien zelfs een huis, en het gemeubileerd had. Ze zou net lang genoeg terugkomen om haar scheiding te regelen. Ze zou het goed doen deze keer. Ze zou het blijvend maken en echt.

'Waarom laat je je spullen niet hier tot je een huis hebt gevonden?' had Kirby tegengeworpen. 'Vlieg erheen en kijk een beetje rond, huur iets en kom dan terug om je spullen op te halen. Zo zou een normaal mens het doen.'

Ze had een sneer teruggegeven. Ze zou het doen zoals ze van plan was, want de waarheid was dat ze voelde dat haast geboden was. Dat iets haar begon in te halen en ze waagde het niet vaart te minderen. Bovendien had ze tijd over en ze was van plan bezienswaardigheden te gaan bekijken. Kirby had haar intern laten vervangen en Jason Niles verwachtte haar pas eind juli bij de *Times*.

Ze pakte haar kommen en maatbekers. Ze verzamelde de

ingrediënten, blij dat ze de recepten uit haar hoofd kende, want die waren achtergebleven bij de rest van dat leven.

Ze zag precies voor zich waar ze ze had achtergelaten – in die oude metalen doos met krantenknipsels en indexkaarten op de bovenste plank van de oude buffetkast in haar keuken. Ze had ze toen al niet nodig gehad, maar ze had ze gekoesterd, want ze waren geschreven in het krabbelige handschrift van oma Mamie. De recepten van haar grootmoeder waren historische artefacten, hoewel in essentie nutteloos tenzij je al wist hoe je het gerecht moest maken. Mamie had zich niet beziggehouden met hoeveelheden. Dat soort gedetailleerde instructies was voor amateurs.

Zoete Aardappeltaart van Tante Lula, stond er op een recept. *Bak eerst je taartbodem*, instrueerde ze, terecht aannemend dat Annie dat geleerd had voordat ze over de tafel heen kon kijken. *Meng dan je gekookte zoete aardappelblokjes, je suiker en bruine suiker, wat piment, twee grote eieren, gember en een beetje gecondenseerde melk, doe er wat gesmolten boter bij en laat het lekker doorkoken.*

Ze lachte even en ging aan het werk. Ze zou haar zoete aardappeltaart maken en wat gebakken appels. Kirby's vrouw Suzanne maakte een of ander hoofdgerecht. Art, een van de fotografen, bracht een ham mee. Rita van kunst en vrije tijd zou hen allemaal versteld laten staan – vorig jaar had ze voor het Kerstfeest kreeft thermidor gemaakt en met Pasen gebraden ribstuk. Shirley, haar eigen Shirley, die op ditzelfde ogenblik beneden druk aan het hakken en snijden was, had haar toevertrouwd dat ze dit jaar zoals gewoonlijk zelfgemaakte sushi zou bijdragen en roergebakken tahoe. En zij, Annie, de typische zuiderling, zou boerenvoedsel meenemen, het soort dat je lege plekken vulde met troost. Ze had al een kokostaart gemaakt en nu begon ze aan de kattenkoppenbiscuits, zo genoemd omdat ze zo groot waren. Ze had een pot honing die ze gekocht had toen ze afgelopen zomer met een opdracht naar een lavendelboerderij in Sequim moest. Ze had hem bewaard voor een speciale gelegenheid, en deze gelegenheid was speciaal.

Ze mat af en bakte en hoezeer ze ook wenste van niet, ze herinnerde zich haar andere leven. Ze dacht aan hem en hoe ze hem toen had gezien. Vroeger. Als een goede man. Heroïsch. Ze was veilig bij hem. Dat leven dat ze gedeeld hadden, was idyllisch en verrukkelijk, en ze dacht dat ze toen al had geweten dat iets wat op een heilig voetstuk wordt gezet niet kon blijven, maar samen met alle andere afgoden neergehaald moest worden.

Haar ochtenden hadden er toen anders uitgezien dan nu, en ze lachte wrang om het understatement. Ze had elke dag na het opstaan de eieren gebakken en de gortpap gekookt die hij zo graag lustte als ontbijt. Hij was degene met belangrijk werk. Hij was degene die verzorgd moest worden.

'Aan niemand vertellen,' had hij haar laten beloven als ze hem zijn eten serveerde. 'Ik hoor een voorbeeld te geven van gezond eten. Mijn patiënten mogen niet weten dat ik elke ochtend een hartaanval op mijn bord heb liggen.' Ze had gelachen en voor de grap een kruis geslagen, maar een rilling van angst gevoeld. Wat zou er gebeuren als op een dag zijn gezondheid het liet afweten? Ze kon de gedachte niet verdragen aan wat er zou gebeuren als hij moest – Ze had die zin nooit afgemaakt. Ze had zich het leven zonder hem niet kunnen voorstellen.

Eén morgen herinnerde ze zich bij uitstek. Het was een van die stralende, volmaakte momenten geweest. Het was in de eerste tijd van Sams loopbaan. Zij werkte toen niet. Ze stond vroeg op om zijn eten klaar te maken voordat hij wegging. Het was een mooie herfstochtend. De berglucht van thuis was fris en koel na de vochtige hitte van de zomer. Het rode zand van de velden achter hun land was prachtig in het herfstlicht, de bergen waren gevlekt met vierkantjes goud en roestbruin en vlammend rood. Er was iets anders aan dat herfstlicht, had ze vastgesteld. Het schuin invallende licht, de schaduw die de dingen wierpen, had ze duidelijk omlijnd en helder gemaakt. Ze herinnerde zich haar diepe tevredenheid met haar lot. 'De meetsnoeren vielen mij in liefelijke dreven,' citeerde ze uit haar geheugen.

Die ochtend had ze een braadstuk dichtgeschroeid en in de oven gezet, en terwijl ze het klaarmaakte, dacht ze na over haar leven. Sommige studievriendinnen vonden dat ze het verspilde. Ze zeiden het natuurlijk nooit, maar het werd geïmpliceerd en ze voelde vaag dat ze zich in hun aanwezigheid moest verdedigen, alsof ze zich moest verontschuldigen. Ze troostte zich door te denken aan wat Miss Loretta de week tevoren over dat onderwerp had gezegd op de vrouwenbijbelstudie. 'Vrouwen die een carrière hebben, dienen een werkgever. Ze proberen vooruit te lopen op wat hij of zij nodig heeft en verwacht en komen daaraan tegemoet voor een promotie of geld of persoonlijke trots. De vrouw die haar man en gezin dient, doet eerzaam werk en haar loon zal eeuwig zijn. Laat de wereld je niet voorschrijven wie je mag dienen.' Daar had Annie over nagedacht toen ze de vaat waste en in het afdruiprek zette, toen ze het ontbijt voor haar man klaarmaakte en hun avondeten voorbereidde. Miss Loretta had gelijk. Ze voelde een warme golf van blijdschap terwijl ze doorging met haar werk.

Ze hoorde zijn voetstappen op de trap. Ze zette het bord neer, een van de oude Blue Willow borden van haar oma, en schepte de gortpap op, liet de eieren uit de pan glijden, beboterde de toast en schonk de koffie in. Ze zette het allemaal op tafel en zette zout en peper klaar en de pot met bosbessenjam.

'Goedemorgen,' zei hij. Hij kwam de keuken binnen en straalde zijn vertrouwde doelbewustheid en veiligheid uit.

Hij hield haar vast. Hij kuste haar. Ze kuste hem terug en streelde zijn gezicht, waarop de lijnen van zorg en spanning toen nog niet zichtbaar waren.

'Je ontbijt wordt koud,' mompelde ze uiteindelijk.

Hij kuste haar nog eens en ze gingen aan tafel. Ze nam een stuk toast, dronk haar koffie en luisterde naar hem terwijl hij vertelde over de dag die voor hem lag. Vanmorgen ging hij de patiënten in het ziekenhuis bezoeken, vanmiddag spreekuur. En wat hij natuurlijk niet hoefde te zeggen omdat ze het toch al wist, was dat hij aan het eind van de middag nog een paar gesprekken had. Een ouder die bemoediging nodig had. Een ziek kind dat uitkeek naar een bezoek van dokter Sam. Hij verdiende er niets extra's mee, maar hij was laat thuis voor het eten en morgen was het nog erger. Morgen moest hij opereren, en wie wist hoe laat hij dan thuiskwam. Morgen zou ze eten koken en het met de auto naar hem toe brengen. Als ze geluk had en zijn programma stond het toe, dan konden ze eten in het keukentje naast de artsenkamer.

Sam, zijn broer, zijn vader, zijn oudoom, zijn overgrootvader, helemaal terug tot de eerste die met de boot uit Engeland gekomen was, waren allemaal arts geweest. Ze keek hoe haar echtgenoot at en dacht daarover na, het feit dat hij deel uitmaakte van een erfgoed, een geslacht, een nobele roeping. Ze voelde geen jaloezie, alleen maar respect, en ze misgunde hem nooit de tijd of de energie die zijn werk van hem vereiste. Ze zag het niet als tijd die van haar afgenomen werd. Zijn werk maakte deel uit van wie hij was. Deel van wat ze liefhad in hem. En ze wist ook wie zij was. Wat iemand anders ook mocht zeggen, ze wist welke rol ze speelde in het mogelijk maken van zijn werk. De rol die haar schoonmoeder en alle Truelove-echtgenotes vóór hen hadden gespeeld. Ze mocht dan misschien geen medicijnen voorschrijven of de scalpel vasthouden, maar ze hielp mee hem te maken tot de arts en de man die hij was. Ze kende haar man goed en ze kende zichzelf.

'Wat ga je vandaag doen?' vroeg hij haar.

'Ik ga een braadstuk in de oven zetten,' zei ze. 'En dan ga ik de tuin opruimen. Ik neem tante Bessie mee naar de kruidenier en help haar appels uitzoeken.'

Hij leunde achterover en keek haar glimlachend aan, alsof hij blij was met haar plannen, alsof het hem plezier deed haar erover te horen praten. Hij stak zijn hand uit en zij pakte hem. Ze keek naar de bekwame, sterke vingers en ze probeerde zich de kundige bedrevenheid voor te stellen als ze de zieke kinderen genazen die bij hem kwamen om hulp. Ze sloten zich om de hare en ze begonnen deze dag zoals ze alle andere dagen begonnen.

'Jezus, dank U wel voor deze dag,' zei Sam met zijn vaste, volle stem. 'Dank U voor het werk dat U ons te doen geeft. Dank U voor Uw trouwe zorg, voor de overvloed die U ons geeft. Dank U dat U bent gekomen en voor ons gestorven bent zodat wij het leven kregen. Help ons, o God, om zo te wandelen dat we onze roeping waardig zijn.'

'Amen,' zei ze zacht en alles in haar hart uitte zich in één zoete harmonieuze noot terwijl ze de woorden fluisterde.

'Amen.'

Nu staarde ze neer op haar handen terwijl ze het eten klaarmaakte voor haar feestje en probeerde zich die andere, gouden tijd te binnen te brengen. Die glanzende luchtspiegeling die haar leven was geweest. Daar in dat kleine stadje gelegen in een holte tussen de bergen. Het was een paradijselijke droom geweest. Niet blijvend. Niet echt. Ze had niet geweten dat de sluier binnenkort zou scheuren.

Ze waren naar de kerk gegaan. Dezelfde kerk waar haar schoonouders, haar zwager en schoonzus en een zwerm neven en nichten en tantes en ooms heen gingen. Ze ging op woensdagochtend naar de vrouwenbijbelstudie. Ze ging

116

naar kraamfeesten en bijeenkomsten en maakte elk jaar een quilt om te verkopen op de Kerstbazaar. En ze herinnerde zich dat Sam haar daar het hof had gemaakt, op dat uitgestrekte gazon waar ze op de grond zaten te eten, zoals hun verre voorouders waarschijnlijk ook hadden gedaan. Het was een kleine gemeenschap, beminnelijk en behulpzaam. Ze had elk jaar een reusachtige tuin geplant en onderhouden. Ze had een groot gezin willen hebben. Zeven kinderen. Misschien acht, en ze had voor zich gezien dat ze in de tuin speelden, schommelden en plonsden in de kreek zoals zij had gedaan. Daar liet ze haar herinneringen ophouden. Ze had het gevoel alsof iets haar verslinden wilde.

Ze staarde naar de lege keukenmuur, schudde krachtig haar hoofd om zichzelf tot de orde te roepen. Ze dacht aan de vraag die Kirby haar had gesteld. 'Ben je op weg in de juiste richting?' En ze dacht aan die momenten vlak voordat je een vergissing beging. Ze kon zich haast voelen wankelen, balanceren tussen het verleden en een onherroepelijke toekomst.

Ze ergerde zich aan de onzekerheid, dat de vraag haar nog steeds bespotte en onbeantwoord bleef. Ze pakte een appel en begon hem furieus te snijden, zodat de schillen naar beneden vielen en aan de witte porseleinen gootsteen kleefden.

★

Tegen vijf uur was ze klaar met koken en bakken. Ze laadde al het voedsel dat ze had gemaakt in de cabine van de truck, samen met de afscheidsgeschenken die ze had gekocht voor Kirby en zijn familie. Ze had Shirley het hare al gegeven, een boek over natuurlijke genezingsmethoden, wat Shirley onmiddellijk had gebruikt om een afgrijselijke thee te brouwen van wie weet wat, die Annie van haar had moeten opdrinken. Het had haar doen denken aan de geur van de schaapskooien thuis.

Ze reed naar Kirby's huis. Hij woonde in Noord-Seattle in een oude buurt vlak bij een kleine universiteit. Veel van de huizen waren zelfbouwbungalows en ze had gelezen dat Sears Roebuck in de jaren twintig de bouwpakketten had verkocht voor zevenhonderd dollar en ze afleverde op een platte goederenwagon. Ze probeerde zich voor te stellen hoe het zou zijn als je daar zat met alle stukken van een huis om je heen en toch geen idee te hebben waar je moest beginnen met in elkaar zetten. Ze had er niet veel moeite mee zich dat in te denken.

Ze staarde langs de keurige vierkante huizen en groene gazons heen, langs de rododendronstruiken en de douglas-sparren en ceders. Ze keek langs de rij auto's die geparkeerd stonden langs de smalle straten, de telefoon- en elektrici-teitspalen, de gebarsten stoepen en de mistige grijze lucht, en in plaats daarvan zag ze een bultige bergkam in rookach-tige blauwe mist gehuld. Ze deed haar ogen dicht om het beeld te verdrijven. Het werkte een beetje en toen was ze bij Kirby's huis.

Het was wit en de voorveranda was overdekt met de pas ontwaakte blauweregen. Blauwezegen, noemde Kirby het en Annie glimlachte. Een driewieler en wat aandoenlijk uit-ziend speelgoed lagen verstrooid over Kirby's gazon, waar ze waarschijnlijk sinds vorige zomer waren blijven liggen. De brievenbus die bevestigd was aan het verschoten hek had de vorm van een walvis. *Johansen* stond er met schots en sche-ve letters op.

Ze moest twee keer lopen om al het eten binnen te bren-gen. Ze was een beetje vroeg gekomen, zoals ze gevraagd hadden. Het huis was een ramp met overal speelgoed en smoezelige kinderen, en Annie vond het heerlijk. Ze ging zitten en liet zich door Andrew, Kirby's zesjarige zoon, zijn videospel tonen. Ze probeerde het een keer, maar haar poppetje ging meteen dood. Joni van vier was haar pop aan het aan- en uitkleden. De baby kauwde vrolijk op een vochtig speelgoedlam.

'Help me,' zei Suzanne eenvoudig, en overhandigde Annie de mollige, kwijlende baby. Annie mompelde een begroeting, kuste het dikke wangetje en ging aan het werk om de resten van haar laatste maaltijd met een warm doekje te verwijderen, haar luier te verschonen en haar aan te kleden, met een gevoel alsof haar hart geslapen had en op pijnlijke wijze wakker werd.

Ze besloot haar cadeautjes te geven voordat de rest van de gasten kwam, en het juiste moment was toen het werk was gedaan en ze met z'n drieën in de keuken stonden, de kinderen waren bezig.

'Ik vind het afschuwelijk dat je weggaat,' zei Suzanne en Annie keek haar aan met een steek van verdriet. Suzanne had een vriendin kunnen zijn als ze haar de kans gegeven had.

'Ik heb iets voor je,' zei Annie. Met z'n drieën gingen ze naar de woonkamer en ze pakte de tas met cadeautjes.

'Die zijn voor de kinderen,' zei ze en gaf Kirby het speelgoed dat ze voor zijn kinderen had uitgezocht.

'Dit is voor jou, Suzanne.'

Ze keek met plezier toe hoe Suzanne het pakje openmaakte en grote ogen opzette toen ze de handgemaakte oorbellen zag die Annie voor haar had gekocht. Ze waren lazuurblauw en pasten precies bij haar donkere haar en ogen.

'En dit is voor jou, Kirb.'

Kirby glimlachte en pakte de pijp en de tabak uit. Suzanne kreunde.

'Het is voor op het werk,' voegde Annie eraan toe, 'dan kun je een beetje meer respect afdwingen.'

'Bedankt,' zei hij eenvoudig. Hij maakte geen slimme

opmerking en plaagde haar niet. Ze wenste dat hij het wel deed.

'We hebben ook iets voor jou,' zei Suzanne.

Annie nam de envelop aan die Suzanne haar gaf en maakte hem open. Het was een cadeaubon van een wolwinkel in Santa Monica. Ze knipperde met haar ogen en vroeg zich af hoe ze het konden weten.

'Je had het er een keer over,' zei Kirby. 'Dat je van breien hield. Ik ben op zoek gegaan en heb hem via internet gekocht. Ik dacht dat je wel een project zou willen hebben, om de tijd te doden die je overhebt.'

Haar keel werd dichtgeschroefd. Het was een attent, lief cadeau. Ze hadden geweten wat ze graag hebben wilde. Ze hadden haar gekend.

'Dank jullie wel,' zei ze zacht. 'Ik ben er heel erg blij mee.'

'Dat wisten we wel,' zei Suzanne glunderend.

9

Tegen de tijd dat Sam zijn laatste operatie beëindigde, was het bijna negen uur in de avond. Hij was verschrikkelijk moe en het was pas maandag. Maar nu hij erover nadacht, voelde hij zich de laatste tijd elke dag zo. Hij douchte en kleedde zich aan, ging in de artsenkamer zitten en staarde een tijdje naar de muur. Hij werd zich ervan bewust dat hij honger had. Hij probeerde zich te herinneren wat hij vandaag had gegeten en kon na het ontbijt niets meer bedenken. Nee. Wacht. Izzy had hem tussen de truncusreparatie en de Norwood-operatie een cheeseburger met frietjes gebracht. Hij keek op zijn horloge. Hij bleef nog even zitten, zelfs de inspanning van het opstaan was hem nog te veel.

Ten slotte kwam hij overeind en ging terug naar zijn spreekkamer. De wachtkamer was opgeruimd en leeg. Zelfs Izzy was naar huis gegaan. Hij liep langs de rustige rijen telefoons. Hij passeerde de lege zusterposten waar de telefoons eindelijk zwegen. Barney had dienst vanavond, maar dat betekende niet dat Sam niet opgeroepen zou worden. Hij liep langs de duistere onderzoekkamers naar zijn spreekkamer.

'Sam!'

Hij draaide zich geschrokken om. Het was Barney, die glimlachend op hem toe kwam, en Sam haalde opgelucht adem. Geen noodgeval. Het was Barney maar. Hij was een vreemde snuiter en normaal gesproken moest Sam al glimlachen als hij naar hem keek. Hij was een van de meest kundige kinderhartchirurgen van het land, zo niet van de wereld, en toch was hij net Columbo. Vandaag had hij een groene kaki broek aan, een blauw gestreept shirt, en donkerbruine bretels en schoenen. Zijn bruine haar werd dun, toch trok hij zijn scheiding laag aan de zijkant zoals hij altijd had gedaan. Nog een jaartje en hij hoefde nog maar een paar haren over zijn hoofd te kammen. Hij was altijd vriendelijk en bemoedigend geweest, en hoewel hij zich in zijn praktijk dreef tot voortreffelijkheid, was hij vrij van de duistere kant van ambitie. Hij had Sam bijgestaan tot Sams vaardigheid en kennis die van hemzelf overtroffen, toen had hij zich bescheiden teruggetrokken en een plaats aan de zijkant ingenomen. Sam en hij voerden nu zes jaar praktijk samen met drie andere artsen. Barney was een goede vriend geweest, hield Sam zich voor, maar één vluchtig ogenblik benijdde Sam hem zijn ontspannenheid, zijn kalmte, en verafschuwde die.

'Wat doe jij hier?' vroeg Sam. 'Ik dacht dat je allang thuis was en met de kinderen aan de rosbief met aardappelpuree zat.'

Barney glimlachte en liet de hatelijkheid langs zijn rug afglijden. Sam schaamde zich. Het was jaloezie die hem dat had ingegeven, en niets anders.

'Heb je even?' vroeg Barney en Sam kreeg een raar voorgevoel.

'Tuurlijk.'

Barney gebaarde verderop de gang in en Sam volgde zijn associé naar zijn spreekkamer. De koffie was klaar en rook lekker. Barney schonk hem zonder te vragen een kop in en wees naar de tafel, waarop een sandwich en een appel lagen. Kantinevoer, maar het zag er lekker uit.

'Ik dacht dat je misschien nog geen kans had gehad om te eten.'

'Bedankt.' Nou, als hij het nog niet geweten had, dan wist hij het nu. Dit was een bijeenkomst met een agenda. Maar

122

hij had honger, dus hij ging zitten en pakte de sandwich uit, nam een hap en spoelde hem weg met een slok van Barney's sterke koffie. Nog een paar happen en de ene helft was verdwenen. Barney keek toe terwijl hij zijn eigen koffie dronk.

'Goed,' zei Sam toen hij klaar was met de andere helft. 'Wat heb je op je hart?'

'Wil je nog koffie?'

'Nee, dank je.'

Barney haalde zijn schouders op en glimlachte weer. 'Hoe gaat het met je, Sam?'

Sam staarde hem aan. 'Je hebt toch niet op me gewacht om me dat te vragen.'

'Eigenlijk wel.'

De ogen van zijn associé waren vriendelijk, maar er was een scherpte in zijn toon die Sam liet weten dat hij niet wegkwam met vage algemeenheden.

'Het gaat goed.'

'O ja?'

'Ja, hoor.' Hij sloeg zijn armen over elkaar.

Barney zuchtte. 'Sam, het zou anders kunnen zijn als je wilde.'

'Wat bedoel je daar nou weer mee?'

'Ik bedoel, we zouden er een associé bij kunnen nemen,' zei Barney, en iets in Sam kwam tot rust nu het onderwerp van gesprek was verduidelijkt. 'In Cleveland zit Nathan Epstein,' vervolgde hij. 'Ik denk dat we hem wel kunnen weglokken en dan kunnen we allemaal eens iets anders doen dan alleen maar chirurg zijn. Denk er eens over, Sam.'

'Ik heb er al over gedacht,' antwoordde hij snel. 'Het is al gecompliceerd genoeg in deze associatie.' Ze waren met z'n vijven en hun vergaderingen waren een nagel aan zijn doodskist. Hij had een gruwelijke hekel aan al dat ellebogenwerk om superioriteit, en hij had geen zin om na te denken over publiciteit en pensioenfondsen. Als er nog iemand bijkwam, zou de warboel nog erger worden. Een treurig stemmetje in zijn geest dat verdacht veel op die van Annie leek, vroeg hem of dat de werkelijke reden was. Of hij misschien de tweede viool zou gaan spelen als Nathan Epstein zich bij hen aansloot.

Barney zuchtte. 'We maken ons zorgen om je, Sam. Ik kom bij je met die zorgen zoals ik zou willen dat je voor mij deed als het omgekeerd was.'

Sam zette zijn stekels op en keek boos. Het beviel hem niet het onderwerp van een zorgelijk gesprek te zijn. 'Dat stel ik op prijs, maar je hoeft je over mij niet ongerust te maken.'

'Denk erover na,' zei Barney toen Sam opstond om weg te gaan. 'Dat is alles wat ik vraag.'

'Ja, hoor,' antwoordde hij. 'Bedankt voor het eten.'

Barney knikte en Sam vertrok. Hij ging terug naar zijn eigen spreekkamer, knipte het licht aan en ging aan zijn bureau zitten. Er wachtte hem nog minstens twee uur werk, maar door het gesprek met Barney was hij gespannen als een veer. Zijn ogen flitsten naar de foto van hen tweeën die nog steeds op zijn bureau stond. Hij keek naar haar eerlijke, lieve gezicht, haar mooie ogen, de oprechte, innemende glimlach, en de bos glanzend rood haar. Hij staarde er een ogenblik naar, dwong zich toen zijn ogen af te wenden. Hij haalde zijn handen door zijn haar, wreef in zijn ogen en haalde een paar keer diep adem.

Hij draaide zijn stoel om en keek de kamer rond. Zijn diploma's en certificaten hingen aan de muur, de randen keurig steeds vijftien centimeter van elkaar. De planten hadden water gekregen en de bruine blaadjes waren weggehaald, dankzij Izzy. Zijn studieboeken en tijdschriften over cardiologie en chirurgie waren op de planken gerangschikt op subcategorie. Computer, dressoir, archiefkast – allemaal netjes en ordelijk. Er hing een klein prikbord achter het bureau vol foto's van dankbare patiënten. Glimlachende baby's met roze wangetjes. Peuters bij de kerstman op schoot. Kleuters die voetbalden, viool speelden, een kleiner broertje of zusje vasthielden. 'Dank u wel. Dank u wel. Dank u wel.' Izzy hield het bord voor hem bij en verwijderde discreet de foto's van de kinderen die gestorven waren.

Hij pakte de telefoon op. Er waren tweeëntwintig opgeslagen boodschappen, en voor hem lag een stapel roze memobriefjes en een nog hogere stapel dossiers die morgen beoordeeld moesten zijn. Die beroerde, gespannen vermoeidheid keerde terug, die woede doorspekt met uitputting. Dat hopeloze gevoel dat zijn vermogens niet genoeg waren om op te tornen tegen het voortdurend aanzwellende getij van nood. Hij besefte met een schok dat hij geen extra associé wilde. Hij wilde ophouden. Gewoon ophouden. Weggaan.

Hij ging aan het werk en werkte zich door de stapel memo's heen. *En wat zou je dan doen?* vroeg een stem. En daar was het tot nu toe altijd mee geëindigd, want eerlijk gezegd kon hij zich niet voorstellen dat hij iets anders deed. Hij had er zo'n groot deel van zijn leven aan gewijd om zo ver te komen, hij kon zich niets anders indenken. Maar nu leek die beweegreden voor het eerst niet genoeg. Gebrek aan fantasie was ineens een brandstof die niet krachtig genoeg was om hem door nog een jaar heen te drijven. Nog een maand, week, dag, uur.

Er was nog een reden die hem ook hier had gehouden: het geloof dat hij verplicht was zijn talenten over te geven aan de wereld. Daar wilde hij nu om lachen en hij liet zijn hoofd in zijn handen zakken. Het was of zijn talenten geleend waren en met een fractie tegelijk terug genomen werden.

Na enkele minuten draaide hij zich om en keek naar de muur achter zich. Daar hing zijn Bachelor of Science graad van Duke. Zijn artsendiploma van John Hopkins. Daar in de archiefkast lag het onderzoek dat hij had gedaan over intramurale hartslagaders in transposities van de grote vaten. Zijn benoeming als hoofd van de afdeling kindercardiologie aan het ziekenhuis de Barmhartige Samaritaan van Knoxville. Zijn bestuurslidmaatschap van het Congres van Cardiologen en het Amerikaans Genootschap van Kindercardiologen. Een plank vol tijdschriften met artikelen die hij had geschreven.

'Ik houd het voor vuilnis,' zei hij hardop. De woorden weerkaatsten in de lege kamer en hij probeerde zich de rest van de Bijbeltekst te binnen te brengen. Daar kwam het, opgehaald uit de archieven van zijn geheugen, en toen het hem inviel, blies hij spottend.

'Opdat ik Christus moge winnen,' maakte hij zacht de zin af, en hoewel hij wist dat hij eens de zin begrepen had, zei het hem vanavond niets.

Nadat hij nog een tijdje gezeten had, kwam hij in beweging, controleerde nog eens zijn spreekkamer, pakte zijn aktetas en de dossiers voor morgen. Eindelijk vertrok hij, reed langzaam door de straten van Knoxville en de parkeergarage van zijn flat in. Hij zette de motor af en schrok zich een ongeluk toen iemand op het raampje van zijn auto tikte.

Zijn hart sloeg op hol. Hij had juist vorige week gelezen dat een advocaat in het naastgelegen flatgebouw was neergeschoten om tweehonderd dollar in zijn portefeuille en zijn Rolex. Sam droeg een Timex, maar één ogenblik vroeg hij zich af of zijn tijd gekomen was en het verbaasde hem dat het hem, in weerwil van zijn tot vuisten geklemde handen en zijn bonkende hart, niet kon schelen. Hij was zelfs een beetje teleurgesteld toen hij opkeek en een corpulente man van middelbare leeftijd zag staan, en eerlijk gezegd was hij degene die bang keek. Sam drukte op de knop om het raampje te laten zakken.

'Kan ik u helpen?'

'Bent u dokter Samuel Truelove?'

Sam knikte.

'Dit is voor u.' Hij stak Sam een envelop toe, draaide zich om en rende bijna weg voordat Sam iets kon zeggen.

Sam maakte de envelop niet open. Hij liep zwaar naar de lift, steeg omhoog en ging zijn appartement binnen. Hij schonk zich een glas water in, ging zitten en keek naar de envelop. De telefoon rinkelde. Hij negeerde het.

Ten slotte maakte hij de envelop open en staarde een hele tijd naar de stapel documenten. Hij pakte het handgeschreven briefje op dat ze had gestuurd, waarschijnlijk in overtreding van de instructies van haar advocaat, maar zijn vrouw was nu eenmaal eigenzinnig.

Beste Sam, schreef ze, *ik wilde dat het niet zo ver gekomen was, maar ik denk dat het tijd is. Ik wens je het allerbeste. Annie.*

Zijn ogen stroomden vol tranen. Hij las en herlas de aanvraag tot echtscheiding, ingediend bij de Rechtbank van King County, Washington, vanwege het feit dat zijn huwelijk duurzaam ontwricht was.

★

Hij wist niet hoe lang hij daar zat. Alleen dat zijn mobiele en vaste telefoon allebei enkele keren gerinkeld hadden. Uiteindelijk nam hij op. Wat voor een noodgeval zou hem vanavond terug naar het ziekenhuis drijven? Het nummer was niet bekend, noch de stem die hij hoorde, omdat hij uit zijn verband gerukt was.

'Sam, met Melvin. Melvin Wakefield.'

Het duurde even voor hij zijn advocaat kon plaatsen. Sam fronste, hij begreep niet wat de reden kon zijn voor zo'n laat telefoontje.

'Heb je het nieuws gezien?' vroeg Melvin dringend.

'Wat?' vroeg hij dom.

'Heb je naar het nieuws gekeken?'

'Nee. Ik heb de hele dag geopereerd.'

'Zet CNN aan. Vlug.'

Sam keek rond naar de afstandsbediening en vond hem eindelijk. Zijn mond werd droog toen hij keek. Daar, achter de knappe blonde presentatrice, was een foto van Kelly Bright als levendige elfjarige, en een andere, recentere foto die genomen was in het verpleegtehuis waar ze in haar bed wegkwijnde.

'Een rechter heeft op verzoek van de vader toegestaan dat de voedingssonde verwijderd wordt,' zei Melvin grimmig. 'Ze hebben hem eruit gehaald, maar de moeder bestrijdt het. De gouverneur en de wetgevende macht zijn erbij betrokken. De president heeft een verklaring afgelegd. Dit is nogal wat, Sam. Ik wilde je alleen even moed inspreken.'

'Goed,' zei hij, en met de beste wil van de wereld kon hij niets anders bedenken om te zeggen, al praatte Melvin door. De vaste telefoon rinkelde. Hij keek naar de nummerweergave. Het was zijn broer. Hij liet het antwoordapparaat opnemen. Hij zocht in de voorafgaande oproepen en herkende nummers: Barney, zijn moeder, Carl Dalton, zijn zus, zijn broer, vier of vijf herkende hij niet. Hij ging op de keukenstoel zitten.

'Sam, ben je er nog?' De stem van zijn advocaat zoemde tegen hem uit de telefoon die hij nog steeds in zijn hand had.

'Ik ben er nog,' antwoordde hij.

'Je zult een of andere verklaring moeten afleggen. De pers is mij al op het spoor. Straks kamperen ze bij je op de stoep, als ze er niet al zijn. Je naam is in verscheidene nieuwsuitzendingen genoemd. Morgen staat het in alle kranten.'

Weer rinkelde de vaste telefoon. In zijn mobiel hoorde hij de toon dat er een tweede gesprek wachtte. 'Melvin, ik moet ophangen. Ik bel je morgenochtend.'

'Je kunt niet doen of er niets aan de hand is, Sam,' waarschuwde Melvin. 'Je zult ermee moeten afrekenen, anders word je levend opgevreten.'

Hij mompelde iets terug, sloot het gesprek af en zette zijn mobiele telefoon en de bel van de vaste telefoon af. Hij draaide het geluid van de televisie weg, maar de presentatrice praatte door, haar mond bewoog zonder geluid en op de achtergrond was het beeld van de mooie, kleine Kelly Bright.

10

Sam ging niet slapen, maar bleef op de harde keukenstoel zitten. Hij las de echtscheidingspapieren een paar keer helemaal door, alsof ze een essentieel stuk informatie konden bevatten dat hij tot nu toe over het hoofd had gezien. Hij keek naar de nieuwszenders. Om het uur brachten ze het verhaal over Kelly Bright. Nooit werd er iets nieuws verteld. Hij meldde zich aan op internet en las alles over de toestand wat hij kon vinden, alsof meer informatie hem kon helpen. Het hielp niet. Rond drie uur in de ochtend stapte hij in zijn auto en reed naar Rosewood Manor. Op het parkeerterrein bleef hij in zijn auto zitten en zag de bussen van de nieuwszenders op een kluitje bij de ingang staan. De werkelijkheid begon tot hem door te dringen.

Er is een gerechtelijk vonnis, zei hij ruw tegen zichzelf. *Ze gaan de voedingssonde heus niet terugplaatsen omdat jij dat zo graag wilt.*

Hij vond dat hij toch naar binnen moest gaan, dat hij minstens moest boeten door naast haar te zitten als ze stierf, maar hij wist dat het geen goed idee was en waarschijnlijk meer te maken had met zijn eigen behoefte dan met die van anderen. De moeder zou bij haar dochter zitten, en Sam was de laatste die ze wilde zien. Na een tijdje reed hij naar huis terug.

Hij probeerde te gaan liggen, maar zo gauw hij het licht uitdeed, vloog het hem aan en hij kon het niet verdragen, dus hij deed het licht weer aan en keerde terug naar de stoel. Zijn gedachten gingen heen en weer tussen Annie en Kelly, en beiden waren een kwelling. Had Annie iemand anders?

Was dat de reden dat ze wilde scheiden? Of wilde ze gewoon een einde maken aan een hopeloze situatie, zoals de vader van Kelly Bright had gedaan? Ze hadden haar voedingssonde verwijderd. Had ze honger? Had ze dorst? En dat leidde alleen maar tot de nog gruwelijker, nog vreselijker gedachte dat ze misschien in al de afgelopen vijf jaar honger had gehad, pijn, last van kou of nattigheid of hitte, zonder het in haar hulpeloze staat zelfs maar te kunnen uitschreeuwen.

Rond vijf uur besefte hij dat hij zich moest klaarmaken om naar zijn werk te gaan. Toch kwam hij niet in beweging. Een kwartiertje later werd er aan de deur geklopt. Hij staarde door het kijkgaatje naar buiten. Het gezicht van zijn broer, dat onkarakteristiek ernstig stond, staarde terug. Sam deed de deur open.

'Hoi, broer.' Nonchalant alsof hij toevallig langsgelopen was en impulsief had besloten aan te kloppen.

'Wat doe jij hier, Ricky?' Een weinig hoffelijke begroeting, maar zijn broer was niet uit het veld geslagen.

Ricky haalde zijn schouders op. 'Mama begon ongerust te worden toen je je telefoon niet opnam.'

Sam knikte en deed een stap opzij om Ricky binnen te laten. Hij moest zijn moeder bellen. Hij wist dat ze dodelijk ongerust moest zijn. Ze leefde voortdurend in zorg over hem. Die moest ondraaglijke proporties hebben gekregen als ze Ricky had gestuurd om naar hem te gaan te kijken. Sam wreef over de stoppels op zijn kaak. Zijn ogen prikten.

'Je ziet er verschrikkelijk uit,' bracht Ricky behulpzaam te berde terwijl hij naar binnen stapte en de deur achter zich dichtdeed.

Sam antwoordde niet. Hij sjokte naar de keuken en ging koffiezetten.

'Ga je vandaag naar je werk?' vroeg Ricky.

'Natuurlijk. Waarom vraag je dat?'

Ricky haalde zijn schouders op. 'Er staan cameraploegen in je parkeergarage.'

Sam sloot zijn ogen. Daar had hij niet aan gedacht.

'Ik kan je auto omrijden, dan kun je 'm smeren via de achterkant,' bood Ricky aan, en even was de ondeugende glans terug in de ogen van zijn broer.

'Bedankt,' antwoordde Sam kortaf.

Ricky ging zitten. Sam maakte zich klaar, zette het koffieapparaat aan en ging tegenover hem zitten. Ricky zei geen woord, bleef alleen maar zwijgend bij hem zitten. Het was ongewoon voor hem en Sam voelde een golf van waardering opwellen. Ricky stelde geen vragen, bood geen advies. Sam herinnerde zich dat de vrienden van Job zwijgend bij hem gezeten hadden, en toen herinnerde hij zich waarom. Ze zagen dat zijn verdriet heel groot was. Hij had geen recht om verdriet te voelen. In geen van beide situaties, zei hij tegen zichzelf. Maar hij voelde het toch, verdiend of niet. Dat moest het zijn, deze zware, zuigende marteling.

Hij had nooit zijn gevoelens geanalyseerd. In de afgelopen zes jaar had hij nooit eens de tijd genomen om zich af te vragen hoe hij zich voelde, wat hij voelde, of hij zich beroerd voelde of wanneer hij zich beter zou voelen. In feite, besefte hij, had hij zijn moordende tempo aangehouden zodat hij dat niet hoefde te doen. Maar nu voelde hij. Hij voelde verdriet opkomen als diep, donker, gevaarlijk water. Het reikte tot zijn keel en zette zich schrap. Het hielp niet. Het bleef oprijzen en stroomde over uit zijn ogen. Hij sloeg zijn handen voor zijn gezicht en schudde zijn hoofd, zelfs nu nog zwijgend. Het bleef een hele tijd stil, een snikkende ademhaling, dan weer stilte. Ricky legde zijn hand op Sams schouder en liet hem daar warm en stevig liggen.

Na een paar minuten beheerste Sam zijn emoties weer. Hij haalde nog een paar keer diep adem, wreef over zijn gezicht en schraapte zijn keel. Hij veegde zijn ogen en gezicht af met een papieren handdoekje. Ricky stond op en schonk koffie voor hen in, ging weer zitten. Ze dronken en de kokend hete vloeistof deed goed. Sam hoestte en veegde zijn gezicht nog eens af.

'Ik vind het verschrikkelijk wat er met dat kleine meisje is gebeurd,' zei hij ten slotte. Zijn stem klonk rauw en onvast.

'Dat weet ik, Sam,' antwoordde Ricky zacht.

Niet: het was jouw schuld niet. Niemand kon dat immers zeggen?

Weer stilte. Uiteindelijk vermande Sam zich. Hij schoof al die donkere gevoelens weg naar waar ze hoorden, maar het was of hij probeerde iets terug te stoppen in de doos waarin het oorspronkelijk gezeten had. Het ging er niet zo makkelijk weer in als het eruit gekomen was. Hij schoof ze met geweld althans zover weg dat hij kon bewegen en ademhalen. Hij stond op en liet zijn hand kort rusten op de schouder van zijn broer. Hij schraapte zijn keel. 'Ik moet nu naar mijn werk. Fijn dat je gekomen bent.'

Ricky begreep de hint en stond op. Hij moest vandaag natuurlijk patiënten bezoeken, en de rit van Knoxville terug naar Gilead Springs kostte iets meer dan een uur, in aanmerking genomen dat de ochtendspits al bijna begon.

'Ik zal tegen mama zeggen dat alles in orde is met je,' beloofde Ricky. 'Zal ik je auto omrijden?'

Sam knikte. 'Bedankt. Zeg maar tegen mama dat ik haar vanavond bel.' Hij ging zich douchen en aankleden, zonder zijn gedachten voor zijn voeten uit te laten gaan. Hij dacht niet graag aan wat hem wachtte in het ziekenhuis.

★

De cameraploegen waren aanwezig, zoals hij had verwacht. Sam zag de busjes zo gauw hij bij het ziekenhuis aankwam, maar op zichzelf was dat niet ongewoon. Wel ongewoon was het, dat vandaag hun gezichten en microfoons allemaal op hem gericht zouden zijn.

'Dokter Truelove, wat is uw mening over het gerechtelijk vonnis dat de voedingssonde van Kelly Bright verwijderd moet worden?'

'Dokter Truelove, heeft u contact gehad met de familie?'

'Dokter Truelove, mevrouw Bright zegt dat u verantwoordelijk bent voor de toestand van haar dochter. Wilt u commentaar geven?'

Hij baande zich een weg recht door hun midden en de veiligheidsbeambten ontvingen hem bij de deur, lieten hem naar binnen en hielden de opkomende vloedgolf buiten de draaideuren. Hij voelde blikken op zich gericht terwijl hij met de lift naar boven ging en enkele korte begroetingen wisselde met personeelsleden die hij herkende. Izzy zat vol spanning op hem te wachten. Ze ontspande zich een beetje toen hij binnenkwam, maar ze bleef zorgelijk kijken. Hij stond even stil bij haar bureau en ze nam hem zoals altijd van top tot teen op. Wat ze zag, moest haar verontrusten. Haar ogen werden donker en bekommerd.

Hij ging zijn spreekkamer binnen en ging een ogenblik zitten, starend naar de stapels documenten, de statussen, de telefonische boodschappen, en op dat moment wist hij het. Dit was zijn vonnis. Het laatste oordeel. Hij dacht aan de operaties die voor vandaag op het programma stonden en hij wist dat hij ze niet kon uitvoeren. Hij kon niet, wilde niet, de gruwelijke fout herhalen die hij gemaakt had. Hij belde Izzy. Ze antwoordde onmiddellijk.

'Is Barney er?' vroeg hij.

'Net aangekomen,' zei ze. 'Wil je hem spreken?'

'Als hij het niet te druk heeft.'

Even later werd er zacht aan de deur geklopt. Zijn associé kwam binnen. Barney was een goed mens, besefte Sam opnieuw. Het gezicht van zijn associé zag er vermoeid en afgetobd uit, maar hij slaagde erin te glimlachen.

'Hoe gaat het, Sam?'

'Ik weet niet wat ik moet doen,' zei hij zacht.

Barney zuchtte, ging zitten, zette zijn bril af en wreef de brug van zijn neus. 'Wat een zooitje,' zei hij.

Sam voelde een scherpe pijn bij die woorden, want de herinnering aan die afschuwelijke operatiekamer, bedekt met het bloed van het kleine meisje, kwam bij hem terug. Haar hart was gestopt en was net even te lang stil gebleven. Je kon het inderdaad gerust een zooitje noemen, maar op een of andere manier maakte Barney's oneerbiedige opmerking Sam boos. Hij bleef echter zwijgend zitten, wetend dat zijn vriend er niets verkeerds mee bedoelde.

'De associés zijn vanmorgen vroeg bij elkaar gekomen, Sam,' zei Barney zacht.

Sam stond perplex. 'Fijn dat je mij erbij betrekt, Barney. Ik ben ook associé.'

'We zouden graag willen dat je uittrad,' zei Barney zonder op zijn sneer te reageren.

Sam fronste, de woorden drongen eerst niet tot hem door. 'Uittrad?' herhaalde hij als verdoofd.

'Uit de praktijk, Sam. Voor een tijdje maar. Je moet op dit moment niet gaan opereren. Dat weet je net zo goed als ik. En dat is niet vanwege Kelly Bright,' voegde hij eraan toe. 'We hebben je de laatste tijd in de gaten gehouden, Sam. Dat probeerde ik je gisteravond te vertellen. Je bent nerveus. Gespannen. Mensen zijn ongerust over je. Er zijn opmerkingen gemaakt. En nu deze situatie geëscaleerd is, vinden we het beter als je met verlof gaat. Tot je je zelfvertrouwen terug hebt.'

'Mijn zelfvertrouwen terug?' Sam sprak de woorden zacht uit, niet in staat te geloven dat Barney ze werkelijk had geuit. 'Ik voer per dag meer operaties uit dan jij in een week.

Heb jij het lef mijn zelfvertrouwen in twijfel te trekken?'

'Ik zei je zelfvertrouwen, Sam,' zei Barney onverstoorbaar, 'niet je bekwaamheid.'

Sam staarde naar de man die zijn associé was geweest, zijn vriend.

Alsof hij zijn gedachten las, vervolgde Barney: 'Sam, wees redelijk. Ik spreek als je vriend. Dit gaat niet alleen om de praktijk. Het gaat al een hele tijd niet goed met je. Ga ergens heen en los de boel op. Zie dat je alles op een rijtje krijgt en kom dan terug. Dit is jouw praktijk. Jij hebt hem opgebouwd. Niemand probeert hem voorgoed van je af te nemen. Als dat de bedoeling was, hadden we je wel compleet weggestemd, maar dat wil niemand. Het is tijdelijk, Sam. Neem even afstand.'

Sam was verbijsterd, zijn geest pikte maar één feit op uit Barney's hele toespraak. Door te stemmen konden ze hem verjagen. Voordat hij iets kon zeggen, verscheen Izzy's bezorgde gezicht om de hoek van de deur. 'Meneer Bradley heeft gebeld,' zei ze. 'Hij wil graag dat je onmiddellijk naar beneden komt.'

Barney keek niet verbaasd en Sam wist dat hij ook met de ziekenhuisdirecteur gesproken had. Hij schudde zijn hoofd en wilde absurd genoeg lachen. Tom Bradley had staan springen om hem binnen te halen. Hij had hem carte blanche gegeven, zijn eigen team laten kiezen. En nu keerden ze zich tegen hem en ineens moest hij denken aan een zondagsschoolles van langgeleden, over David die gezalfd was door God, maar zich schuilhield in de woestijn, nagejaagd door de koning die hem wilde doden.

Hij stond op en liep zijn spreekkamer uit, liet Barney tegenover zijn lege bureau zitten. Hij ging met de lift naar beneden, naar de directiekamers op de eerste verdieping. De receptioniste liet hem door en hij tikte netjes aan de deur van Tom Bradley's kamer en werd binnengelaten.

De directeur was aan de telefoon en zat zich zo te horen op te winden. 'Zoals ik al zei, het ziekenhuis heeft op dit moment geen commentaar. Morgenmiddag komt er een persconferentie.'

Sam staarde voor zich uit. Een persconferentie en er was weinig inspanning voor nodig om Tom voor zich te zien in zijn blauwe krijtstreep met kastanjebruine das van vanmorgen, zijn dunnende blonde haar achterovergekamd en in de gel, tot in de puntjes verzorgd en gemanicuurd, die de zwermen verslaggevers vertelde dat dokter Truelove tijdelijk uit zijn positie van hoofdchirurg kindercardiologie was getreden. Dat zou de geloofwaardigheid van het ziekenhuis behoeden en dat, en dat alleen, was waar het Tom Bradley om ging.

Tom beëindigde het telefoongesprek en wendde zich tot Sam, zo zakelijk en emotieloos als Barney gepijnigd was geweest.

'Fijn dat je gekomen bent, Sam,' zei hij op zijn afgebeten manier van praten. Hij was een Canadees en zijn uitspraak gearticuleerd. 'Zoals je ziet, is het nogal een zooitje hier.'

Dezelfde woorden die Barney had gebruikt, een toevalligheid die voeding gaf aan Sams achtervolgingswaanzin en woede.

'Ik zal het kort houden en duidelijk zijn,' zei Tom. 'Het bestuur is bij elkaar geweest en heeft besloten dat het voor de naam van het ziekenhuis het beste is als je verlof neemt.'

Zo, daar had je het. Sam liet het ultimatum tot zich doordringen en besefte dat hij het had kunnen verwachten. De ziekenhuizen waren hevig aan het concurreren en streden om patiënten en om hun goede naam. Om de beste te zijn. Hij had hen als een raket in de toptien van hartcentra doen belanden, maar als zijn aanwezigheid eerder een handicap werd dan een aanwinst, zouden ze niet aarzelen zich van hem los te maken. Ze hadden hem met de rode loper binnengehaald, maar ze zouden hem laten vallen als een baksteen als het hun beter uitkwam.

'Mag ik vragen hoe lang dat verlof gaat duren?'

'Tot de zaak tot tevredenheid is opgelost.'

'Tot wiens tevredenheid?'

'Van het bestuur.'

'En wat als het nooit tot hun tevredenheid wordt opgelost?'

Tom leunde achterover in zijn stoel en vouwde zijn handen. 'Laten we geen moeilijkheden zoeken, Sam. Elke dag heeft genoeg aan zijn eigen kwaad, zoals men zegt. Je behoudt natuurlijk voorlopig je salaris en je titel.'

'Voorlopig?'

Tom keek hem aan met geduldig medeleven. Hij sprak langzaam, als tegen een dom kind. 'Een van tweeën gaat gebeuren, Sam. Of het meisje sterft, en in dat geval is het de volgende dag oud nieuws. Het wordt nog eerder verdrongen als een terrorist een gebouw opblaast of iemand post met miltvuur krijgt.'

'Ja, misschien hebben we geluk,' zei Sam droog.

Onverstoord vervolgde Tom: 'Of, in het tweede geval, het hof geeft bevel dat de sonde weer ingebracht moet worden en de ouders blijven voor de rechtbank op elkaar inhakken. In beide gevallen is de houdbaarheidsperiode van een dergelijk nieuwsverhaal vergelijkenderwijs kort. Binnen een paar weken zou je weer aan het werk moeten kunnen. Op z'n hoogst een maand.'

'Dan dagen ze me voor het gerecht,' zei Sam, denkend aan de aanklacht van een medische fout die al jarenlang boven zijn hoofd hing.

Tom haalde zijn schouders op. 'Tegen die tijd is het bloed wel vergoten. De zaak sleept zich voort, getuigenverklaringen gaan heen en weer. Saaie materie voor de pers. Ze raken hun belangstelling kwijt. Uiteindelijk betaalt je verzekering en dat is het dan.'

'En als ik weiger te vertrekken?' hield Sam aan. 'Als ik zelf een persconferentie geef?'

Tom haalde zijn schouders op. 'Laat het zo ver niet komen, Sam. Wees redelijk.'

Sam voelde zijn bloed door zijn aderen razen. Zijn hartslag bonsde in zijn oren. Hij klemde zijn handen ineen en wilde zijn vuist voelen tegen het zachte vlees van Tom Bradleys gladgeschoren gezicht. Hij stond op en vertrok zonder een woord. Hij ging terug naar zijn spreekkamer en liep zonder te stoppen langs Barney's deur. Izzy's gezicht was rood en gevlekt en het was duidelijk dat ze bericht had gekregen, want toen hij in zijn spreekkamer kwam, was zijn bureau helemaal leeg. Geen dossiers. Geen roze telefoonberichten. Hij was al weg, wat hen allemaal betrof.

Hij liet de foto op zijn bureau staan. Hij liet zijn diploma's en certificaten aan de muur hangen. Hij stopte op weg naar buiten bij de balie, liep eromheen en omhelsde Izzy. Ze huilde en klemde zich heftig aan hem vast.

'Het komt goed,' troostte hij haar. 'Maak je maar geen zorgen.'

'Dit is niet goed,' zei ze. 'Je moet weten dat ik je steun, wat je ook besluit. Als je ergens anders heen gaat, ga ik met je mee.'

'Je bent de eerste die het hoort als dat gebeurt,' beloofde hij. 'Pas goed op jezelf.' Ze knikte stom en knuffelde hem nog een keer voordat ze hem losliet.

Hij reed naar huis. Er stonden geen busjes van nieuwszenders en althans daarvoor was hij dankbaar.

Hij ging zijn appartement binnen, ging op de bank zitten en daar lagen die hatelijke papieren nog steeds op tafel. Hij raakte ze niet aan, maar hij had ze te vaak gelezen, hij was er zeker van dat hij ze uit zijn hoofd kende. Hij liet ze liggen, draaide zich om en liep zijn appartement uit, stapte in zijn auto en reed Knoxville uit. Hij reed in oostelijke richting de stad uit, nam snelweg 40 en niet wetend wat hij anders moest doen, zette hij koers in de richting van de bergen.

11

Annie pakte de laatste doos in, nam afscheid van mevrouw Larsen en keek om zich heen in het appartement of er nog verdwaalde bezittingen lagen. Haar wegatlas lag opengeslagen op de voorbank van de truck, samen met een thermosfles koffie en twee sandwiches met namaakvlees die Shirley had bijgedragen en die Annie overboord zou gooien zo gauw ze uit het zicht was. Het appartement was schoon. Toen ze gisteravond terugkwam van het feest bij Kirby had ze gestofzuigd en de badkamer en keuken schoongemaakt. De meubels bleven natuurlijk staan. Alles wat van haar was, was achter in de truck onder de kap geladen. Ze had haar belangrijkste spullen in haar koffer en tas gepakt: haar laptop, haar dagboek, de prent die ze had gekocht die haar zo diep roerde. Ze had voor twee nachten gereserveerd in de Residence Inn in El Segundo. Dat zou haar thuis zijn voordat ze iets anders vond. Ze werd er even verlegen van dat ze die stad had gekozen, maar heus, er waren geen Residence Inns in Los Angeles. Bovendien zou het prettig zijn om iemand te kennen, en ze dacht glimlachend aan Delia en het witte konijn. Ze keek nog één keer om, pakte de laatste doos op en vertrok.

Ze stapte over de *Seattle Times* van haar buurman die midden in de gang lag en toen viel haar oog ergens op. Een foto, in kleur, van een jong meisje met verward blond haar en een brede, blije glimlach. Ze kende die foto, op een afschuwelijke manier vol verdriet. Annie staarde ernaar. Haar mond viel een beetje open en ze vergat adem te halen.

Ze zette langzaam de doos neer, vouwde de krant van

haar buurman open en las de kop. *O. O nee. Nee.* Maar het was waar, en toen las ze het verhaal, alles vergeten van Max Kroll en de *Times* en Jason Niles en Los Angeles. Ze voelde zich verdoofd. Misselijk. Verscheurd. Ze ging zitten op het stoepje voor haar appartement en las het artikel nog eens. *Ouders twisten om recht dochter te sterven.* Er stonden uitspraken in van voor- en tegenstanders van euthanasie. Ze sloeg de bladzijde om en daar stond Sams vrolijk glimlachende gezicht en daaronder de kop: *Prominent hartchirurg beschuldigd van medische fout.*

Ze staarde naar de foto en voelde woede oplaaien. Het was wreed van ze om deze foto te gebruiken, want ze wist nog wanneer hij genomen was. Hij had net zijn assistentschap afgerond. Ze woonden in Gilead Springs en alles was in orde. Alles was goed. De foto was genomen voor de website van de praktijk en ze had er zelf ook een gehouden. Hij glimlachte, de blijdschap stond op zijn gezicht te lezen. Zijn ogen waren vol vertrouwen, stralend, helder. Zijn gezicht was gebruind door het werk dat ze buiten hadden gedaan. Ze raakte de foto aan, maar voelde alleen droog papier onder haar hand.

Ze hadden een andere foto moeten nemen voor deze dag, en ze wist hoe die eruit zou hebben gezien. In gedachten kon ze voor zich zien hoe zijn gezicht er vandaag uit zou zien, ze wist nog hoe ze er al die lange uren naar had gestaard voordat ze eindelijk vertrokken was. Zijn mond zou een rechte, grimmige streep zijn, diepe lijnen van neus naar mond, de ogen zwaar en donker van verdriet en nog iets anders wat eronder smeulde, een nauwelijks bedwingbare woede. En dat was uiteindelijk geweest wat er ten slotte een eind aan had gemaakt, die woede, omdat die zelfs tegen haar gericht leek. Niet rechtstreeks natuurlijk, maar in een koude stilte die zich verzette tegen haar aanraking, tegen haar smeekbeden.

142

Ze las het artikel nog eens. Het versloeg de feiten die ze maar al te goed kende. Dat dokter Samuel Truelove op de avond van zijn eigen persoonlijke tragedie zo dwaas of dapper was geweest een operatie uit te voeren die al op het programma stond, de reparatie van een aortadissectie, een kleine scheur in de aorta van een kind dat de verwonding had opgelopen bij een auto-ongeluk. Een moeilijke operatie, maar een die hij normaal gesproken in zijn slaap kon doen, alleen was er deze keer iets fout gegaan. Er waren fouten gemaakt. Tegen de tijd dat ze hersteld waren, hadden de hersenen van het kind onherstelbare schade opgelopen, en Annie zag Sams gezicht nog voor zich, zo dodelijk wit als hij aangekomen was op de EHBO van het kleine ziekenhuis waar ze op hem had gewacht, niet bereid te vertrekken omdat ze anders haar dochter mee zouden nemen en een lichaam zouden maken van haar geliefde kind.

Ze had gewacht met haar kind in haar armen, ze had het zachte, vochtige haar gestreeld en zich afgevraagd waar hij bleef. *Waar was je?* had ze beschuldigend gezegd toen hij eindelijk kwam, maar hij had niet geantwoord. Nu legde ze de krant neer en bedacht dat hij haar nog steeds niet had geantwoord. *Waar was je?* had ze gevraagd. Als je hier was geweest, was mijn dochter niet gestorven. *Mijn* dochter, was ze in de dood geworden, zijn recht op vaderschap had hij prijsgegeven door zijn laatste verzuim. Het kwam nu allemaal weer bij haar terug, die tonelen en herinneringen die ze zo hard geprobeerd had te ontvluchten.

Ineens leek het belachelijk dat ze ooit had gedacht dat ze het allemaal achter kon laten, en Los Angeles en Jason Niles en zelfs Delia gingen in rook op.

Ze zat op het trapje, liet haar hoofd in haar handen rusten en besefte de waarheid. Het had haar eindelijk ingehaald, dat leven dat ze achter zich dacht te laten. Een leven van grindwegen en velden, van torenhoge rokerige bergen, van ijsthee in beslagen glazen en zachte stemmen. Ze realiseerde zich dat ze er nooit mee had afgerekend en dat het haar daarom zo achtervolgde. Daarom had ze nooit een huis kunnen kopen, een tafel, of een bank, daarom had ze zelfs geen echte vriend of vriendin kunnen hebben.

Ze liep naar de truck en zocht tussen de dozen tot ze de telefoon gevonden had. Ze bracht hem weer naar binnen en stopte de stekker in het contact. Ze bracht hem naar haar oor en hoorde de onderbroken kiestoon die aangaf dat er berichten ingesproken waren. Ze drukte de knop in om de eerste af te luisteren.

Ze hield haar adem in toen ze de bekende stem hoorde. Ze wist meteen wie het was. 'Annie Ruth, met Mary,' zei haar schoonmoeder. 'Het spijt me dat ik je lastig val, maar ik dacht dat je, nou ja, ik vroeg me af of je naar huis zou kunnen komen. Voor een paar dagen maar. Ik heb me nooit met Sam en jou willen bemoeien, maar...' Haar stem brak af. 'Sorry. Ik had je niet moeten bellen.' Een zachte klik en weg was ze.

Ze staarde voor zich uit en omdat ze niet wist wat te doen, speelde ze het volgende bericht af en herkende de dramatische, lichtelijk bazige stem van Sams zus Laurie. 'Moet je horen,' begon Laurie zonder inleiding, wetend dat Annie op haar sterfbed nog de stem zou herkennen waarmee ze in hun kindertijd vertrouwelijkheden en gefluister had uitgewisseld. 'Ik weet dat Sam en jij die *toestand* hebben of *weet* ik het, en ik ben niet van plan om me daarmee te gaan *bemoeien*.'

Annie zag haar voor zich, met opgetrokken wenkbrauwen, een hand in haar zij, een grote bos pluizig donker haar om haar hoofd.

'Maar nu zitten ze achter hem aan en wat er ook gebeurd is tussen jullie tweeën, je moest maar eens een beetje medemenselijkheid tonen. Bovendien hebben jullie met z'n tweeën mama's hart bijna gebroken.'

144

Een steek van pijn. Mary, die haar hele leven voor anderen had gezorgd, verdiende dit verdriet niet. Ze verdiende het niet zoals Annie haar behandeld had, maar wat kon ze zeggen wat ze niet al gezegd had? Ze kon Mary's pijn net zomin wegnemen als die van haarzelf.

'Ik vind dat naar huis komen het minste is wat je doen kunt, als je het niet voor Sam doet, doe het dan voor haar. Bovendien staat dat huis van jullie op instorten. Als je het wilt verkopen, doe het dan nu.'

Stilte.

'En ik wil je ook graag zien,' zei Laurie zachter. Toen zuchtte ze. 'Nou, dag.'

Klik. Stilte. De volgende boodschap werd afgespeeld, vijftien minuten later ingesproken dan die van Laurie.

'Hoi, zusje, ik weet dat je waarschijnlijk door het land aan het rondzwerven bent, maar sommige mensen moeten nu eenmaal werken voor de kost.' Een aanstekelijke, keiharde lach, en Annie lachte onwillekeurig mee terwijl Ricky's gezicht voor haar geestesoog verscheen. Ze zag haar zwager voor zich, grinnikend achterover geleund in zijn stoel, als een vreemdeling met zijn blonde haar en sproeten tussen al die donkerhuidige, donkerharige, gevoelige Trueloves. Hij had zijn gelaatskleur van Mary's kant geërfd, maar ze wist niet hoe hij aan zijn karakter kwam.

'Maar even serieus —'

Alsof Ricky ooit serieus was.

'Nou, je weet dat ik je nooit zou voorschrijven wat je moet doen, maar Sam is helemaal kapot. Hij zal het nooit toegeven, maar volgens mij is hij radeloos. Misschien wil je er niet bij betrokken raken, en geloof me, dat begrijp ik.' Zijn stem verzachtte. 'Het is alleen dat ik vermoed dat jij het ook voelt.' Hij schraapte zijn keel. Zijn toon werd energiek. 'Maar goed. Het leek me gewoon het juiste moment voor je om thuis te komen. We willen je allemaal dolgraag zien. Ik wilde je alleen even laten weten dat je niet al je schepen achter je verbrand hebt. De deur staat altijd open. Tot ziens.'

Ze staarde voor zich uit. Ze knipperde met haar ogen en snufte. De volgende boodschap speelde af, gistermiddag ingesproken.

'Annie, lieverd.' Papa's volle basstem resoneerde over afstand en tijd heen, en toen werd haar hart zwaar in haar borst. 'Hoor es, meisje, je weet dat ik je nooit wil voorschrijven wat je moet doen, maar als je er ooit over gedacht hebt naar huis te komen, is het nu het juiste moment.' Ze wist wat hij bedoelde. Gilead Springs was een klein, hecht stadje, met nauwe banden. Je man verlaten was één ding. Hem in de steek laten was iets anders, tenzij hij je iets gemeens had aangedaan. En de enige zonde die in die categorie viel, was een andere vrouw.

En ze wisten waarschijnlijk niet eens dat ze een aanvraag tot echtscheiding had ingediend. Haar hart deed pijn als ze dacht aan de gevolgen. Ze had echtscheiding aangevraagd. De documenten waren vast al getekend, en in het licht van de huidige gebeurtenissen leek haar daad onverdraaglijk grievend en laf.

De lijn was stil. Ze belde de Residence Inn en zegde haar reservering af. Ze hing de telefoon op en haalde de stekker uit het stopcontact. Ze besefte de waarheid. Het riep haar terug, dat leven dat ze had achtergelaten. Of althans gedacht had achter te laten. En op dat moment wist ze dat ze het nooit zou kunnen verlaten zonder het nog één laatste keer te zien. Ze moest terug. Ze moest een punt zetten aan het einde van die zin. Ze moest papa terugzien en Mary en Laurie en Ricky en alle anderen. Ze moest het huis leegruimen, haar spullen uitzoeken en besluiten wat ze wilde houden en wat ze wegdeed. Ze moest Sams gezicht nog eens zien, om te zien of er nog iets over was van de man die hij was geweest, hem onder ogen komen in plaats van een echt-

scheiding te laten regelen door een naamloze advocaat, terwijl zij zich verstopte achter de afstand tussen hen.

Ze zou gaan. De exacte reden weigerde helemaal duidelijk te worden. Het waren er vele en ze waren allemaal met
elkaar verweven. Het was tijd. Hij zat in de knoei. En haar
geliefde kind was daar en ze had nooit afscheid genomen.

Deel II

12

Ricky Truelove. Dokter Ricky, zoals hij teder genoemd werd door de meeste vrouwen van de stad, dronk nog een kop van de sterke koffie die zijn vrouw had gezet en maakte zich klaar om naar het ziekenhuis te gaan, om de patiënte te bezoeken die hij in de vroege ochtenduren opgenomen had, vlak voor zijn reis naar Knoxville. Het was een jonge vrouw van twintig die haar eerste baby kreeg en waarschijnlijk niet voor de middag zou bevallen. Maar zijn gedachten waren elders en in het pijnlijke besef dat hij niet meer kon doen voor zijn broer, fluisterde hij een gebed.

Op hetzelfde ogenblik ging Laurie Williams-Truelove verder op de berg een beetje laat aan het werk. Ze was 's nachts op geweest, ongerust om haar moeder en haar broer. Ze liep naar de weg en haalde haar kranten uit de brievenbus. De buurjongen bezorgde de *Asheville Tribune* en de *Smoky Mountain News*. Beide hadden een foto van haar broer op de voorpagina en haar gezicht betrok. Ze keek door de uitgestrekte tuin naar het buurhuis waar haar moeder woonde, een reusachtig, rommelig gebouwd huis weggestopt onder torenhoge rode eiken en kornoelje en laurier. Er brandde licht. Toen Laurie die nacht was opgestaan, had er ook licht gebrand, en de nacht daarvoor ook. Ze fronste, ging op weg naar het huis van haar moeder, maar aarzelde en liep ten slotte langzaam terug over het tuinpad naar haar auto, stapte in en reed naar Asheville naar haar werk.

★

Mary Truelove bad. Dat probeerde ze althans. Eerst had ze ernstig en vurig gebeden, haastig door haar Bijbel bladerend, bijna in paniek op zoek naar een hoopvol woord. Ze had op haar knieën gebeden. Op een gegeven moment had ze haar gezicht tegen de grond gedrukt. Vanmorgen had ze dezelfde smeekbeden opgezonden, maar met een gevoel van aanvaarding van de harde werkelijkheid. Dit kon niet veranderd worden. Dit was weer een verdrietige, verwoestende golf die voortvloeide uit wat zij had gedaan. Het was een verschrikking waaraan ze de gedachte niet kon verdragen, maar die ze niet kon laten rusten.

O, haar leven was doorgegaan, een feit dat in het begin eerder een vloek was geweest dan een zegen. Maar ze stond elke ochtend op en kleedde zich aan. Ze had gekookt voor haar echtgenoot, voor hem gezorgd na zijn beroerte en hem begraven tussen zijn ouders en zijn kleindochter. Ze kocht cadeautjes als het Kerst was en tuigde de boom op en daarna weer af. Ze bakte verjaardagstaarten en gaf feestjes voor degenen die er nog waren. Ze ging zelfs elke zondag naar de kerk en zat te luisteren, terwijl ze op een of andere manier wist dat de woorden niet op haar van toepassing waren. Ze maakte schoon en stofte af en deed haar dagelijkse werk, maar 's avonds als ze alleen was, dacht ze aan wat er gebeurd was en wist niet of de wonden ooit zouden genezen. De wond waaraan zij leed of de wonden die zij had veroorzaakt.

Ze staarde naar de muur en voelde hoe ze weggleed in de duisternis die altijd maar één stapje van haar af was. Ze stond op en weerstond het nog eens, maar het werd steeds moeilijker om een reden te vinden om zich te verzetten. Ze douchte, kleedde zich aan, en ging de lakens op het bed in de logeerkamer verschonen. Hij had niet opgebeld, maar toen Mary het kleine meisje op het nieuws had gezien, wist ze dat ze een plekje voor hem moest klaarmaken. De gedachte aan dat kind doorboorde haar hart, want zij was ook slachtoffer geweest van Mary's gruwelijke onoplettendheid.

Maar ik weet: mijn Losser leeft en ten laatste zal Hij op het stof optreden.

Waar kwam dat vandaan? Uit haar geheugen, misschien, want die tekst hadden ze gelezen bij Margarets begrafenis. En ze had er eens in geloofd. Dat inderdaad op een dag de voet van de Verlosser op de aarde zou staan. Alles zou goed gemaakt worden als Hij terugkwam. Fouten zouden ongedaan worden gemaakt. Dalen opgevuld, bergen neergehaald. Ze nam aan dat ze nog steeds geloofde, maar het leek een vage belofte, ver weg en verflauwd tegen de lichtplek van haar schuld. Mensen moesten *nu* lijden. Wat moest daaraan gedaan worden? Ze kon niets bedenken.

Ze prevelde nog een gebed voor dat kind, met pijn in haar hart. Ze streek de dekens glad, trok de sprei erover en schudde de kussens op. Ze stofte de meubels af, stofzuigde en trok de jaloezieën omhoog.

Ze zette zich aan tot actie en dacht aan alles wat ze moest doen. Ze moest alles klaarmaken voor Sam en er kwam een gast naar de cottage, een klein huisje dat haar echtgenoot had gebouwd, precies tussen haar eigen huis en dat van Laurie gelegen. Daar had de moeder van haar man gewoond tot ze dagelijks hulp nodig had, toen hadden ze moeder Truelove naar de logeerkamer verhuisd. Haar eigen moeder had er ook gewoond, nadat moeder Truelove was heengegaan. Nu mocht de kerk er af en toe gebruik van maken, maar ze had onverbiddelijk nee gezegd tegen Lauries aandrang het aan te bieden voor overnachting met ontbijt.

Veel van haar buren hadden dat gedaan en verdienden een extra inkomen door stadsmensen te ontvangen die in de lente naar de bergen kwamen om de kornoeljes en laurierstruiken te zien, die in de herfst als een gestage stroom doortrokken om de gekleurde bladeren te zien, die cider kochten en zelfgemaakte quilts en berghakkeborden en meubilair van laurier- en hickoryhout. Laurie had zelfs een naam voorgesteld – *Bed and Breakfast De Wijnrank*, naar de wirwar van muskaatranken die over en rond de kreek kronkelden. O, wat hadden de kinderen een pret gehad met die ranken, ze zwaaiden eraan, loeiden en schreeuwden en speelden Tarzan en Jane in de jungle. Ze kon het hoge geluid van hun roepende en kibbelende stemmen bijna horen.

Ze voelde een knoop in haar maag. Waarom had ze niet aan de kreek gedacht toen het belangrijk was?

De gebeurtenissen speelden zich weer af in haar hoofd en ze stond naar de lege gang te staren zonder hem te zien. In plaats daarvan zag ze die andere dag. Het was heet geweest, een zaterdagmiddag in juli. Ze had met alle plezier willen oppassen toen Sam had gebeld, want John had net de dag tevoren een zwembad aangelegd voor de kleinkinderen – bovengronds en maar twaalf centimeter diep, maar ze wilde het graag laten inwijden, die kinderstemmen weer horen roepen en lachen. Ze had zwembandjes en zwemvesten gekocht voor de kleintjes en ze was van plan die middag zelf met Margaret het water in te gaan. Ze zag zichzelf op de veranda staan wachten. Sam kwam aanrijden in een wolk van stof, want hij had haast om naar het ziekenhuis te gaan. Ze zag Margaret uit de auto springen toen hij het portier opendeed en op haar toe rennen. Ze voelde het warme, stevige lichaam, het zachte, pluizige haar. Ze zag hoe Sam op één knie leunde.

'Geef papa een kus,' zei hij, en ze zag hoe Margaret haar lipjes tuitte en haar armen om Sams hals sloeg.

Hij vertrok. Margaret en zij gingen op de bank zitten en lazen een boek voordat het tijd was om een dutje te gaan doen. Ze had niets gezegd over het zwembad, eerst moest er geslapen worden. Een drama was niet nodig en wat een heerlijke verrassing zou het voor Margaret zijn als ze wakker werd. Ze was zonder tegenstribbelen naar bed gegaan –

wat een lief kind was het toch! Mary hoorde haar een paar minuten in zichzelf praten met dat slaperige zangstemmetje, toen was het stil geworden, afgezien van het suizen van de plafondventilator en het tikken van de klok. Ze was een halfuurtje in de keuken bezig het eten klaar te maken, want ze had besloten Annie te vragen of ze bleef eten als ze klaar was met haar werk. Ze zag nog voor zich hoe ze bij Margaret was gaan kijken, die even bewoog in haar slaap.

Toen ging de telefoon en Mary's maag trok samen toen ze zichzelf zag opnemen. Ze zag zichzelf vlak naast het keukenraam staan, zodat ze een oogje kon houden op het zwembad. Het was de oude meneer Prescott die belde voor dokter John met een ingewikkeld verhaal. Iets over de apotheek die geen medicijnen afgaf zonder herhalingsrecept, en ze hoorde zichzelf uitleggen dat hij naar het huis van dokter John had gebeld en of hij naar de praktijk wilde bellen, maar hij was oud en verward, dus eindelijk had ze maar gezegd dat ze ervoor zou zorgen. Ze zag hoe ze het nummer draaide van Johns praktijk en met de assistente praatte, daarna met Johns verpleegkundige. Ze zag hoe ze poppetjes zat te tekenen terwijl ze wachtte tot ze op zijn kaart had gekeken en een aantekening had gemaakt voor de apotheek. Het ging om een herhalingsrecept van huidzalf. Opnieuw werd ze getroffen door de trivialiteit van dat alles en ze zag zichzelf eindelijk het gesprek beëindigen, een laatste geruststellende blik uit het raam op het lege zwembad werpen, en naar de kamer gaan waar Margaret sliep. Zachtjes had ze haar naam geroepen terwijl ze de deur opendeed.

Ze zag zichzelf staren naar het lege, beslapen bed en haar hart begon weer net zo te bonzen als toen. Ze moest vlakbij zijn. Margaret? Margaret? In de badkamer misschien. Nee. In de slaapkamer van John en haar. Nee. Onder het bed, want ze deed toch zo graag spelletjes? Nee. Margaret! Margaret!

Ze controleerde nog een keer het zwembad en de angst sloeg haar om het hart. Leeg, en ze had die onterechte, bedrieglijke opluchting gevoeld. Roepend liep ze de tuin in. Geen kleine gestalte, geen rode krullenkop. Ze rende naar de weg en keek in elke richting zo ver ze kon, toen rende ze het huis weer in om het alarmnummer te bellen. Daarna zette ze haar zoektocht voort, steeds radelozer en grilliger. Ze keek in het veld naast het huis. Daar zaten slangen. Laat haar daar niet zijn! Het bos, langs het ravijn.

Ze bleef als verlamd stilstaan toen het haar begon te dagen. Iemand had haar meegenomen. Verwrongen, gruwelijke beelden speelden door haar hoofd. Dingen die ze op het nieuws gezien had. In de krant gelezen. Walgelijke, vreselijke beelden. *Nee, God, nee.* Als een waanzinnige schoot ze van hier naar daar, overal zoekend en steeds hysterischer wordend. In de auto's. Eronder. In de schuur. In de vriezer op de omheinde achterveranda. Wie weet hoe lang het duurde voordat ze dacht aan de kreek in het bos. Tien minuten? Vijftien? Of maar twee of drie? Sam had zijn dochter er maar één keer mee naartoe genomen, maar ze had het zo heerlijk gevonden, haar voeten in het koude water. Ze was er toch zeker niet in haar eentje heen gegaan? Natuurlijk niet. Mary rende erheen, haar voeten stampten over het pad, haar ademhaling panisch snikkend, ze probeerde niet te denken aan de vele kostbare minuten die ze verloren had.

Ze zag de flits van oranje in het midden, waar de kinderen vroeger zwaaiden en met een plons in het water vielen, waar de bodem wegzakte, waar het water dieper werd, en ze voelde nog steeds het afgrijzen, hoorde haar eigen stem gillen, hoewel ze hem niet herkende. Ze zag zich in de kreek plonzen, haar kleindochter eruit trekken, ze zag zichzelf beginnen met reanimeren, maar Margarets slappe lichaam voelde levenloos aan en ze wist dat haar geest al weggevloeid was.

'O, God. O, God,' prevelde ze nu, en ze merkte dat ze weer beefde, want ze beefde altijd als ze eraan dacht. Aan wat ze ontketend had. Wat ze gedaan had.

Bidden was tevergeefs, want waar moest ze voor bidden? Dat Hij haar zou opwekken uit de dood? Dat had ze inderdaad gebeden in die eerste ogenblikken, en ze had gehoopt en geloofd dat Hij het deed. Maar Hij had het niet gedaan. Ze hadden dat lieve kind begraven en hoewel Mary aan Lazarus moest denken, kon ze niet het geloof vinden om in wonderen te geloven, toen niet en nu ook niet. In feite dacht ze niet dat ze in gebed geloofde, ondanks haar vurige smeekbeden van de afgelopen dagen. Er viel niets te zeggen, zelfs niet tegen God, buiten de woorden die ze almaar had gepreveld toen ze weer iets zeggen kon. 'Het spijt me. Het spijt me zo.' Ze kon niet zeggen vergeef me, want hoe kon ze dat vragen? Hoe kon ze vergeving vragen voor wat onvergeeflijk was? Mary was niet boos op God. Ze wist dat Zijn wegen rechtvaardig waren. Maar ze begreep niet waarom Hij had gedaan wat Hij had gedaan. Misschien was Hij toch niet Wie ze dacht dat Hij was.

Ze hadden de juiste dingen gezegd. Zowel Annie als Sam. 'Het was uw schuld niet. We nemen het u niet kwalijk.' Maar hun gezichten waren leeg, en hun ogen net zo hol als de hare. Ze hadden allemaal iets verloren toen Margarets geest was weggegaan.

Ze ging terug naar de logeerkamer en ging op de rand van het bed zitten. Ze wist niet of ze Annie ooit weer zou zien. O, ze hoopte van wel, maar hoop was zo'n zwak woord voor het diepe verlangen dat ze voelde. Ze had zo gebeden, vaak en vurig, maar dubieuze gebeden had ze tegengehouden. Ze wist niet eens hoe ze het probleem moest formuleren, laat staan zich voorstellen hoe het opgelost moest worden.

Ze ging naar de linnenkast om een stel schone handdoeken en legde ze op Sams bed, stond even stil naast de muur met foto's in de gang. Ze slikte haar tranen weg door haar dichtgeschroefde keel en bekeek de foto's. Annie stond op bijna elke foto in de ingelijste collages tussen haar kinderen, want ze had haar op alle mogelijke manieren als haar eigen kind beschouwd. Ja, Annies moeder en zij waren hartsvriendinnen geweest. Haar hart was gebroken toen Ruth was gestorven. Dat ze de dochters van Ruth liefhad en verzorgde, was de natuurlijkste zaak van de wereld geweest. Ze raakte de foto's aan met haar hand. Er was er een van Theresa en Annie met Ruth en Carl bij de visbarbecue van de Trueloves op Onafhankelijkheidsdag. Toen was Annie nog maar een baby. En daar was Annie, een peuter met sproetjes, haar zusje met sombere bruine ogen, in het jaar dat hun moeder was gestorven. Er was er een die Mary had genomen van Annie Ruth en haar eigen Laura Lee toen ze een jaar of twaalf waren, waarop ze in de tuin op hun rug lagen en aan een ijslolly likten. Lauries bos zwart haar uitgespreid op het groene gras in scherp contrast met Annie Ruths vlammend donkerrode hoofd. Twee kleine meisjes. Twee grote meisjes. Twee volwassen vrouwen. Van wie ze er een al vele lange jaren niet had gezien.

Haar hart deed pijn, een doffe steek tussen haar borsten, die deze bekende droevige gedachten altijd vergezelde. Ze herinnerde zich haar blijdschap, niet kunstmatig maar diepgevoeld en breed stromend, toen Sam en Annie Ruth hadden beseft dat ze voor elkaar bestemd waren. Zij had het al jaren eerder gezien, maar die twee hadden er iets langer over gedaan.

Annie hoorde in hun huis, maar tegen de tijd dat ze er echt kwam wonen, was Sam gaan studeren. Hij was bijna altijd het hele schooljaar weg geweest en had elke zomer bij zijn vader en Annies vader Carl in hun praktijk gewerkt. Die jongen had al bloed kunnen afnemen en een ECG kunnen maken voordat de meeste van zijn klasgenoten hun rijbewijs hadden. Annie en hij hadden elkaar in die jaren alleen in het voorbijgaan begroet, omdat zij op de middelbare school zat en het druk had met de padvinderij en het koor en het zwemteam en de schoolkrant en waar dan ook maar hulp nodig was. Maar dat was alleen maar goed geweest. Er moest wat tijd overheen gaan voordat die twee elkaar niet meer als familie beschouwden maar als iets anders konden zien.

Toen Sam afstudeerde, wist Mary dat de twee beseften wat zij al jaren had geweten. De families Truelove en Dalton persten zich in auto's en reden naar Durham voor de ceremonie. Sam was drieëntwintig geweest en Annie had nog niet eens een middelbare schooldiploma. Annie was de aula in gelopen in haar donkerblauwe zijden jurk, haar prachtige rode haar boven op haar hoofd vast gestoken. Die mooie ogen met gouden stipjes vonkten en haar sproetengezichtje werd verlicht door haar verblindende glimlach, en Mary zag haar zoon staren, fronsen, zijn mond openvallen, zijn ogen oplichten, en ze had geweten dat hij in de greep was geraakt van iets wat hem niet los zou laten. En ze had gelijk gehad.

Ze was ontroerd geweest en een beetje verbaasd door wat er naderhand was gebeurd. Sam had gewacht. Jawel, hij had Annie het hof gemaakt. Ja, hij had haar laten weten wat hij voelde. Maar hij had gewacht tot ze klaar was met haar opleiding. Hij had er tegen Mary maar één keer over gesproken toen ze het niet meer kon uithouden en hem naar zijn bedoelingen had gevraagd.

'Ik weet wat ik wil,' had hij rustig gezegd. 'Maar wat zij wil, is ook belangrijk. Ik kan wachten.'

Hij *had* gewacht. Vijf lange jaren die voor Mary waarschijnlijk moeilijker waren dan voor hen beiden. Ze had elke dag gebeden dat er geen kapers op de kust zouden komen om Annie weg te slepen, en althans dat gebed had God verhoord. Want Annie was op de universiteit hetzelfde geweest als op de middelbare school, ze had de veelvuldige belangstelling van het andere geslacht afgewimpeld.

'Hij vindt me niet aardig,' wierp Annie tegen als Laurie haar plaagde. 'Hij houdt alleen van populaire meisjes,' zei ze. 'Hij doet gewoon aardig.' Mary's eigen theorie was dat Annies bescheidenheid ten onrechte werd aangezien voor gebrek aan belangstelling van de jongens, en ze had Carl benijd om de onverschilligheid van zijn dochter. Ze had veel moeite gehad om Laura Lee van de straat te houden, maar dat was een ander verhaal.

Ze keek nog één keer naar de foto's en wendde zich af. Ze had zich zo vaak afgevraagd hoe het met Annie ging, dat ze er moe van was. Diane hield haar op de hoogte als ze iets hoorde, maar ook dat was onregelmatig. Annie en haar stiefmoeder hadden om de een of andere reden nooit goed met elkaar overweg gekund. Diane kon inderdaad soms een beetje bot zijn, maar ze had een liefdevol hart. Maar het had van de eerste dag af gebotst tussen Annie en haar. Mary dacht er het hare van – dat ze een beetje te veel op elkaar leken.

Er was één schrale troost. Ze wist dat Sam zijn huwelijk niet had opgegeven. Nog niet, tenminste. Nee, in elk geval dit jaar was hij nog naar The Inn geweest op hun trouwdag. Loretta Samples had er zitten eten met haar zoon uit Durham. Ze had Sam gezien en het aan Marva Jane Whitlock verteld, die het aan Mary had doorgegeven in de rij voor de kassa in de supermarkt. Sam had zitten wachten. Annie was niet gekomen, had Marva Jane gezegd, en ze had Mary klopjes op haar hand gegeven en medelijdend haar hoofd geschud. Mary schudde haar hoofd en dacht aan haar zoon. Het was een onderwerp dat haar evenveel verdriet deed als Annie Ruth, want hoewel hij dichterbij zat en haar elke week opbelde, was zijn hart ongetwijfeld lichtjaren ver weg. Van zijn familie zowel als van zijn van hem vervreemde echtgenote. Haar handen vielen slap langs haar lichaam en ineens voelde het huis ondraaglijk benauwd en donker aan.

Ze zocht lakens en handdoeken bij elkaar voor het gastenverblijf, ging de voordeur uit, over de omheinde veranda, het trapje af en hoorde de deur achter zich dicht veren. Het was een zachte ochtend, nog licht vochtig van de dauw, maar tegen de middag zou het schroeiend heet zijn. In plaats van naar haar bestemming te gaan, maakte ze een omweg over het grindpad, langs de groentetuin, langs de rozen en de snijbloemen, terug naar het plekje dat John voor haar had gemaakt in de tuin met groenblijvende planten die hij had aangelegd, een van de laatste dingen die hij gedaan had voordat hij was gestorven. De bloemen bloeiden welig en ze hoopte dat ze ze van genoeg water zou kunnen voorzien, want het zag ernaar uit dat het alweer een droge zomer zou worden. Ze ging op de gietijzeren stoel zitten.

Mary keek naar het beeld dat haar man voor haar had gekocht in het jaar nadat het gebeurd was. Hij had het besteld bij een beeldhouwer in Asheville, en ze was geroerd geweest door zijn geschenk, zijn zwijgende manier om te zeggen waar hij geen woorden voor kon vinden. Het was een prachtig bronzen beeld. Een klein meisje van een jaar of vier dat op een bank zat. Ze keek naar een bloem die ze in de palm van haar hand hield. Mary keek er graag naar. Naar haar. Het gezicht van het beeld leek zelfs een beetje op Margaret.

'Margaret,' zei ze hardop, want niemand zei ooit meer haar naam. 'Margaret,' herhaalde ze nog eens ferm. Haar kleindochter. Die bestaan had.

Mary sloot haar ogen en zag Margaret voor zich, een perfecte mengeling van haar moeder en haar vader. Ze had Sams blauwe ogen en het krullende rode haar van Annie Ruth. Ze was een prachtig kind geweest en Mary zag de porseleinen huid, de roze wangen, het lieve mondje nog voor zich.

Kon ze er nu maar met Annie over praten, dacht ze voor de honderdste, duizendste keer. *Echt* erover praten. Ze wist niet wat ze zouden zeggen, maar ze wist zeker dat er genezing zou komen voordat de dam van verdriet was doorgebroken. Maar dat was een gesprek dat ze talloze keren geprobeerd had aan te gaan, en ze wist nu dat zij niet degene was die helende woorden tegen Annie kon zeggen. Ze had zo lang gebeden dat Hij iemand anders zou sturen. Dat Hij iemand zou zenden om haar eenzame schoondochter te leiden langs het pad dat terug naar huis voerde. Ze voelde zich beroofd. Van hen allemaal.

'O, Jezus, help me!' schreeuwde ze haar smart uit. Ze hoorde geen antwoord, maar de wind ruiste door de bladeren van de bomen achter haar. Even later veegde ze haar gezicht af en ging naar de cottage om haar werk af te maken.

13

'Mijn naam is Elijah Walker,' zei de man die naast Annie zat, terwijl hij zijn hand uitstak. 'Prettig u te ontmoeten,' antwoordde ze. 'Ik ben Annie Dalton.'

Ze nam hem taxerend op en wat ze zag, boeide haar. Hij was midden zestig, schatte ze, misschien voor in de zeventig, zijn haar was dun en wat er over was meer zout dan peper. Hij had een gegroefd gezicht en het verweerde uiterlijk van iemand die zijn hele leven buiten heeft gewerkt. Ze veronderstelde dat hij met pensioen was en ergens woonde waar het zonnig was, hoewel ze beiden in Pittsburgh in dit vliegtuig waren gestapt. Na nog een blik verwierp ze die mogelijkheid. Hij leek niet iemand die zich naast het zwembad koesterde in de zon of zich vermaakte op de golfbaan. Iets onverzettelijks rond zijn kaken en de trekken van zijn gezicht sloot dat uit. Ze keek naar zijn handen. Geen dikke eeltplekken, maar toch had ze de indruk dat hij iemand was die zijn hele leven gewerkt had zonder veel materiële beloning.

Zijn kleren waren eenvoudig en onopvallend. Geen Louis Vuitton tas of Italiaanse leren schoenen. Hij droeg een gewone beige broek en een blauw overhemd met korte mouwen, de katoen was tamelijk versleten en de kleuren verschoten. Er was iets ongekunstelds aan hem, iets ruigs in zijn trekken, dat op landelijkheid wees. Bovendien had ze een accent van thuis menen te bespeuren toen hij zich voorstelde. Maar er was iets anders, iets koninklijks bijna, in zijn voorkomen. Hij had een rustige waardigheid, een bijna tastbare vredigheid. Hij merkte dat ze hem aanstaarde. Ze bloosde. Ze keek van hem weg, maar toen ze weer keek, glimlachte hij kalm.

'Komt u uit North Carolina?' vroeg hij. Een vriendelijke gespreksopening, die de aandacht van haar onbeleefdheid afleidde.

Ze bewoog haar hoofd, half jaknikkend, half nee schuddend. Haar plaats van herkomst was tegenwoordig een ingewikkeld punt. 'Ik reis vanuit Seattle, maar ik kom oorspronkelijk uit North Carolina. Een kleine plaatsje dat Gilead Springs heet,' zei ze, en bereidde zich voor op de onvermijdelijke toevoeging dat het ten westen van Asheville was waar de Great Smokies en de Blue Ridge bij elkaar kwamen.

'Gilead Springs? Ik kom uit Silver Falls, een stukje verderop,' zei hij, en zijn gezicht lichtte op van oprecht genoegen.

Haar hart bonsde. Wat een toeval. Silver Falls en Gilead Springs lagen maar een kilometer of drie van elkaar, maar ja, wat had ze dan verwacht? Er woonden mensen in Silver Falls en Asheville was voor beide stadjes het dichtstbijzijnde vliegveld. Ze was overgevoelig, zag een bovennatuurlijk toeval in alledaagse gebeurtenissen.

'Hoe lang is het geleden dat u thuis bent geweest?' vroeg hij.

'Vijf jaar. Eigenlijk vier jaar, negen maanden, en tweeëntwintig dagen.'

Hij keek haar aandachtig aan en knikte. 'Voor mij is het langer geleden.' Zijn gezicht bewolkte en hij keek hongerig uit het vliegtuigraampje, alsof hij in de verte de Smoky Mountains kon zien.

'Hoe lang dan?'

'Vijfenveertig jaar.'

'Allemensen. En al die tijd niet eens op bezoek geweest?' vroeg ze verwonderd.

Hij schudde zijn hoofd. 'Mijn familie zat overal verspreid. De ouderen waren gestorven.'

'Waar bent u geweest?' vroeg ze. Haar nieuwsgierigheid was geprikkeld, ze wist zeker dat het antwoord niet Pittsburgh kon zijn.

'In Afrika.'

Ze wist het! Ze wist dat hij een verhaal had. Ze had zin om haar aantekenboek te pakken en hem te interviewen. 'Wat deed u in Afrika?' vroeg ze, gretig als een jachthond die wild ruikt.

'Ik was zendeling.'

'O,' zei ze. *O nee*, dacht ze.

Hij lachte hevig vermaakt.

'Het spijt me,' verontschuldigde ze zich.

'Het geeft niet,' antwoordde hij, zijn fletse blauwe ogen recht in de hare. 'Ik praat graag over God, maar ik dring Hem niet op aan een gehoor dat aan zijn stoel gekluisterd is.' Hij gaf haar een knipoog en draaide zich naar het raam. Ze voelde zich beschaamd.

De stewardess kwam langs met drankjes. Elijah Walker vroeg om koffie en Annie volgde zijn voorbeeld. Ze keek naar hem terwijl hij dronk en probeerde zich voor te stellen wat hem wachtte. Een schok, zonder twijfel. Het was 1959 toen hij uit de States vertrok en ze probeerde zich in te denken hoe erg het gebied veranderd was. Even later ving ze zijn blik en bood hem een zoenoffer in de vorm van een gesprek.

'Logeert u bij vrienden?' vroeg ze.

'Zoiets. Een vriend van me die dominee is, heeft thuis iets geregeld.'

Ze knikte. 'Hoe was het in Afrika?'

'Droog en heet en stoffig,' antwoordde hij, zich naar haar toe kerend. 'Dat is in ieder geval hetzelfde als in North Carolina. Ik hoorde dat er droogte heerst.'

Ze knikte. Ze volgde het nieuws van thuis via internet. 'Watermeting stadium vier. Vlak voor beperkende richtlijnen. Nog een paar maanden, dan zullen ze het tarief wel weer verhogen.'

Hij schudde zijn hoofd en zij deed mee. Allebei probeerden ze zich de prachtige bossen en velden van thuis vergeeld en uitgedroogd voor zich te zien, in plaats van welig fluweelgroen.

'Waarom bent u uit Afrika vertrokken?'

'Ik moest naar de States voor een operatie. Aan mijn hart.'

'Gaat het nu weer goed met u?'

'Het gaat best,' zei hij. 'Ik heb een paar weken in het ziekenhuis gelegen, maar nu gaat het prima.'

'Gaat u terug naar Afrika?'

Hij haalde licht zijn schouders op en keek ondoorgrondelijk. 'Ik wacht op bericht.'

Ze knikte.

'En u?' vroeg hij.

'Ik heb de afgelopen vijf jaar in Seattle gewoond. Ik ga terug naar Gilead Springs om mijn zaken te regelen. Ik ga mijn huis klaar maken voor de verkoop en mijn familie bezoeken.'

'U boft,' zei hij. 'Mijn familieleden zijn nu allemaal gestorven. Behalve één zus.'

Ze knikte, wilde zich niet in die discussie begeven.

'Hoeveel land heeft u?' vroeg hij.

'Tien hectare bossen en weiland.' Ze slikte. 'En een huis.'

'Wat een paradijs.' Ze zag een hongerige blik in zijn fletse blauwe ogen. 'Waarom heeft u dat toch achtergelaten?'

Ze wilde zeggen om persoonlijke redenen, maar ze zag Ricky Truelove voor zich die een gezicht tegen haar trok en haar verwaand noemde. 'Er is een eind gekomen aan mijn huwelijk en ik besloot dat het goed was om weg te gaan,' zei ze onverbloemd.

Hij knikte. 'Dat kan op zulke momenten verleidelijk zijn.'

Ze vroeg zich af wat hij bedoelde, maar kreeg geen tijd om te reageren.

'En wat is er nu veranderd?' vroeg hij. 'Waarom gaat u nu terug? Of vindt u dat een oude man zich met zijn eigen zaken moet bemoeien?' Hij grinnikte ontwapenend.

Onwillekeurig moest ze teruglachen. De man was innemend en zijn ogen twinkelden verfrissend. Ze zou hem nooit meer zien. Wat kon een gesprek voor kwaad? Bovendien voelde ze zich op haar gemak en vertrouwd bij hem. Hij deed haar zeker denken aan ooms op de veranda, of grootvaders en familieleden die ze in geen jaren had gezien.

'Ik heb mijn familie lang niet gezien,' zei ze. 'Het leven is kort.'

'Dat is zeker waar,' beaamde hij met een knik. Zijn vriendelijke blauwe ogen keken haar aan en vreemd genoeg kreeg ze het gevoel dat ze hem kende. Hij was als een vriend voor haar en zoveel vrienden had ze op dit moment niet, en ineens wilde ze, moest ze het aan iemand vertellen.

'Er is nog meer,' barstte ze uit. 'Ik heb kortgeleden echtscheiding aangevraagd en daarna ontdekt dat mijn man, mijn ex-man,' corrigeerde ze, de waarheid lag ergens tussenin, 'in de knoei zit.'

Meneer Walker fronste. 'Toch niet al te ernstig, hoop ik.'

Ze knikte. 'Ik ben bang van wel.' Ze haalde de meegepikte krant van haar buurman uit haar tas en daar stond op de voorpagina die afschuwelijke kop. *Ouders twisten om recht dochter te sterven.*

Hij keek naar de krant en toen naar haar. 'Ik begrijp het niet.'

Ze sloeg de krant open naar het commentaar en daaronder stond Sams gezicht nog een keer.

'Is dat uw man?'

Ze knikte.

Hij stak zijn hand uit naar de krant en ze gaf hem. Hij

haalde een leesbril uit zijn borstzakje, zette hem op en las een paar minuten in stilte. Toen legde hij de krant op zijn knie en keek op.

'Wat voor een man was hij?' vroeg hij. 'Voordat dit allemaal gebeurde?'

Niet de vraag die ze verwacht had, maar ja, het was nu eenmaal geen normaal gesprek.

'Zijn naam is Truelove,' zei ze bij wijze van antwoord en om haar mond speelde een gespannen lachje. 'En die past precies bij hem. Hij doet nooit een belofte die hij niet van plan is te houden, en als hij zegt voor altijd,' zei ze, met een zekere grimmigheid in haar toon, 'dan bedoelt hij ook voor altijd.'

'Ga door,' drong haar reisgenoot aan.

'Hij volgt zijn geweten,' zei ze, 'koste wat het kost.' En ze bedacht wat het haar inderdaad gekost had. 'Hij is respectvol en geduldig.' Ze bedacht hoe hij op haar had gewacht en ineens zag ze hem alleen zitten in The Inn in Smoky Hollow. 'Hij geeft nooit iets op waartoe hij zich geroepen voelt,' voltooide ze, en ze bedacht hoe wrang het leven was. Hoe ironisch. Precies die eigenschappen waarom ze zo van hem hield, waren haar nu een blok aan het been, en sleepten haar naar een leven dat ze wilde vergeten.

'Dat klinkt als een goede man,' zei Elijah.

'Ja. Dat is hij ook. Was.'

Hij keek haar vragend aan.

'Dingen veranderen. Hij veranderde. Ik heb u de goede dingen verteld. Over de slechte kan ik even lang doen.'

'Goede mensen kunnen fouten maken. Niemand doet het alleen maar precies goed.'

'Nee. Dat zal wel.'

'Heeft iemand tot God gebeden om het kind te genezen?'

Ze keek hem uitdrukkingloos aan, want ze had niet meer aan het kind gedacht.

'U gelooft niet in wonderen,' stelde hij vast.

Ze haalde haar schouders op. 'Het is gewoon dat ik er niet veel gezien heb.'

Hij knikte, in zijn ogen lichtte begrip op. 'U ziet ze niet omdat u niet gelooft. U gelooft niet omdat u ze niet ziet.'

Ze staarde hem aan. 'Wilt u werkelijk suggereren dat God dit meisje zou kunnen genezen? Ze ligt bijna vijf jaar in coma.'

'Lazarus was dood.' Hij zei het plompverloren en staarde haar aan, wachtend op antwoord.

Ze had er geen.

'Hij is de God die uit de dood opwekt,' zei hij zakelijk, 'die dingen roept die niet zijn zoals ze waren. Hij heeft de macht om te doen wat Hij belooft.'

'Volgens mij heeft Hij dit niet beloofd,' wierp Annie tegen.

Hij haalde zijn schouders op. 'Misschien niet, maar ik geloof in vragen.'

De stewardess bracht zoutjes en drankjes rond. Annie was opgelucht dat er een eind kwam aan het gesprek. Hij bladerde door een tijdschrift. Zij pakte ergens boven West-Virginia haar breiwerk.

Hij legde het tijdschrift neer, keek naar haar breiwerk en glimlachte. 'Een van mijn zussen kon alles met een streng garen,' zei hij. 'Ze kon spinnen en breien en weven. Dat had onze oma haar geleerd.'

'Wie is uw zus?' vroeg ze. Waarom deden mensen dat toch, vragen naar die ene persoon die ze kenden in een staat van acht miljoen mensen?

'Dorothy Walker.'

Weer die koude rilling over haar rug, het griezelige van paden die elkaar kruisten en verweven raakten, een patroon waarin ze niettemin nog geen vorm kon onderscheiden. 'Uw zus heeft me les gegeven toen mijn stiefmoeder me zo ver gebracht had als ze kon,' zei Annie. 'Dorothy was een kunstenares met wol en weefgetouw.'

'Inderdaad. Ik wou dat ik op tijd thuis had kunnen zijn voor haar begrafenis.' Hij glimlachte droevig.

'Ik wist niet dat ze gestorven was.' Annie voelde zich getroffen. Weer een verlies.

'Drie jaar geleden. Aan een hartaanval.'

Ze mompelde een paar woorden van medeleven.

'Kleine wereld,' herhaalde Elijah en lachte haar vriendelijk toe. 'Wat een toeval dat we nu naast elkaar beland zijn.' Maar hij keek haar vreemd aan, alsof hij het helemaal geen toeval vond.

Annie knikte en glimlachte terug, maar ze had het rare gevoel dat hij gelijk had, en ze rilde van angst. Het beviel haar niet dat de Almachtige nota van haar nam.

★

Iets in de jonge vrouw had hem getroffen, besefte Elijah. Hij had het gevoel dat ze een soort gevangene was, dat ze vastzat in die moeilijkheden die ze hem beschreven had.

'Neem me niet kwalijk,' zei ze. Hij kwam overeind en stapte in het gangpad om haar door te laten. Ze was tamelijk lang voor een vrouw. En slank zonder mager te zijn. Hij vond magere vrouwen niet mooi.

Hij probeerde zich te herinneren of hij Daltons of Trueloves kende, maar hij kon er geen een bedenken, hoewel de jonge vrouw hem bekend voorkwam, wat eigenaardig was, want er was niets ongewoons aan haar. Haar haar was lang en glanzend en had de kleur van het rode zand van thuis. Haar ogen waren groen met gouden spikkeltjes. Haar wangen en wipneus waren natuurlijk overdekt met sproeten. Haar ooghoeken neigden ook omhoog, alsof ze lachend was vastgelegd.

169

Ze had een glimlach op haar gezicht en dat beviel hem. Sommige vrouwen waren tegenwoordig zo grimmig, maar zijn reisgenote had iets vriendelijks over zich, hoewel ze nu hij erover nadacht zowel gereserveerd was geweest als toegankelijk. Ze had hem rustig verteld dat hij zijn Jezus maar voor zichzelf moest houden. Ze had de blik van iemand die niet met zich liet sollen of iets waarvan ze hield op zou geven zonder te vechten als een kat. Daarom hadden haar woorden hem ook zo verbaasd. Dat ze haar huwelijk had opgegeven.

Hij vestigde zijn blik op de rug van de stoel voor hem en bad voor haar en voor de man wiens foto ze hem had laten zien. Hij bad zo intens dat hij niet opmerkte dat ze terug was gekomen.

'Neem me niet kwalijk,' zei ze zacht, en hij schrok op en kwam overeind.

Ze gleed op haar stoel naast het raam en nam haar breiwerk weer ter hand. Ze lachte hem toe en opnieuw sloeg zijn hart een slag over, want hij zag iets anders in haar gezicht nu hij wist waar hij naar moest zoeken – een diep verdriet. Hij was benieuwd waarover, maar legde zich erbij neer dat hij het nooit zou weten. Ze waren maar vreemden die elkaar even tegenkwamen op de weg. Reisgenoten in een vliegtuig.

14

Sam reed automatisch en toen hij Gilead Springs naderde, had hij nog steeds niet besloten of hij zou blijven of dat hij zelfs maar iemand opmerkzaam zou maken op zijn aanwezigheid. Hij hield de mogelijkheid open om een uurtje rond te rijden en te verdwijnen zonder een woord tegen iemand te zeggen. Hij voelde zich alsof hij gewichtloos ronddreef.

Hij hoefde nergens heen. Hij had geen afspraken. Niemand die een beroep deed op zijn tijd. Hij dacht na over tijd. Wat was dat eigenlijk? Een reeks gebeurtenissen. Een manier om ze te ordenen. Het ene voor het andere en keurig verdeeld in verleden en heden en toekomst. Maar daar waar hij heen ging, voelde hij de bekende sensatie dat de omtrekken wazig waren. Het was alsof het verleden daar nog was, geneigd om vorm te krijgen als de moleculen zich opnieuw groepeerden. Hij had het gevoel dat als hij maar lang genoeg naar het stenen provinciehuis staarde, hij een of andere magistraat van langgeleden de deur zou zien ontsluiten. Als hij achter de deuren keek van de kapperszaken en manicuresalons kon hij misschien nog een glimp opvangen van de textielwinkel en de hoedenzaak. Hij kon zich nog dichte bossen om zich heen voorstellen met kastanjebomen, dennen en eiken, en als hij langs de tweebaansweg staarde, kon hij een zandweg voor zich zien met wagensporen en het rinkelen van paardentuig horen en hoefgeklop.

Even wenste Sam dat er echt een beschutte plek of holte was die vergeten was door de tijd, een plaats waar hij de klok terug kon draaien. Hij wenste hartstochtelijk dat er een geo-

171

grafische locatie bestond waar het nog tien jaar geleden was. Hij zou erheen gaan en er blijven, kijken hoe de wijzers van zijn horloge in een duizelingwekkend tempo naar links draaiden, terug reisden door de weken en maanden naar een tijd voordat alles zo verschrikkelijk mis was gegaan.

Hij reed het stadje in en parkeerde zijn auto voor het gebouw waarvan Carl Dalton en zijn eigen vader een kliniek hadden gemaakt, de plaats waar zijn broer nog steeds praktijk hield, ofschoon Carl een stuk aan zijn huis had laten bouwen dat als praktijk diende, in plaats van officieel met pensioen te gaan.

'Ik ben een ouwe hond,' had hij tegen Sam gezegd. 'Ik mag graag op de ouderwetse manier praktijk voeren. Jullie doen je best maar met je computers. Ik houd de zaken graag eenvoudig.' En eenvoudig hield hij ze. Hij nam zelf de telefoon aan, maakte zelf afspraken als zijn parttime assistente er niet was, en inde zijn honorarium als hij er zin in had. Carl was altijd meer een verrekenkantoor geweest dan een spaarbank. Maar de halve bevolking van Haywood County had wel een verhaal over Carl Dalton te vertellen. Hij heeft mijn zoon laten studeren. Hij betaalde mijn moeders ziekenhuisrekeningen. Hij gaf me geld om de elektriciteit weer te laten aansluiten. En vele malen: hij heeft me gratis behandeld. Sam was Carl er dankbaar voor dat hij Ricky en hem tot leidsman was geweest, al toen hun vader nog leefde. John Truelove was een voorbeeld geweest van toewijding en trouw, maar hij was een stille man, nors en gesloten. Sam had hem bewonderd en tegelijkertijd gevreesd. Anders dan met de joviale Carl. Hij was gul met woorden en tijd en geld. Geld inzamelen voor zijn eigen diensten was geen topprioriteit voor Carl, en God beloonde hem. Hoewel veel van de jongere inwoners van Gilead Springs met hun gezin in Waynesville, Sylva of zelfs Asheville naar de dokter gingen, bleef Carls afsprakenboek altijd vol. Hij was bijna zeventig, maar vertoonde geen tekenen van pensionering. Bovendien zou hij, zelfs als hij zijn praktijk sloot, nog steeds een herenboer zijn. Diane en hij hadden een flink stuk land in de heuvels.

Weer bedacht Sam hoe anders Carl en Ricky toch praktijk voerden dan hij. Die twee waren altijd druk, maar Carl scheen altijd tijd te vinden om te gaan vissen of een half uurtje met zijn makkers te praten in het Waffle House, en Ricky ging bijna elk weekend wildwatervaren, althans voordat zijn kinderen geboren waren en de rivier opgedroogd was door de droogte. Een ogenblik gingen Sams gedachten naar zijn eigen praktijk en hij werd door paniek overvallen. Hij had het vreselijke gevoel dat hij nalatig was, dat hij zijn plicht veronachtzaamde en het mensenlevens zou kosten. Hij vermande zich en duwde de gedachte weg. Hij had geen praktijk. Hij had geen patiënten. Maar hij had nog steeds een afgrijselijk gevoel van onheil, een zekerheid dat hij ergens anders moest zijn. Hij concentreerde zich op wat voor hem was en liep naar het gebouw.

Ricky's praktijk was net als de rest van het centrum van Gilead Springs opgetrokken uit rode baksteen en overschaduwd met magnolia's en eiken. Sam stapte door de dubbele deuren en eenmaal binnen had hij de sterke illusie dat hij het verleden was binnengestapt. De hal had een hoog plafond, de muren waren gepleisterd en op gelijke afstanden hingen portretten van de grondleggers van het stadje. Je kon hierbinnen het verleden bijna ruiken, die stoffige geur van de jaren.

Zijn broer praktiseerde samen met een kinderarts. Sam opende de deur naar hun gedeelde wachtkamer. Hij was leeg, zoals Sam had verwacht. Het was één uur en lunchtijd, heilig in dit kleine stadje. Van twaalf tot half twee zou de praktijk verlaten zijn. Hij wist dat zijn broer elke dag naar huis ging om te lunchen. Hij passeerde de lege receptiebalie en ging de spreekkamer van zijn broer binnen.

173

Als kamers konden praten, zou deze honderduit babbelen. De muren hingen vol met foto's – schoolfoto's en babyfoto's en foto's van Ricky met pasgeboren baby's in alle soorten en maten en kleuren in zijn armen. Er hingen handgemaakte kaarten met kinderlijke krabbels en formele bedankjes van ouders en de alomtegenwoordige foto's van pasgeborenen waarop het kind vaag op een insect lijkt. Op het dressoir lag Ricky's Bijbel, opengeslagen bij de Psalmen. Ernaast stond een halfleeg koffiekopje. Sams ogen vielen op een onderstreepte zin. *Doe mij blijdschap en vreugde horen, laat het gebeente dat Gij verbrijzeld hebt, weer jubelen.* Dus Ricky had Psalm 51 zitten lezen. Davids kreet van berouw. Sam had het uit zijn hoofd geleerd, had het zo vaak gebeden dat hij het uit zijn hoofd kende. Kennelijk tevergeefs.

Hij draaide zich om en bekeek de muren. Er hingen bekende lithografen en schilderijen, waarvan de meeste eens van hem waren geweest. Hij had ze hier achtergelaten toen hij de baan in Tennessee had aangenomen. Ze leken bij zijn wereld te horen, de wereld die hij verliet en niet bij de wereld waar hij heen ging. Hij bekeek een van zijn favorieten, een oude zwartwitfoto van een door een paard voortgetrokken ambulance in volle vaart, de manen van het paard waren vaag door de beweging. Annie had de foto tijdens hun huwelijksreis gevonden in een antiekwinkel in Charleston en voor hem gekocht.

Ernaast hing een ingelijste voorpagina van een *Life* uit 1948. Die had zijn moeder hem gegeven toen hij als arts afstudeerde. Het stelde een arts voor in landelijk gebied, een magere, zorgelijke man die door een veld liep, gewapend met niets dan zijn zwarte tas en zijn twee handen. Sam kon de haast bijna voelen die hem op de hielen zat, het gewicht van de verantwoordelijkheid die op zijn schouders drukte terwijl hij naar de volgende patiënt snelde.

Daarnaast hing een foto die van zijn vader was geweest.

Zijn moeder had hen na zijn vaders dood elk een exemplaar gegeven. Het was een zwartwitfoto van Sams grootvader, ook een dokter Truelove, genomen naast een paard en wagen, omstreeks 1920. Hij had zijn zwarte tas in zijn hand. Hij zou waarschijnlijk een paar kippen of een zij spek ontvangen voor zijn diensten.

Sam bleef het langst stilstaan bij het laatste, een oud olieverfschilderij, ook een relikwie uit de spreekkamer van zijn vader, en hij had geen idee waar het oorspronkelijk vandaan kwam. Het was ook van hemzelf geweest en had meegespeeld in zijn beslissing medicijnen te gaan studeren. Hij ging er vlak voor staan en bekeek het van dichtbij. Het was een eenvoudig toneel, de omgeving een kleine kamer in een ruw vormgegeven huis. De moeder lag met haar hoofd op haar arm aan tafel te huilen. De vader stond stoïcijns naast haar, zijn hand op haar schouder, maar hij keek afwezig, al zijn aandacht was gericht op de dokter op de voorgrond. De kleding van de dokter was verfomfaaid, zijn houding gespannen. Zijn sombere, vermoeide, afgetobde gezicht toonde ongerustheid vermengd met hoop terwijl hij over zijn patiëntje heen gebogen stond. Het was een kind met roodbruine krullen en ze lag uitgestrekt op een geïmproviseerd bed van kussens en dekens op twee keukenstoelen. Als Sam vroeger naar het schilderij keek, had hij in gedachten snel doorgespoeld naar de volgende dag, als het kind weer op was en aan het spelen, en de ouders dankbaar en gelukkig. De dokter de held van het tableau. Dat wil ik doen, had hij besloten, en hij had zich voorgenomen algemene kindergeneeskunde te gaan studeren. Hij kon zich voorstellen hoe zijn leven geweest zou zijn als hij in Asheville was gaan werken of hier in de praktijk met zijn broer. Ontbijten en lunchen met zijn vrouw. Elke avond thuis eten. Hij zou gerespecteerd zijn en een bevredigende loopbaan hebben gehad. Maar toen had hij de gave ontdekt en was alles veranderd.

Hij ging langer werken. Hij was weinig thuis, als hij al thuis was. Hij had zijn belofte aan Annie om na het beëindigen van zijn training naar Asheville terug te keren verbroken, en was in plaats daarvan de afmattende reis naar Knoxville blijven maken, twee keer per dag meer dan een uur. Steeds vaker maakte hij de rit helemaal niet, maar sliep de paar uur tussen de late avond en de vroege ochtend in de artsenkamer.

Sam keek naar het schilderij, naar het bleke, stille gezicht van het kind, de wanhoop in de ogen van de dokter, en een ander scenario presenteerde zich. Het voor de hand liggende. Het gaf hem een hol, hopeloos gevoel.

De deurbel rinkelde en Sam kwam tot zichzelf. Hij liep naar de wachtkamer terug. Het was de assistente die terugkwam van de lunch, en ze begroette een jonge vrouw die eruitzag of ze ter plekke een tweeling of een drieling ter wereld kon brengen.

'Dokter Truelove!' De receptioniste zette grote ogen op toen ze hem zag en ze keek verbaasd. 'Fijn om u te zien.' Even ontmoette ze zijn blik, toen wendde ze vlug haar ogen af.

Dus ze wist het. Tja, dat was te verwachten. Iedereen zou het wel weten. Het deed er niet toe. Hij had geen gezicht meer over om te verliezen. Het was Kelly Bright aan wie hij dacht, die hongerig, dorstig, stervend in haar bed lag.

'Ik wilde net weggaan,' zei hij.

'Uw broer kan elk moment terugkomen.'

Sam aarzelde, de aandrang om weg te rennen was nog steeds sterk. De weg van de lafaard, besefte hij, en bovendien, wat had hij dan gedacht? Op het moment dat hij het stadje binnenreed, zou iemand hem gezien hebben. Mama wist waarschijnlijk al dat hij er was. Hij kon zich niet stilletjes uit de voeten maken.

'Wilt u op hem wachten?' bood de assistente aan.

Sam schudde zijn hoofd. Hij pakte een stukje papier uit zijn portefeuille en krabbelde een briefje voor Ricky. *Zeg tegen mama dat ik vanavond thuis eet. Sam.*

De telefoon rinkelde. De assistente nam het papiertje van hem aan, knikte hem toe en nam op. Er kwam nog een patiënte binnen en Sam ging naar buiten en haalde diep adem in de warme, frisse lucht. Hij had zelf wel tegen mama kunnen zeggen dat hij kwam, maar hij was er niet klaar voor met haar te praten. Nog niet. Haar verdriet deed hem pijn, maar hij had haar net zo min iets te bieden als Annie. Hij keek het plein rond en had maar korte tijd nodig om te besluiten wat hij ging doen. Het was wat hij als jongen altijd had gedaan als hij een probleem had. Het had zijn geest schoongemaakt en hoewel hij wist dat er geen simplistische oplossing was voor wat hem nu scheelde, het was toch beter dan het alternatief van bezorgde familieleden onder ogen komen.

Hij liep over het plein naar de kleine ijzerwinkel. Hij schafte een goedkope hengel aan met snoer en een dozijn aardwormen. Hij stapte weer in zijn auto en zette koers de berg op. Hij stopte nog één keer bij de supermarkt annex benzinestation aan de rand van de stad, waar hij twee broodjes ham kocht, een kop koffie, een flesje water en een tijdschrift. Hij maakte het flesje water open terwijl hij op zijn wisselgeld wachtte, nam twee pijnstillers in tegen de doffe hoofdpijn die achter zijn ogen stak, en ging op weg in de richting van Parsons Creek.

★

Sam reed naar de afslag. Hij draaide het raampje naar beneden en voelde de warme lucht op zijn gezicht, hoorde het grind knerpen onder zijn banden.

Hij parkeerde de auto onder een reusachtige den naast de

oever en stapte uit. Hij keek naar beneden en zag dat zijn keurig gestoomde pak en leren schoenen overdekt waren met een laagje fijn rood stof. Hij rolde de mouwen van zijn overhemd op, maakte de kofferbak open en haalde de nieuwe hengel eruit. Hoeveel jaren was het geleden sinds hij er een had gebruikt? Hij kon het zich nauwelijks herinneren. Hij zocht een plekje op de oever en wierp zijn lijn uit. Het tijdschrift lag onaangeroerd naast hem, samen met het onaangeroerde eten.

Sam dacht aan zijn patiënten in het ziekenhuis. Hij had geen patiënten, corrigeerde hij zichzelf. Hij dacht aan zijn praktijk, aan het lieve gezicht van Izzy. Het kwam wel goed met Izzy. Hij moest het onder ogen zien. Hij was niet langer nodig. De gedachte gaf hem een onaangename schok. Er was niemand die hem vandaag nodig had. Geen levens die gered moesten worden. Althans niet door hem.

Hij viste vastberaden, gefixeerd op de forellen alsof hij van plan was ze te opereren, en ontweek het vooruitzicht van de rest van de dag. Het had voor de hand gelegen om hierheen te gaan. Nu hij er eenmaal was, vond hij dat het een vergissing was geweest, maar hij kon nergens anders heen.

Terwijl hij staarde naar het diepe water van de kreek, kwamen de herinneringen terug. Hij had altijd met zijn vader gevist. Ricky ging met Carl mee en Sam hoorde ze meters verderop lachen en juichen en uitroepen als ze een grote vis aan de haak hadden geslagen. Vader niet. John Truelove viste met dezelfde concentratie en perfectionistische intensiteit waarmee hij alles deed, en even zag Sam zijn vader zoals hij hem als jongeman had gezien. Lang, mager, de scherpe beenderen van zijn gezicht afgevlakt in lijnen van concentratie. Zijn sombere voorhoofd was altijd gefronst, zijn stappen altijd lang en haastig. Sam herinnerde zich dat hij zijn vader een keer eten had gebracht en hem trof in de keuken van de kleine kliniek in Gilead Springs. Hij was bij een spoedgeval geroepen om een noodblindedarmoperatie uit te voeren op een patiënt die te ver heen was om naar Asheville te reizen, en toen Sam hem vond, droeg hij nog zijn witte chirurgentenue en stond hij met holle ogen te roken. Het was alsof zijn vader een eenmansgevecht had gevoerd tegen alle pijn in de wereld. Hij begreep het nu. Toen niet.

Hij wist nog dat hij de joviale, lachende Carl met zijn vader had vergeleken en zich had afgevraagd wie van hen fout was. Hij herinnerde zich nog iets anders. Nu en dan gingen Ricky en Laurie en hij een nachtje bij oma Truelove logeren, die nu al jaren geleden was heengegaan. Hij herinnerde zich dat hij haar levendige geloof zag en zich had afgevraagd waarom ze niet wanhopig was, of waarom zijn vader zich niet zoals zij verheugde omdat zijn naam in de hemel was opgeschreven. En hij herinnerde zich dat hij niet begrepen had waarom zijn oma treurde om haar zoon. Dat leek hem toen als kind al heel vreemd, omdat John Truelove in alle opzichten geslaagd was. Hij had de familieoptocht gevolgd de bergen uit, naar de universiteit, had zijn beste vriend Carl Dalton meegenomen en gezorgd dat al zijn zoons volgden in de kordaat uitgezette voetsporen. Toch herinnerde Sam zich de ernstige gebeden van zijn grootmoeder voor zijn vader. Als jongen had het hem volkomen in de war gebracht, want zijn vader was de grootste figuur in zijn landschap. Nu maakte het hem minder in de war, maar bracht het een zwaar gevoel mee, het neerdrukkende besef dat de spreekwoordelijke appel niet ver van de boom gevallen was. Hij staarde naar het oppervlak van het water dat zacht over de rotsige bodem kabbelde en wachtte op een vis die zou bijten. Zijn geest sprong zo snel van het een naar het ander dat het hem verbaasde dat de blaadjes aan de boom naast hem niet trilden.

Na een vruchteloos uur stond hij op om te vertrekken. De vissen beten niet. Dat had hij wel geweten, want het was halverwege de middag en de zon en het water waren warm. Bovendien waren door de droogte waarschijnlijk de blauwe holen opgedroogd, die plaatsen waar de bronnen de kreek voedden en waar de forellen zich graag verzamelden. Hij haalde zijn lijn in en liep naar de weg. Hij stond even stil bij de tweesprong en aarzelde even voordat hij zijn spullen in de struiken legde en het pad op liep. Hij klom een minuut of twintig door het malse gebladerte.

Hij ademde in puffende stoten, zijn longen en benen brandden. Hij minderde vaart om op adem te komen en maakte van de gelegenheid gebruik om de bloeiende struiken en groepjes wilde bloemen te bekijken. Het zou hem niets verbazen als dit het mooiste plekje op aarde was. Hij keek opzij. Er stond een oude hut onder de dennen. Hij was gammel en stond op instorten, haast niet te onderscheiden van het landschap eromheen. Ricky en hij kwamen hier vroeger vaak toen ze jongens waren. Ze scharrelden rond en vonden dingen. Een wagenwiel, een verroeste spade, een oude ijzeren ketel die in roest veranderd was. Nu maakte het hem verdrietig dat iets wat eens zo trots en mooi was geweest, was vervallen tot stof en puin.

Hij ging door. Er was vroeger een plekje hierboven, vlak langs de zwemkuil waar de kreek breder werd. De kerk had daar doopdiensten gehouden, had zijn oma gezegd, voordat ze een overdekt zwembassin hadden.

Daar was het. Hij naderde de oever en bleef even staan kijken naar de brede plas achter de natuurlijke dam en de plonzende watervallen eronder. Het water stond erg laag en hij kon zich nauwelijks voorstellen hoe het geweest was. Hij staarde ernaar en probeerde het toch, keek langs het tafereel heen naar hoe het honderd jaar geleden was geweest, toen de oevers bedekt waren met schone, witte lakens en afgedekte schotels.

De vrouwen zouden zijn opgestaan voordat het licht werd

om het eten klaar te maken, en de mannen deden hun werk. De kinderen zouden waarschijnlijk op een wagen geladen zijn, want het waren arme mensen en niet velen hadden een auto. Als ze hier aankwamen, zouden ze zingen en lachen en hij kon de liederen en gospelsongs waarmee hij opgegroeid was als achtergrondmuziek bijna horen: *Kniel aan het kruis*; *De trekkende pelgrim*; *Bent u gewassen in het bloed van het Lam?* Hij keek rond naar het groepje dennen en zag voor zich hoe ze daar op de grond zaten te eten, in groepjes pratend, de kinderen renden tussen de mensen. Toen zag hij voor zich hoe ze naar de oevers gingen en een of twee mensen die een besluit hadden genomen in het koude, schone water stapten en er zuiver en onberispelijk bovenkwamen. Hij voelde een golf van verlangen. Hij wendde zich af en het toneel verdween.

15

Tegen de tijd dat ze landden in Asheville, begon de onbe-
suisdheid van haar daden tot Annie door te dringen. Wat
deed ze hier? vroeg ze zich af terwijl ze wegslenterde met
haar bovenmaatse tas over haar schouder geslingerd. Ze liep
langzaam naar de bagageband en bleef zwijgend staan. Elijah
haalde haar koffer voor haar en droeg hem met die van zichzelf naar de autoverhuurbalie.

'Alstublieft,' zei hij en zette de koffer naast haar neer. 'Ik
vond het erg leuk u te ontmoeten.'

'Dank u,' antwoordde ze. Ze gaf hem een hand. 'Ik heb er
ook van genoten.'

'Ik weet zeker dat onze paden elkaar nog eens zullen
kruisen.' Elijah glimlachte naar haar en na een laatste hoffelijke knik wandelde hij weg.

Ze merkte op dat hij licht hinkte. Hij zag er alleen en een
beetje verlaten uit, en het drong tot haar door dat ze te veel
met zichzelf bezig was geweest om naar hem te vragen. Hoe
kwam hij aan die verwonding? Wat had hij eigenlijk gedaan
in Afrika? Wat kwam hij hier doen? Waar ging hij precies
heen en hoe wilde hij er komen? Ze wist het niet, want ze
had het niet gevraagd. Ze zag hem in de menigte reizigers
opgaan en voelde een steek van spijt. Ze wist dat ze hem
niet weer zou zien, wat hij ook had gezegd. Het was een aardige man, iemand die in een ander leven een vriend had
kunnen zijn, maar ja, zo was het nu eenmaal. Mensen kwamen. En gingen.

'Wie is er aan de beurt?'

Ze keerde zich om naar de balie, haalde haar creditcard tevoorschijn en huurde een auto. Ze volgde de instructies van de vertegenwoordiger van het verhuurbedrijf, zocht de kleine Geo Metro en volgde de borden naar de uitgang van het vliegveld, maar toen ze langs de inleverruimte reed, zag ze een bekende gestalte. Het was Elijah, die bij de Greyhoundbushalte stond. Ze wilde net langs de stoeprand stoppen om hem een lift aan te bieden, toen de auto vóór haar stopte. Elijah begroette de bestuurder, legde zijn koffer in de kofferbak en nam plaats op de passagiersstoel. Ze keek de auto even na, maar algauw raakte ze hem kwijt in de stroom verkeer.

★

Het regende niet. Dat was het eerste wat haar opviel, het eerste wat anders was dan waar ze vandaan kwam. En het was heet, hoewel het boven in de bergen koeler zou zijn. De bergen. Alleen al de gedachte daaraan deed haar hart sneller slaan. Want nu ze zichzelf had toegestaan aan thuis te denken, begon ze er erg naar te verlangen. Ze had haar vader een keer horen zeggen dat niemand die werkelijk in de bergen hoort, ze ooit verlaat. 'Je komt terug,' had hij haar beloofd, en nu herinnerde ze zich zijn woorden.

Ze verliet het vliegveld en reed de snelweg op. Ze reed om een heuveltje heen en boem – daar waren ze, de hobbelige rij van blauwe nevel oprijzend aan de horizon. Pisgah National Forest lag in het westen. De Smokies in het noordoosten en de Blue Ridge in het noorden. Ze werd aan drie kanten omringd door bergen en aan hun voeten genesteld lagen de boerderijen, de dalen, en de met bomen begroeide heuvels die ze zich herinnerde. Al rijdend dronk ze het alles in.

Het mica in het asfalt vonkte. Het beton was wit met strepen rode aarde. Nu en dan zag ze een woonwagen of een stukje land in een pijnlijk mooi nest van kornoeljes en rododendron. Heuvels rezen op aan weerskanten van de weg, alsof iemand er een snee tussen had gemaakt. Ze passeerde een supermarkt, meubelmarkten, stoffenmarkten, een groepje dennen begroeid met kudzuranken, eiken waaraan de bruine blaadjes van vorig jaar ritselden in de wind, een kerk met een wit torentje. Ze stak de French Broad River over. Hij was modderig, traag en heel laag.

Toen ze de Billy Graham-snelweg op draaide en opnieuw aan Elijah dacht, voelde ze weer een schok van medelijden met hem. Wat moest het vreemd zijn om na vijfenveertig jaar in je woonplaats terug te komen. Als zij zich al een emigrant voelde, hoe moest hij zich dan niet voelen? Wat vond hij van de drukte? Het verkeer? Het lawaai? De onafgebroken aanval op de zintuigen?

Ze reed langs een witte boerderij met een roestige metalen watertank omringd door velden kool en maïs en verder naar achteren dennenbossen en appelboomgaarden. Ze vroeg zich af wat voor effect de droogte erop had en of de boeren mochten irrigeren of dat ze de oogst van dit jaar zouden verliezen, net als vorig jaar en het jaar daarvoor. Toen ze het eerste Waffle House tegenkwam, glimlachte ze en zag ineens het beeld voor zich van kleverige tafels, rode, gele en blauwe plastic menukaarten met vrolijke plaatjes van heerlijk eten en ze dacht aan haar vader, die daar ging ontbijten voordat hij in het ziekenhuis zijn ronde ging maken.

Ze passeerde de veemarkt, staarde naar de modderige rivierbodem waar water had moeten bruisen, velden hoog gras, sierlijke eiken. Een BellSouth vrachtwagen passeerde haar van de andere kant en de bestuurder stak groetend zijn hand op. De Gospel Truth Holiness Tabernacle hield vanavond en de rest van de week opwekkingsbijeenkomsten, zag ze. Iemand had een verroeste tractor naast de weg laten staan. Ze bekeek de prachtige zachte bloesems van laurier en rododendron. Ze dronk het allemaal in als een dorstige een glas koud water.

Asheville was een prachtige stad, die bijna gloeide in het avondlicht. Ze reed langzaam, ineens niet meer zo gretig om naar huis te gaan nu ze zo dichtbij was. Ze volgde het bord naar de historische binnenstad en inspecteerde de vooruitgang die plaatsgevonden had. Het centrum bloeide en was vol toeristen. Ze maakte een rondje langs het pension van Thomas Wolfe voordat ze terugcirkelde naar snelweg 19 en op weg ging naar Maggie Valley, Waynesville, Silver Falls en Gilead Springs.

Ze kwam rond vijf uur aan in Gilead Springs, reed langzaam langs de Victoriaanse huizen, het rouwcentrum met de schommelstoelen op de veranda. Ze draaide de hoofdstraat in en passeerde het gerechtsgebouw, het bezoekerscentrum, de kleine kliniek, en ze glimlachte bij de gedachte aan Ricky Truelove. Hij was daarbinnen om patiënten te ontvangen, of misschien in het kleine ziekenhuis, om de nieuwste inwoner van Gilead Springs te begroeten. Ze passeerde de John Deere-winkel aan de rand van de stad, strategisch geplaatst recht tegenover de Massey Ferguson dealer. Ze glimlachte en reed langs het oude stenen station, waar nu een bank in zat.

Het waarschuwingsbord voor overstekende pauwen vertelde haar dat de familie Jemison nog steeds pauwen hield. Algauw kwamen de huizen verder uit elkaar te staan en in plaats van Victoriaanse huizen waren er oude, witte boerderijen met omheinde veranda's en velden met hekken eromheen, een paar nieuwe stenen ranches, enkele keurige stallen van steen, allemaal met grote uitgestrekte grasvelden. Op borden werden bezoekers uitgenodigd kronkelwegen te volgen naar hutten en bed-and-breakfastpensions. Na een tijdje ging de asfaltweg over in grind. Eiken bogen zich over de

185

wegen naar elkaar en dennen bleven net een stap achter hen, al welig en wild groeiend raakten ze elkaar bijna in het midden, gretig om hun land terug te nemen. Draai de dingen je rug toe en ze keerden terug naar de wildernis. Wend je ogen even af en alle sporen waar je geweest was, zijn verdwenen.

Ze passeerde het huis van Sams ouders en voelde een steek van pijn bij de aanblik van de vertrouwde rode brievenbus met de haan erop geschilderd. De bergkammen rezen en daalden, en daar was ze bij het huis van haar vader.

Ze parkeerde de auto aan de voet van de heuvel, want ze wist dat de manier waarop je een plaats nadert, even belangrijk is als de plaats zelf. Ze stapte uit en liep langzaam de heuvel op.

Ze streek met haar hand langs de takken van de laurierstruiken, passeerde de schapenweide en werd verbazingwekkend genoeg begroet door enkele bekende gezichten. Dat waren haar eigen schapen en het verbaasde haar dat ze nog leefden. Sam moest ze na haar vertrek aan Diane hebben gegeven.

'Hé, Gussy,' zei ze. 'Lieverd! Kom hier.'

Ze keken op en draafden op haar toe, snuffelden aan haar hand.

MIJN SCHAPEN HOREN MIJN STEM, fluisterde Iemand.

Ze trok haast geschrokken haar hand terug, maar Gussy en Lieverd staarden haar alleen maar aan met zwart marmeren ogen, op hun gekke, kale gezichten de permanente uitdrukking van verbazing.

Ze liep door en hield even stil toen ze de uitkijkpost bereikte. De vallei strekte zich voor haar uit. De kreek druppelde waar hij eens geplonsd had over oeroude rotsen. In het lage weiland stonden een paar koeien op een kluitje. Ze kon de maïs- en koolvelden van haar stiefmoeder zien.

Ze keek naar het huis en zag dat de auto van haar vader er niet stond, maar dat verbaasde haar niet. In de kleine praktijk die hij aan hun huis had gebouwd, bewaarde hij alleen zijn dossiers en zijn instrumenten. O, er kwamen elke dag wel een paar patiënten, maar meestal bezocht hij ze thuis. Ze geloofde dat het voor hem een deel van de charme van zijn beroep was, dat dwalen door het land.

Ze bleef stilstaan, maakte geen geluid om haar aanwezigheid te verraden, en toen ze dichterbij kwam, zag ze Diane op de veranda zitten spinnen in de late middagzon. Ze was een beetje dikker geworden, maar ja, ze was altijd dol geweest op koekjes en jam. Ze had haar haren afgeknipt tot schouderlengte, maar het was nog steeds bijna helemaal bruin, met een spoor van grijs rond haar gezicht. Ze droeg werkkleding, een mannenhorloge en met modder aangekoekte werklaarzen. Annie vermoedde dat ze met een of ander werkje bezig was geweest, toen het spinnewiel haar had gelokt.

Het lot kwam tussenbeide. Whip, hun collie, kwam door het weiland aan springen en kreeg haar in het oog. Hij blafte en schoot op haar af, allevier zijn poten kwamen van de grond in een hevige begroeting. Ze aaide hem en onderging zijn slobberige kussen. Toen ze opkeek, zat Diane met haar hand boven haar ogen tegen de ondergaande zon naar haar te kijken. Even later zag Annie langzaam een glimlach op haar gezicht verschijnen.

'Zozo,' zei Diane en er brak een glimlach uit op haar volle gezicht. 'Kijk eens wie we daar hebben.'

'Ja,' zei Annie, en dat was dat. De Daltonvrouwen, of het nu door geboorte was of door huwelijk, deden niet dwaas en waren niet geneigd tot zinloos geklets.

'Je hebt een mooie tijd uitgezocht om terug te komen,' zei Diane, en Annie hoopte dat haar stiefmoeder verder niets over haar zaken zou zeggen.

'Ik blijf niet lang,' zei Annie. Haar stem klonk harder dan ze bedoeld had.

'Blijf zo lang als je wilt,' antwoordde Diane. Ze wierp

187

Annie een taxerende blik toe, maar zei niets, stelde geen vragen, en dat was Annie wel best. Ze zou nog genoeg vragen moeten beantwoorden. Of Diane nu zweeg uit respect voor haar privacy of omdat ze simpelweg geen zin had om zich in haar zaken te verdiepen, Annie was er dankbaar voor.

Ze ging op het trapje zitten en concentreerde zich op het spinnen, keek toe hoe Diane de pluizige, suikerspinachtige wol tot garen spon. Haar handen bewogen vaardig en Annie herinnerde zich de voldoening als je zag hoe een dikke streng schapenwol bruikbaar en sterk werd. Ze duwde alle andere dingen uit haar gedachten. Het waren er te veel en ze waren te moeilijk voor haar. Ze kon er nu niet over nadenken.

'Je vader komt zo thuis,' zei Diane. Ze wendde zich van het spinnewiel en liet het garen slap hangen. 'Ik moet aan het eten gaan beginnen.'

'Laat je door mij niet ophouden.'

Diane haalde haar schouders op en keek Annie sluw aan. 'Ik moet deze wol spinnen. Het is een speciale bestelling en ik moet het morgen af hebben. Heb je zin om een handje te helpen?'

Een poging tot listigheid en volkomen mislukt, zoals alle pogingen die zij beiden ooit hadden gedaan om subtiel te zijn. Annie wist dat Diane het verlangen in haar ogen had gezien toen ze haar achter het wiel had gadegeslagen. Ze bedoelde het vriendelijk.

'Ik kan het eens proberen,' zei ze. 'Ik weet vast nog wel hoe het moet.'

'Toe dan maar,' inviteerde Diane en voordat Annie kon reageren, was ze naar binnen gegaan en knoopte haar laarzen los. 'Vergeet niet je schoenen uit te doen voordat je binnenkomt. Ik heb nieuwe vloerbedekking en ik wil niet dat hij vuil wordt.' Twee smerige laarzen vielen op de veranda. Toen was ze verdwenen.

Annie klom het verandatrapje op, ging zitten, pakte de wol op en zette haar voet op het pedaal. Ze drukte. Het wiel begon langzaam te draaien. Whip ging aan haar voeten liggen, klopte met zijn staart van tevredenheid en legde zijn kop op zijn poten. Ze zette haar gedachten opzij en keek hoe de zon onderging boven de bergkam en een rozige gloed wierp op de heuvels en valleien. Ze richtte haar ogen weer op de gekaarde schapenvacht. Ze pikte er een klein stukje hooi uit, trok de wol naar achteren en liet hem door haar vingers draaien, toekijkend hoe het veranderde van wol in garen. Ze trok en draaide, en haar vingers herinnerden het zich. Ze spon, haar voeten en handen vonden een gemakkelijk ritme.

16

Elijah zat in de auto van dominee Ralph Lindsey en nam de omgeving in zich op met een mengeling van verbijstering en verwondering. Er was ook nog iets anders in vermengd. Treurigheid, want het werd hem overduidelijk dat het thuis dat hij verlaten had, niet hetzelfde was waar hij naar terugkeerde. Als hij dat niet gemerkt had aan de knooppunten van snelwegen, de uitgedijde massa gebouwen en winkels en het onafgebroken ronken van het verkeer toen hij door Asheville reed, dan merkte hij het toen ze door Silver Falls reden.

Dominee Lindsey sloeg de tweebaansweg af en reed enkele kilometers naar de stadsgrenzen van zijn oude woonplaats, uit aardigheid voor hem want hun bestemming lag verder weg. Ze reden door straten met winkelpromenades en snackbars en Elijah voelde hoe de treurigheid hem in zijn greep kreeg. Het besef drong tot hem door dat alles wat hij zich herinnerde, verdwenen was. Er was niemand meer over die van hem had gehouden of hem had gekend. Niemand die zich hem zelfs herinnerde. Zelfs deze dominee was een vriend van een kennis, die zijn christenplicht deed door onderdak te zoeken voor een dienstknecht van God.

'Waar stond uw huis?' vroeg Ralph Lindsey, en Elijah raakte in de war, want hij had geen idee waar hij was. Hij keek om zich heen of hij een bekend punt zag, iets vertrouwds waar hij zich aan vast kon houden. Dominee Lindsey reed langzaam in de richting van het stadsplein, en daar herwon Elijah een deel van zijn zelfvertrouwen.

'Goed,' zei hij. 'Dit herinner ik me. Sla vlak na het gerechtsgebouw linksaf.' Dominee Lindsey deed het en volgde Elijahs aanwijzingen. Ze reden naar het eind van de weg en Elijah wist dat hij er voorbijgereden was. Dominee Lindsey draaide de auto en onderweg terug wees Elijah en de auto stopte naast de sloot.

'Dit moet het zijn,' zei hij zacht en wees naar het verdorde grasveld en een grote caravan. Er lag afval op de stoep en een pitbull zat vastgebonden aan een paal in de grond naast de oprit.

'Hier woonde mijn oma,' zei hij. 'Er stond een groot, oud huis onder de dennen. Van wit hout en een veranda met een schommelbank.' Hij staarde voor zich uit. De moed zonk hem in de schoenen.

'Waar woonde uw eigen gezin?' vroeg de dominee.

'Wat verder naar beneden en zo'n anderhalve kilometer naar het oosten,' zei hij.

'Wilt u het zien?' vroeg hij behoedzaam.

'Tja, nu we hier toch zijn.' Hij knikte grimmig. Zonder een woord reed de dominee verder de weg af, alsof hij wist wat Elijah moest voelen. Elijah voelde pijn in zijn hart toen ze dichterbij kwamen, want aan het eind van de weg waar zijn ouderlijk huis had gestaan, stonden een stuk of dertig goedkope huizen van kunststof board en vinyl gevelbeplating, omringd door kleine stukjes pas ingezaaid gras en spichtige boompjes.

Hij zei niet veel tijdens de rest van de rit. Hij staarde alleen maar uit het raampje en dominee Lindsey liet hem met rust.

Hij dwong zich rechtop te gaan zitten en zijn emoties te beheersen toen ze door Gilead Springs reden. Het onderdak dat de dominee voor hem geregeld had, lag aan de andere kant van de stad en hij kon moeilijk vol zelfmedelijden arriveren. Ze reden langs het gerechtsgebouw en de bibliotheek, en even voelde Elijah zich opgevrolijkt. Dit leek meer op wat hij zich herinnerde. Deze plaats was hem tenminste een beetje vertrouwd. Ze passeerden de Pinksterkerk op de hoek en hij herinnerde zich dat hij daar eens naar een opwekkingsbijeenkomst was geweest. Een stroom van herinneringen golfde terug, want hij was enige tijd geregeld naar Gilead Springs gekomen. Hij was op vrijersvoeten geweest, bedacht hij met een bitterzoete glimlach, en hij vroeg zich af wat er van haar geworden was.

Ze reden door het centrum en kwamen bij de spoorwegovergang, sloegen toen rechtsaf Piney Creek Road op. Ze reden maar door, de heuvels in, en eindelijk minderden ze vaart toen ze bij een rode brievenbus kwamen met een haan erop geschilderd. Dominee Lindsey sloeg een lange oprit in en reed naar het huis. In een wolk van stof kwam de auto in het grind tot stilstand.

Elijah en de dominee stapten uit de auto. Ze pakten Elijahs koffer en toen ging de voordeur open en kwam er iemand de veranda op. Elijah kneep zijn ogen halfdicht om haar te kunnen onderscheiden, maar hij zag niet veel tot ze de hordeur opendeed en de tuin in stapte. Het was een vrouw, jonger dan hij, hoewel niet veel, en ze had blond haar gehad dat nu grijs geworden was, weggekamd van een lief, zacht gezicht, en zijn hart sloeg een slag over, want er was iets bekends aan haar. Ze hield haar hand boven haar ogen en keek naar hen, en toen ze dichterbij kwam, zag hij haar gezichtsuitdrukking veranderen van beleefd naar geschokt. Ze bracht haar hand naar haar hart en haar mond viel open. Zijn eigen hart sloeg een paar slagen over, want haar trekken kwamen overeen met het beeld in zijn herinnering.

'Elijah?' vroeg ze met verwondering in haar stem en ogen.

'Mary Ellen Anderson,' zei hij met een stem vol eerbied.

'Ben jij de gepensioneerde zendeling uit Afrika?' vroeg ze ongelovig.

Hij knikte. 'En jij bent de dame van het pension.'

'Wel heb je ooit.' Ze schudde licht haar hoofd en staarde hem met nog steeds wijd opengesperde ogen aan, en hij dacht bij zichzelf dat ze nog steeds het mooiste meisje van de hele streek was. Hij voelde een scherpe steek van spijt toen hij zich afvroeg hoe zijn leven geweest zou zijn als hij met haar was getrouwd, zoals ze eens van plan waren geweest, in plaats van naar het zendingsveld te gaan. Vlug riep hij zichzelf tot de orde, want zonder twijfel had ze zich erdoorheen geslagen en was ze met iemand anders getrouwd. Ze hadden allebei keuzes gemaakt, maar nu hij hier voor haar stond en haar aankeek, leek het pas gisteren dat hij afscheid van haar had genomen.

Ze stak haar hand naar hem uit, die lichtelijk beefde zoals hij merkte toen hij hem drukte. Door haar volgende woorden werd de situatie nog verbijsterender. Zijn gesprek met het meisje in het vliegtuig kwam met razende vaart terug en hij had het gevoel dat hij hier geplaatst was en niet toevallig binnengedwaald. 'Het is geen Anderson meer,' verbeterde ze hem. 'Het is Truelove, Mary Truelove.'

*

'Kom maar naar het huis als je je geïnstalleerd hebt,' had Mary tegen hem gezegd.

Elijah bekeek het gastenverblijf en borg zijn spullen op. Dat duurde allebei niet lang. De cottage bevatte een badkamer, een klein slaapkamertje en een zitkamer met een gasstel en een kleine koelkast in een hoek. Hij maakte de kastjes open. Er zat servies in en een paar potten en pannen. Hij keek in de koelkast. Er stond twee liter melk, een doos eieren, een pakje bacon en een jerrycan met vier liter water. Op het aanrecht lag een brood naast een bus koffie.

Mary Ellen was een zorgzame vrouw, vroeger al, maar het

deed op een ironische manier pijn dat het precies háár gast-
vrijheid was die hij genoot. Het flitste door hem heen dat
dat zout wreef in de wond van zijn eenzaamheid, maar kordaat verwierp hij zulke gedachten. Hij wist waar die vandaan
kwamen.

'Er is niemand die huis of broeders of zusters of moeder
of vader of kinderen of akkers heeft prijsgegeven om Mij en
om het evangelie, of hij ontvangt honderdvoudig terug,' zei
hij hardop, 'en in de toekomende eeuw het eeuwige leven.'
Het was waar, overtuigde hij zichzelf, maar hij bleef scherp
de eenzaamheid en het verdriet voelen.

Hij liep de slaapkamer in en ging op het bed zitten. Hij
masseerde zijn hoofd, liet zijn handen toen zakken. Wat had
hij verwacht? vroeg hij zichzelf. Dat de tijd had stilgestaan?
Had hij gedacht dat de wereld met zijn satellietschotels en
winkelcentra was gestopt bij de grenzen van de provincie
Haywood, uit consideratie met zijn herinneringen? Had hij
gedacht dat de mensen van wie hij eens gehouden had, ook
hadden stilgestaan en hadden gewacht tot hij terugkwam
om de draad weer op te nemen?

Dingen waren veranderd. Mensen waren doorgegaan.

O, maar het was moeilijk te geloven. En moeilijk te
begrijpen. De kerk die zijn familie had bezocht toen hij
kind was, was verdwenen. Er was nu een drogist waar hij had
gestaan. De hoofdstraat die hij zich herinnerde, was er niet
meer, die werd nu bepaald door Burger King en Pizza Hut.
Beide huizen waren weg, en hij herinnerde zich dat zijn
moeder hem had geschreven dat ze ze verkocht had.
Wanneer was dat geweest? Na een klein rekensommetje
stelde hij vast dat het 1970 was geweest, vlak voordat ze
gestorven was, en daarna had zijn zus hem zijn deel van het
geld gestuurd, dat hij had gebruikt om de kliniek in Soedan
van het nodige te voorzien.

Hij stelde zichzelf de vraag waarom hij hier was teruggekomen en ineens herinnerde hij zich met een vlaag van hoop zijn brief aan het zendingsbestuur. Misschien kwam er een telefoontje, een brief, een hartelijk welkom. Misschien keerde hij binnenkort naar Afrika terug, en hij duwde de knagende gedachte weg dat hij in dat geval eerder weg zou lopen voor zijn opdracht dan eropaf. Bovendien hadden ze jongere mannen om te doen wat hij had gedaan en nu zijn gezondheid niet te vertrouwen was, kon hij eerder als een sta-in-de-weg worden beschouwd dan als een aanwinst. Opnieuw schudde hij zijn hoofd en weigerde zich over te geven aan zelfmedelijden. God had hem gezegend en voorzag in zijn behoeften, misschien wel op manieren die hij niet zag.

Elijah keek de kamer rond en voelde zijn pijn afnemen. De vloer was van oud eiken. Het bed was een oud, wit geverfd ledikant. De ladekast was ook oud en bedekt met een witte loper, fris gesteven en gestreken, zo te zien. Op het nachtkastje stond een vaas met witte laurierbloesem en op de vloer lag een handgeknoopt tapijt. Het kalmeerde hem enigszins. Dit waren dingen die vertrouwd waren.

Hij zette zijn koffer in de kast en ging de zitkamer binnen. In drie muren waren ramen en het was er zonnig en warm. Er stond een oude witte porseleinkast en een gootsteen zoals zijn moeder had gehad en een klein inklapbaar tafelblad met een roodwit geruit kleedje. Er stond een mandje met appels op. Op de bank lag een blauw met witte quilt. Ernaast stond een gestoffeerde rode stoel. De versleten plekken op de achterkant en armleuningen waren bedekt met witte vingerdoekjes.

Hij ging in de rechte stoel bij het raam zitten. Het keek recht uit op Mary Ellens tuin en door de bladeren van de bomen kon hij er delen van zien. Er stonden kornoeljes, rododendrons, berglaurieren en daaronder een massa bloeiende planten. Een of ander beeld. Na een paar minuten kwam hij overeind. Hij moest naar de keuken gaan om te zien of hij iets kon doen om zijn avondmaaltijd te verdienen.

Hij klopte aan bij de voordeur, maar er kwam niemand. Even later liep hij om het huis heen naar de achterkant. Hij beklom het trapje naar de achterveranda. De deur stond open, hij bleef in de deuropening staan en zag haar bij de gootsteen, haar handen op de rand, haar hoofd gebogen, haar schouders gingen lichtjes omhoog als ze diep ademhaalde. Hij verplaatste zijn gewicht en ze moest hem gehoord hebben. Ze draaide zich half om en veegde haar ogen en gezicht af.

'Het spijt me,' zei ze. 'Kom binnen alsjeblieft. En vergeef me. Wat vreselijk om je op deze manier te begroeten.'

Hij keek naar haar gezicht, naar het verdriet in haar ogen en zijn hart werd ontroerd van medelijden. 'Verdriet is mij niet onbekend,' zei hij zacht.

Ze keek hem een ogenblik aan, alsof ze twijfelde of ze meer zou zeggen.

'Mijn zoon was de arts van dat kleine meisje,' zei ze ten slotte en wees naar de televisie. Hij knikte en zijn hart deed pijn om Mary Ellen en haar zoon. Om zijn reisgenote in het vliegtuig. Om hen allen, en hij wist dat hij beland was in een huis van rouw en verdriet.

'Dat dacht ik al,' zei hij. Ze vroeg hem niet waarom. Hij voelde geen behoefte het haar te vertellen.

Ze schonk hem een kop koffie in en ze vertelden elkaar hun levensloop. Hij kwam te weten dat ze twee zoons en een dochter had en dat haar echtgenoot twee jaar geleden gestorven was. Hij vertelde haar zijn sobere verhaal en zag de schaduw van verloren mogelijkheden over haar gezicht trekken.

'Ik moest maar eens aan het eten gaan beginnen,' zei ze ten slotte met die zachte glimlach die hij zich herinnerde. 'Mijn kinderen en kleinkinderen komen ook.'

Ondanks de vriendelijke manier waarop ze hem erbij betrok, voelde hij zich niet op zijn plaats, zeker gezien de omstandigheden. 'Kan ik iets doen om te helpen?' vroeg hij, doelend op meer dan alleen de maaltijd.

Ze keek van hem weg en schudde haar hoofd. 'Doe maar of je thuis bent.'

Hij keek een paar minuten televisie, maar het nieuws was schokkend, de reclame druk en na een tijdje ging hij naar buiten, liep de tuin in en ging naast het beeld van het kleine meisje zitten.

17

Het was een gespannen hereniging, zoals Sam gevreesd had. Laurie was er natuurlijk, met haar man en hun jongste zoon. Hun andere zoon en dochter waren naar een of andere training. Ricky kwam met Amanda en hun drie dochtertjes en dat bracht wat leven in de brouwerij, leidde Sam af van CNN, dat hij dwangmatig om het uur checkte, al had zijn advocaat beloofd te bellen als er iets veranderde in de toestand van Kelly Bright. Mama was van streek. Heen en weer geslingerd tussen vreugde hem weer te zien en verdriet om zijn situatie. En die arme pensiongast, de oude zendeling uit Afrika, zat er maar tussen. Hij was metcen na het eten naar de cottage vertrokken, onder het mom van vermoeidheid. Sam had er spijt van dat hij naar huis was gekomen. Dat vertrouwde hij Ricky toe toen ze na het eten samen op de veranda naar zijn spelende kinderen zaten te kijken.

'Het was een vergissing om te komen.'

Ricky haalde zijn schouders op. 'Ik weet dat je dat vindt, maar wat is er mis mee om je problemen met anderen te delen?'

'Ze kunnen er toch niets aan veranderen en ze worden er alleen maar beroerd van.'

'Denk je dat mama gelukkig is als jij er *niet* bent? Ze is altijd verdrietig. Jij bent er alleen meestal niet om het te zien.'

Sam haalde zijn schouders op.

Ricky hield aan. 'Maar ja, misschien is mama's onrust niet waar je echt bezorgd om bent.'

'Wat bedoel je daar nou weer mee?'

'O, niks.'

Dat was echt iets voor zijn broer. Hij vuurde zijn kleine pijltjes af en hield zich dan van de domme.

'Wat ga je nu doen?' vroeg Ricky. Een veel te laat gestelde vraag die elk lid van de familie uit alle macht niet had willen stellen.

'Ik blijf een paar dagen,' zei Sam. 'Ik ga het huis leegruimen en het te koop zetten. Morgen ga ik erheen om een kijkje te nemen. Te zien wat er gedaan moet worden.'

Ricky keek verbaasd. 'Waarom nu ineens die haast? Het heeft vijf jaar leeggestaan.'

Sam haalde diep adem en zei de woorden voor de eerste keer. 'Annie heeft echtscheiding aangevraagd.'

Ricky verwerkte het en schudde toen vol medelijden zijn hoofd. 'Het is me het weekje wel geweest voor je, hè broer?'

Sam zweeg even. 'De dingen lopen ten einde,' zei hij. 'Zoals Prediker zegt. Alles heeft zijn tijd. Er is een tijd om te bewaren en een tijd om weg te werpen.'

Ricky fronste en schudde zijn hoofd. 'Ik weet niet zeker of God die speciale toepassing wel bedoeld heeft,' zei hij bedenkelijk. 'Daar moet je dominee Lindsey maar naar vragen.'

Sam lachte gedwongen.

'Ik kom met de truck om je te helpen het huis leeg te ruimen,' bood Ricky aan. 'Wat ga je met Annies spullen doen?'

'Opslaan.'

'Dat kan in de buurt van Asheville.'

Sam knikte. Hij wenste dat hij rookte. Zijn handen moesten iets te doen hebben.

'Zet je het bij Jim in de verkoop?' Lauries echtgenoot was makelaar in onroerend goed.

'Ik denk van wel. We zullen het huis en het land wel afzonderlijk moeten verkopen. Ik kan me niet voorstellen dat iemand al die tien hectares wil. Ik wil alleen niet dat het naar een projectontwikkelaar gaat en ik wil niet dat het als vakantiehuis gebruikt wordt.'

'Je bent nogal kieskeurig voor iemand die het niet kan schelen,' merkte Ricky op. Sam hapte niet. 'Je moet er een smak geld voor kunnen krijgen,' zei Ricky even later. 'Land is prijzig in deze omgeving. Ik zou mijn eigen huis niet kunnen betalen als ik het nu moest kopen.'

Amanda kwam bij de deur. 'Ben je haast klaar om naar huis te gaan, schat?' vroeg ze Ricky. 'Het is bedtijd voor de kinderen. Ze moeten morgen weer naar school.'

Ze riepen hun kinderen en zelfs dat simpele ritueel deed Sam de rillingen over de rug lopen. Hij zag zijn eigen dochter op dit gazon spelen, zich verstoppen achter de hortensia, schommelen daar onder de boom.

Hij bleef bij zijn moeder tot ze naar bed ging en ging toen weer naar de veranda. Hij zag de fluwelen duisternis om zich heen vallen en hoorde echo's, zag schaduwen van mensen die hier niet meer waren.

18

Carl Dalton stond zoals gewoonlijk op met de kippen. Hij voerde ze elke ochtend en had zijn favorieten zelfs een naam gegeven. Hij strooide een handvol maïs. Vroeg opstaan vond hij prettig. Dan had hij de tijd om zijn Bijbel te lezen en te douchen en toch nog ruim op tijd in het Waffle House te zijn voor zijn biefstuk en eieren. Diane wond zich regelmatig op over het feit dat hij zijn kom muesli en de meergranenbol elke dag onaangeroerd liet staan, maar hij was een oude beer en wilde geen nieuwe kunstjes leren. Hij glimlachte bij de gedachte aan zijn vrouw. Ze was ruim vijftien jaar jonger dan hij en er waren veel mensen op tegen geweest toen hij met een mooie jonge vrouw uit Georgia aan kwam zetten, maar ze waren nu al meer dan twintig jaar samen en hij hield nog net zoveel van haar als op de eerste dag dat hij haar zag. Hij betreurde het alleen dat Annie nooit veel van haar had moeten hebben. Maar je kon andere mensen niet veranderen. Je kon alleen kiezen of je van ze hield of niet.

Hij glimlachte toen hij aan zijn dochter dacht en voelde zich diep tevreden. Ze was thuis. Beschadigd, inderdaad. Verward, inderdaad. Boos en hardvochtig, inderdaad. Maar ze was thuis en hij was er zo vast van overtuigd als de rotsen van de heuvels onder zijn voeten dat, nu ze eenmaal was waar ze hoorde, al die dingen opgelost zouden worden. Hij wist niet goed hoe, maar hij wist het. En daar ging het toch om in het geloof? Weten wat je niet kon uitleggen? Geloven in wat je niet kon zien? Hij had een God die de doden opwekte, bij Wie niets onmogelijk was. De werkelijkheid?

Die maakte voor hem geen verschil. Die kon Hij maken en ongedaan maken. De Heiland kon een verhard hart net zo makkelijk laten smelten als Hij door de muren van de bovenkamer kon stappen. En nu was Sam ook weer thuis, een feit waarvan zijn dochter nog niet op de hoogte was, en Carl had moeite gedaan om dat zo te houden, voor het geval ze besloot erandoor te gaan.

Hij had al ontdekt dat Sam thuis was, zelfs voordat Ricky hem gistermiddag had opgebeld om het te vertellen. Het scheen dat Sam bij de supermarkt annex benzinestation van Fred Early aan de rand van de stad was geweest. Hij had twee broodjes ham gekocht, een flesje water, een kop koffie en een tijdschrift over zeilen bij Freds vrouw, Etta Jean. Hij had vlak voor haar neus iets ingenomen wat volgens haar 'zenuwpillen' waren, want ze leken precies op die kleine witte dingetjes die haar zus Elda Rose had genomen toen ze die vreselijke piekeraanval had gehad toen haar kinderen volwassen waren geworden en het huis uit gingen. Dus uiteraard had Etta Jean *opgebeld* naar Elda Rose om haar te vertellen dat Sam Truelove weer thuis was en dat hij zenuw-pillen nam en dat ze op het nieuws alles over dat kleine meisje had gehoord en wat dacht je nou dat het allemaal te *betekenen* had?

Toen had Elda Rose, die lunchserveerster was in de Cracker Barrel, aan Alice Mae Johnson, die daar gastvrouw was, verteld dat Sam Truelove terug was gekomen, dat hij er *heel slecht* uitzag en *aan de pillen* was. Alice Mae had het alleen maar even in het voorbijgaan *genoemd* tegen haar beste vriendin Suellen Robertson, die ook in de Cracker Barrel werkte, maar in de ziektewet liep vanwege een hernia die ze had opgelopen toen ze het hele koor van de Golgothakerk had moeten bedienen in de eetzaal en geprobeerd had twee bladen tegelijk te dragen. Zij was gistermiddag op het spreekuur geweest en had zoals gewoonlijk een praatje gemaakt met Carls enige werkneemster, parttime assistente Margie Sue. Heb je het gehoord? had ze gevraagd, en Margie Sue had gezegd dat ze helemaal niets gehoord had en toen had Suellen haar hoofdschuddend en met ogen vol bezorgdheid verteld dat Sam Truelove een *complete zenuwinstorting* had gehad en thuis was om bij te komen en van plan was daarna een boot te kopen om de wereld rond te gaan zeilen. Dus Margie Sue was natuurlijk meteen Carls spreekkamer binnengekomen, jachtig in de weer met een stapel dossiers, maar hij zag aan haar glanzende ogen en getuite lippen dat ze een nieuwtje had. 'Wat is er?' had hij als een oude roddeltante gevraagd. Nooit had hij kunnen denken dat het om zijn schoonzoon ging.

Nu bad Carl voor hem terwijl hij het laatste handje maïs voor zijn kippen strooide en toekeek hoe ze zich klokkend verspreidden en het voer pikten. Hij glimlachte nog eens en ging naar binnen. Zijn koffie was bijna klaar met pruttelen. Diane zeurde altijd dat ze een koffiezetapparaat moesten kopen, maar hij was gewend aan zijn oude percolator. 'Nieuwerwetse flauwekul,' zei hij altijd en dan schudde ze haar hoofd en zei dat hij nog slootwater zou drinken als er maar genoeg suiker en melk in zat. Een beste meid, Diane. Evenwichtig en kalm met een goed hart. Net zoals zijn dochter, eigenlijk. De percolator gaf nog één laatste gesmoord geluid dat aangaf dat zijn koffie klaar was. Hij pakte een oude weckpot uit de bijkeuken, zijn favoriete koffiekop. Hij schonk hem vol koffie, voegde er ruim suiker en melk bij, pakte zijn Bijbel en ging naar buiten om van de heerlijke ochtend te genieten.

Hij nam plaats in zijn schommelstoel op de veranda, las een halfuurtje, bad een poosje, waarna hij ging douchen en aankleden. Het was nog geen zeven uur toen hij zijn huis verliet en naar het andere huis reed. Hun huis. Annies huis. En Sams huis.

Hij had er een gewoonte van gemaakt hier regelmatig heen te gaan. Hij liep rond en nam berouwvol de schade op. De rozen waren het eerst doodgegaan. Hij was niet op tijd begonnen met sproeien. De appel- en pruimenbomen leefden nog en waren overdekt met vruchten, maar ze waren niet tot volle ontwikkeling gekomen en vol wormen nu niemand ze verzorgde. De meeste bloemen waren doodgegaan, maar één ding had hij kunnen redden. Hij draaide de slang open en ging naar de Balsem van Gileadboom. Hij had hem zelf aan hen gegeven als huwelijksgeschenk en hij wilde hem niet opgeven, al deden zij het wel. Hij had elk jaar gebloeid, of ze er nu waren om het te zien of niet, en hem elke lente beloond met zijn prikkelende, aromatische geur als hij kwam om te wieden of te sproeien. Het was hem een troost te weten dat de bladeren en de bast genezing bevatten. Hij had hem altijd als een hoopvolle boom beschouwd, alledaags, maar nuttig op zijn eigen nederige manier. Een herinnering dat je de dingen niet aan de buitenkant kunt beoordelen. Dat er meer mogelijkheden waren dan je wist, redenen voor hoop, wat je er ook van dacht.

Hij stond rustig toe te kijken hoe de zon de oranje aarde diep koraal kleurde naarmate hij hoger rees en dacht aan Sam en Annie Ruth terwijl hij de slang op de voet van de boom richtte. Hij wist niet of het wel mocht. Er waren beperkende maatregelen, wist hij. Maar hij vroeg er niet naar en niemand had hem erop gewezen. Vorig jaar had hij het gras laten doodgaan en dit jaar begon het al van groen naar goud te verkleuren. Hij had de appel- en de pruimenbomen geen water gegeven, maar deze zou hij in leven houden. Het water vormde een stille, kalme vijver rond de wortels en Carl wist dat God iets in petto had. Wist dat Hij hen beiden niet zo ver had gebracht om ze nu te verlaten, en hij vroeg God of hij iets kon doen om te helpen. Hij kreeg geen antwoord. Soms liet God hem een poosje wachten. Nou ja, op het juiste moment zou hij het wel weten, maar hij had het gevoel dat hij een rol moest spelen, al wist hij nog niet welke. Hij legde de slang neer en draaide de kraan stevig dicht om te zorgen dat hij niet kon lekken, toen rolde hij de slang op en hing hem op zijn plaats. Hij veegde de aarde van zijn handen en reed naar het Waffle House. Zijn biefstuk en eieren wachtten hem.

19

Het eerste wat Annie hoorde toen ze wakker werd, was het blaffen van een hond. Daarna het verwoede tjirpen van de spreeuwen in de boom voor het raam. Diane had haar haar oude kamer gegeven. Hij was natuurlijk opgeknapt en antiek ingericht. Annie moest Diane nageven dat het mooi geworden was. Op het bed lag een witte chenille sprei, de gordijnen waren transparant en bolden nu lichtjes in de wind. Het was weer een zonnige, warme dag, een hele verandering van wat ze gewend was. Annie stond op, ritste haar koffer open en haalde haar kleren eruit. Ze douchte kort met het oog op de droogte, kleedde zich aan en ging naar beneden.

Diane was al weg. Annie ging naar de veranda en zag haar in het hooiveld. Ze overwoog waarschijnlijk hoe ze het voer voor de komende winter kon redden. Ze vroeg zich af hoe papa en Diane er financieel voorstonden. Het zou haar niets verbazen als ze het ondanks de schijnbare welvaart niet breed hadden. Het was niets voor papa om te sparen. Diane was de zuinige in huis, maar toch moest de uitbouw van het huis een hoop geld gekost hebben. Ze hadden een atelier gebouwd voor Diane's spinnewielen en weefgetouwen, en een ruimte voor papa's praktijk. En boeren was vooral als hobby duur. Voegde je daar de droogte bij, dan leverde dat beslist negatieve cijfers op. Schapen waren in geen geval een lucratieve investering en als je voer voor ze moest kopen omdat er niet voldoende was, werden ze al vlug een dure liefhebberij. Annie ging weer naar binnen en schonk zich een kop koffie in. Ze ging op zoek naar cornflakes, maar vond er geen. Ten slotte at ze haar vaders onaangeroerde muesli maar op. Dat bespaarde hem misschien een standje van Diane. Ze glimlachte toen ze aan haar vader dacht, maar werd weer ernstig toen ze bedacht waarvoor ze hier gekomen was.

Het was moeilijk te bevatten dat ze hier was. Terug in North Carolina, op een steenworp afstand van Sam. Het gaf haar een raar gevoel te weten dat hij zo dichtbij was. Wat zou hij zeggen als ze hem weer zag? Wat zou hij doen?

Ze kon besluiten hem helemaal niet te zien. Terug te gaan naar Seattle, de truck op te halen en naar Los Angeles te rijden, zoals ze van plan was geweest. Het aan de advocaten overlaten de gesprekken te voeren en hem te laten weten dat ze alleen maar was geweest om het huis leeg te ruimen en haar spullen te laten versturen. Zodat hij vrij was om te nemen wat hij wilde. Het was een aantrekkelijke optie en ze overwoog hem serieus.

Ze schudde haar hoofd, sloot haar ogen en zette zich schrap voor de taken die haar wachtten. Ze zou ze uitvoeren. Snel en resoluut. Ze zou ze in een dag afhandelen zodat ze nog een dag had om bij papa en Diane te zijn, dan terugkeren naar Seattle en haar leven weer oppakken.

Vanmorgen ging ze naar het huis. Ze zou Mary bellen en een bezoek afspreken. Ze moest Ricky en Laurie ook zien, want waren zij niet als broer en zus voor haar geweest? En ten slotte moest ze naar Sam vragen. Verder kon ze niet gaan en opnieuw was ze enorm dankbaar dat hij veilig in Knoxville zijn beroep uitoefende.

Ze ging naar de woonkamer, zette de televisie aan en keek een paar minuten naar CNN, maar er werd geen woord gezegd over Kelly Bright. Ze vond de krant, de eerste twee katernen lagen uitgespreid. Vlug nam ze ze door en vond een artikel. Geen verandering. Kelly's tweede dag zonder voedsel en water. De president had op actie aangedrongen. Vandaag zou de gouverneur van Tennessee met juristen praten. Er werd verwacht dat er een wetsvoorstel werd aangenomen. Er bestond een grote kans dat de voedingssonde werd teruggeplaatst en Annie wist niet wat ze daarvan moest vinden. Ze ging zitten met de krant in haar hand en bekeek de foto van het kleine meisje die genomen was voordat ze de verminkte patiënte was geworden in het middelpunt van de discussie van dit moment.

Ze stond zichzelf niet toe aan die dag te denken. Ze had hem verbannen naar de afgesloten kelder van haar herinnering, maar er begonnen stukken te ontsnappen, wat gisteren ook al was gebeurd. Ze herinnerde zich het ontbijt van die ochtend. Een zaterdagmorgen in juli en Sam was thuis geweest. Een gebeurtenis die zeldzaam was geworden sinds hij de positie in het kinderziekenhuis had aangenomen.

'Ik blijf vanmorgen ook thuis,' had ze gezegd. 'Dan zijn we de hele dag samen. Dat interview kan ik maandag wel doen.' Ze had net de baan bij de *Asheville Tribune*, en eerlijk gezegd had ze er bepaald gemengde gevoelens over, al was het parttime en kon ze vaak thuis werken.

'Ga jij je interview maar doen,' had hij gezegd. 'Als je terugkomt, ben ik er ook nog. Trouwens, dan kan ik ook eens een beetje vaderen.'

Dus ze had ermee ingestemd. Ze was vertrokken naar Ebbots Cove om een man te interviewen die emoes fokte. Ze had foto's genomen van die eigenaardige struisvogelachtige vogels en domme vragen gesteld. Haar mobiele telefoon was op de voorbank van haar auto blijven liggen. Ze had niets geweten van het telefoontje dat was gekomen zodra ze vertrokken was. Er moest een operatie worden uitgevoerd. Nu. Een klein kind dat Kelly Bright heette, maar zo hadden ze haar natuurlijk niet genoemd. Ze noemden haar een aortadissectie en natuurlijk was Sam gegaan, hij had zijn moeder gebeld om voor zijn kind te zorgen. Annie had nooit op details aangedrongen, niet na haar gekwelde beschuldiging. Maar ze kon het zich in gedachten voorstellen. Hoe Sam de vriendelijke Mary belde. Mama, wil je op Margaret passen? Natuurlijk, had Mary gezegd. Natuurlijk. Breng haar maar. En tegen de tijd dat Annie in het ziekenhuis was aangekomen, opgespoord door haar redacteur in eigen persoon, was het allemaal al voorbij. Zo adembenemend snel en dat maakte het allemaal zo moeilijk te geloven. Het was of haar hele leven had afgehangen van het juiste antwoord op een vraag, één vraag op een levenslange studie. En ze had het mis gehad. Ze hadden het allemaal mis gehad. Zijzelf. Sam. Mary. Ze hadden allemaal fout geantwoord en het vonnis tegen hen was geveld met genadeloze snelheid en doelmatigheid. 's Morgens waren ze moeder, vader, oma geweest. Tegen de middag niet meer.

Het had dagen geduurd voordat ze het verhaal van Kelly Bright te weten was gekomen. Uiteindelijk had Ricky het haar verteld. Ze herinnerde zich nog zijn aarzeling, zijn ogen vol verdriet, zijn ernstige rust, zo anders dan zijn gewone gedrag. Het had hem diep geraakt, het verlies van zijn nichtje. Het had de familie een slag toegebracht, als een vernietigende wind door de gemeenschap gewaaid, en opnieuw dacht ze aan Job. Aan de wervelwind die zijn leven met de grond gelijk had gemaakt.

'Annie, de dag dat Margaret stierf... de operatie die Sam deed...'

Ze keek hem aan, niet bevattend, niet in staat te begrijpen waarom hij dat onderwerp aansneed. Waarom hij haar op de dag dat ze haar dochter begroeven, lastigviel met het droevige verhaal over andermans kind.

'Er was een probleem.'

'Jammer,' had ze eenvoudig gezegd. Want die dingen gebeuren, toch? En het viel haar nu in hoe wreed dat was geweest, hoe egoïstisch. Kwaad en dood konden een kind raken en dat was betreurenswaardig, maar zo was het leven. Maar als *mijn* kind werd geraakt, werd het een onuitsprekelijke tragedie. 'Is het kind gestorven?' had ze eindelijk het fatsoen gehad te vragen.

'Nee,' zei Ricky. 'Ze ligt in coma.'

'Jammer,' had ze nog eens gezegd, maar ze had de draagwijdte niet bevat. Want die dingen gebeurden nu eenmaal. Niet vaak, maar ze gebeurden. Die kinderen waren in eerste instantie al ziek.

'Het was Sams schuld, Annie. Hij heeft een fout gemaakt. Een rampzalige fout. Het had niet mogen gebeuren. Ik vond dat je het moest weten.'

Arme Sam, had ze in haar onwetendheid gedacht. Arme Sam, om een fout te maken en dan te ontdekken dat zijn dochter was gestorven, en haar hart had zich met verdriet en liefde naar hem uitgestrekt.

'Hoe dan? Wat is er gebeurd?' had ze Ricky gevraagd.

'Ik weet het niet precies,' had hij geantwoord. 'Izzy zei alleen dat ze geprobeerd hadden hem ervan af te houden de operatie uit te voeren nadat het nieuws over Margaret kwam, maar hij had erop gestáán. Het moet de schok zijn geweest,' voegde hij eraan toe, maar dat was alles wat Annie had gehoord voordat de koude, harde bitterheid in haar was opgeweld. Eén woord had die wortel laten schieten. *Nadat*. *Nadat* hij het nieuws over Margaret had gehoord, had hij besloten andermans kind te opereren. Nadat hij wist dat zijn moeder en zijn vrouw alleen waren met de onbeschrijflijke ramp die hen was overkomen, had hij besloten te blijven om iemand anders te helpen. Op dat moment had ze geweten dat hij zijn liefde voor haar was kwijtgeraakt. *Als* hij die al ooit gevoeld had. Weer voelde ze de diepe droefheid als ze dacht aan dat kind en hoe het allemaal gelopen was.

Ze pakte haar tas en ging naar haar auto. Ze krabbelde een

briefje aan Diane en liet het achter op het spinnewiel. Ze volgde de weg, haar handen en voeten herinnerden zich de route zonder hulp van haar verstand. Algauw was ze er. Ze maakte de bocht, volgde de lange oprijlaan en parkeerde. Achter het huis, waar niemand haar zou zien. Waar haar aanwezigheid geen gezelschap of opmerkingen zou uitlokken.

Het oude huis stond nog overeind. Ze stapte uit de auto en liep er één keer helemaal omheen. Het had jaren gekost om het op te knappen en aanmerkelijk minder tijd om het weer tot verval te brengen. Toch was het bekend en dierbaar, en ze streek met haar hand langs het verweerde hout terwijl ze het verandatrapje op klom. Het kwaken van de boomkikkers klonk vertrouwd. Ze trok de hordeur open die met een scherp geluid meegaf.

Ze rommelde in haar tas en haalde de sleutel tevoorschijn, die er na al die jaren buiten gebruik nog steeds in zat. Ze stak hem in het slot en de deur ging onder kreunend protest open. Ze bleef even staan om haar ogen aan het donker te laten wennen en het eerste wat ze zich herinnerde was de geur, die als een oude vriend opstond om haar te komen begroeten. Het was dezelfde geur die naar buiten dreef als ze een antiekwinkel binnenging, het aroma van de oude dingen die ze hier had neergezet en bewaard omdat ze haar deden denken aan mensen van wie ze hield, aan plaatsen en dingen die er niet meer waren. Ze verroerde zich niet, bleef vastgenageld staan op het plekje bij de deur en keek om zich heen. Het was er allemaal nog, precies zoals ze het achtergelaten had. Ergens had ze verwacht dat Sam de dingen een beetje verplaatst had, dat hij hier had gewoond nadat ze vertrokken was. Maar dat was niet zo. Hij moest meteen na haar vertrokken zijn, want alles stond precies zoals het had gestaan op de dag dat ze wegging.

Daar stond die oude bruine hobbelige bank van Mary, die had beweerd dat ze zich schaamde om hem door Sam en

Annie te laten gebruiken. Hij lag nog steeds vol met kranten en ongeopende post. Ze liep erheen en zag vergeelde reclamefolders. De reusachtige oude gestoffeerde stoel en de prachtige antieke tafel waarvan Mary beslist had gewild dat ze hem nam, stonden zoals ze ze had laten staan. Ze waren van oma Truelove geweest. De foto's hingen nog boven de schoorsteenmantel. Sam en zij in hun bruiloftskleding. Zij keek een beetje bang. Hij keek naar haar, zijn ogen en gezicht gloeiden, vol van liefde en vertrouwen. Daarnaast stond een foto van hen drieën. Margaret op Sams schoot genesteld. O, wat had ze veel gehouden van haar papa en Annie besefte pas dat ze huilde toen ze de tranen op haar wangen voelde. Ze veegde ze weg met haar handpalm.

Langzaam liep ze door de kamer, haar ogen namen alles in één oogopslag op. De versleten eiken eettafel, waarop een paar enveloppen verspreid lagen naast een verfrommelde servet. Die had ze die ochtend gebruikt om haar ogen af te vegen, herinnerde ze zich, en ze stak er nu weer haar hand naar uit. De porseleinkast met de ronde voorkant stond nog vol porselein van haar moeder. De oude lithografen hingen nog aan de muur, het bloemetjesbehang dat ze de dag voordat Margaret stierf, had opgehangen. De helft van de muur was gedaan, de helft kaal, op het tapijt lagen twee rollen. De woonkamer was precies zoals ze hem had achtergelaten. Eén muur bedekt met boeken, mahoniehouten tafels met de porseleinen lampen die ze in de garageverkoop in Valdosta had gevonden, het Perzische tapijt uit de antiekwinkel in Savannah, de reproductie van Maxfield Parrish, de schommelstoel.

De kamer was nu leeg, maar o, zo vol herinneringen. Ze gluurden om de hoeken, glimlachten tegen haar vanaf de foto's aan de muren. Ze zaten verstopt in alle hoeken en gaten. Daar was de tafel waaraan gelach geklonken had. De tuin waarin ze elkaar hadden nagezeten en gespeeld. Daar

212

was de foto van Margaret in de kartonnen doos onder de appelbomen die Sam had genomen, op de achtergrond was een been te zien van Annie die fruit aan het plukken was.

Ze liep naar het raam en keek naar buiten. De reusachtige tuin die ze elk jaar had verzorgd, was verstikt met hoog gras en onkruid, de grond eromheen was droog en gebarsten. De schapenweide was leeg, maar ze wist nu wat Sam met haar kleine kudde gedaan had. De tuin was een troep, het gras was verstikt door onkruid en wilde bloemen. Alleen de Balsem van Gileadboom was onaangetast, hij stond er groen en fris bij. Over dat simpele feit moest ze even nadenken. Jaar na jaar, terwijl Sam weg was geweest om te doen wat hij deed, net zoals zij zich in Seattle had verstopt, had hij hier gestaan, groeiend met zijn wortels vast in de grond. Ze hadden hem op hun trouwdag van papa gekregen, het was een stek van de zijne. Die rare boom. Hij bloeide maar, te dom om te weten dat hij dood moest gaan.

Ze keek naar buiten naar de schuur en een ogenblik was het bijna of ze Sam kon zien die planken op hun plaats timmerde. Dit oude huis was zijn liefdeswerk voor haar geweest. Hij had het voor haar gekocht en elk kostbaar vrij ogenblik gebruikt om het op te knappen. Ze zag zijn donkere hoofd bijna voor zich, zijn zongebruinde armen.

Ze ging naar de grote slaapkamer en daar hingen al haar kleren nog in de kast. De gehate zwarte jurk die ze bij de begrafenis had gedragen was levenloos op de vloer van de kast gezakt, de zwarte pumps lagen er gevallen naast. Het bed was opgemaakt, zoals ze het achtergelaten had, maar verkreukt, alsof iemand boven op de sprei gelegen had. Ze opende de kast aan Sams kant. Zijn kostuums waren weg. Al het andere was er nog. Zijn vrijetijdskleding. Spijkerbroeken, pantalons, werkoverhemden en laarzen. Ze sloot de deur. De deur naar de andere slaapkamer deed ze niet open. Ze herinnerde zich dat ze hem op de dag van Margarets dood dicht had gedaan. Sindsdien had ze hem niet meer geopend. Ze ging naar de keuken.

Niets was hier veranderd, behalve de roestplekken in de gootsteen vanwege een lekkend leertje dat nog steeds drupte. Ze vroeg zich af hoeveel liter water er verspild was in deze droge, dorre plaats, en ondertussen drupte het maar door, een langzame metronoom voor haar gedachten. De kleurige gordijnen zagen er stoffig uit. Ze schudde eraan en duizenden stofdeeltjes wervelden eruit. Ze keerde zich af. De deur van de koelkast stond op een kier, de oude van Mary die ze geërfd had. Ze gluurde erin. Hij was leeg en ze vroeg zich af wie hem had uitgeruimd. Laurie of Mary of Diane waarschijnlijk, en even voelde ze een steek van schuld. Haar vertrek had anderen beïnvloed, besefte ze, en voor het eerst drong dat ene kleine besef tot haar door.

Ze streek met haar hand over het gladde glazuur van het fornuis, het dinosaurusfornuis, zoals Sam het had genoemd. Ze keek naar beneden en daar lag het lappenkleedje dat Sams tante Valda had gemaakt en haar gegeven had op haar vrijgezellenfeest. Ze herinnerde zich dat feest. Het was in de kerk. Er was ham geweest en aardappelsalade en er mochten geen mannen komen. Wat hadden die vrouwen gevonden van haar vertrek? Wat hadden ze te horen gekregen? Hadden ze haar gemist? Had het ze gekwetst dat ze was weggegaan zonder een woord? En voor het eerst herinnerde ze zich hun namen en gezichten.

Ze keek naar het rek met bekers boven de gootsteen, Sams favoriete oude, geschilferde, blauwe beker hing er nog. De kan koffie precies waar ze hem die ochtend had laten staan. Ze had altijd koffie en ontbijt voor hem klaargemaakt voordat hij naar zijn werk ging, tot die laatste dagen dat hij nooit thuis was. Ze was hier altijd alleen geweest met de schaduwen en het verdriet.

Het was passend, vond ze, dat hij haar hier zou vinden. Ze

214

hoorde een licht geluid en draaide zich om. Daar stond hij.

Ze staarde naar hem, liet haar ogen over hem heen glij-den, zonder helemaal te geloven dat het waar was. Maar het was waar. Het was Sam. Daar stond hij, met zijn handen in zijn zakken. Zijn gezicht stond ernstig. Zijn haar was nog steeds dik en uit zijn gezicht weggekamd. Zijn gezichtsuit-drukking was donker. Helemaal wat ze verwacht had, behal-ve toen ze hem in de ogen keek. Die waren niet hard en afstandelijk, zoals ze gedacht had, maar zacht en vol pijn. 'Hallo, Annie Ruth,' zei hij. 'Ik wist wel dat we elkaar eens zouden weerzien.'

'Hallo, Sam,' antwoordde ze en ineens leek het alsof er helemaal geen tijd voorbijgegaan was.

★

Op de een of andere manier had hij zich voorgesteld dat ze veranderd was. Haar haren had afgeknipt misschien. Iemand geworden was die hij niet kende. Misschien had hij daar zelfs wel op gehoopt. Dan zou hij niet dat rauwe gevoel in zijn borst hebben gehad van twee gebroken randen die tegen elkaar schuurden. Ze droeg een eenvoudige blauwe jurk. Haar mooie haar viel over haar schouders. Haar ogen waren groot als theeschoteltjes en haar wangen bloosden roze, zodat de gouden sproeten erin opgingen.

Geen van beiden sprak onmiddellijk, maar zijn hoofd tolde. Was ze van gedachten veranderd? Was ze teruggeko-men om hem dat te vertellen? Even rees de hoop in hem op, maar toen ze sprak werd die de bodem in geslagen.

'Ik ben gekomen om het huis leeg te ruimen,' zei ze en ze bloosde nog dieper.

'O.'

'Heeft iemand je verteld dat ik hier was?' vroeg ze. 'Ben je daarom gekomen?'

Hij schudde zijn hoofd. 'Ik kwam voor hetzelfde als jij. Mijn spullen weghalen en het huis te koop zetten.'

'O.' Klonk er teleurstelling in haar stem of alleen onverschilligheid?

'Wanneer ben je aangekomen?' vroeg hij na een ogenblik.

'Gistermiddag. En jij?'

'Ook.' Ze wendden hun blik af en er viel een pijnlijke stilte.

'Sam,' zei ze ten slotte.

Hij keerde zich naar haar toe en het was dwaas, maar zelfs toen nog hoopte hij dat ze het allemaal terug zou nemen. Zou zeggen: 'Laat die papieren maar zitten. Ik was boos. Nu ik hier ben, zie ik natuurlijk ook wel in dat het allemaal een vergissing is geweest.' Wat zou hij dan doen? Zou hij haar in zijn armen nemen en haar kussen? Zou dat alles goed maken? Ineens zag hij in hoe dwaas hij was. Er stond te veel tussen hen in en ineens leek het onoverkomelijk. Hij had geen idee hoe hij het moest overbruggen.

'Sam, ik vind het heel erg van Kelly Bright,' zei ze zachtjes, eindelijk de woorden vindend die ze gezocht had. Dus ze had niet op het punt gestaan alles terug te nemen.

'Ik ook,' antwoordde hij. Misschien iets botter dan hij bedoeld had. Maar wat viel er nog meer te zeggen? Hij voelde hoe die bekende hopeloze uitputting hem bij de keel greep.

Ze sloeg haar armen over elkaar en keek van hem weg, en toen ze sprak, hoorde hij geen tederheid meer in haar stem. 'Wil je alles wat hier staat bewaren?' vroeg ze plompverloren.

Op dat moment voelde hij een vlaag van woede. Die woorden raakten hem als een stormram en hij zag zichzelf ieder jaar zitten wachten in dat stomme restaurant, zo'n zielige dwaas dat zelfs oude vrouwen medelijden met hem kregen. Hij keek hoe ze daar stond. Hij had niet gedacht haar ooit terug te zien. Niet sinds haar zakelijke briefje. Haar gerechtelijke documenten. En hij besefte hoe dom hij was geweest om te denken dat er nog hoop was. Tenslotte waren ze geen Sam en Annie meer, maar Eiseres en Gedaagde. Hij was boos dat ze gekomen was. Had haar vader deze laatste begrafenis niet kunnen regelen? Had ze niet iemand kunnen betalen om het puin van hun leven op te ruimen? Waarom was ze gekomen? Om hem te kwellen? Om hem te zien in zijn ellende?

'Wat doe je hier, Annie?' Het was zijn eigen stem, al verraste het hem bijna hem te horen. Hij had die woorden niet willen uitspreken. De woorden verschenen gewoon, tot zijn eigen verbazing. Ze klonken niet speciaal boos, maar dof en monotoon, alsof haar antwoord hem nauwelijks interesseerde.

Haar gezicht werd hard. 'Ik heb het volste recht om hier te zijn.'

'Zegt je *advocaat* dat soms?' snauwde hij en zijn onverschilligheid was in hoon veranderd.

Ze bloosde tot in haar haarwortels. Ze gaf geen antwoord. Haar mond werd een strakke streep.

'Ben je gekomen om zout in de wond te strooien?' vroeg hij scherp. 'Misschien wilde je hier zijn om te zien hoe je ex-echtgenoot zijn ondergang incasseert. Welkom!' Hij breidde zijn armen uit en maakte een weids gebaar. 'Ga zitten. De show begint net.'

'Ik ben niet gekomen om jouw ondergang te zien.'

'O, waarom dan?'

Haar verdediging wankelde een ogenblik. 'Ik las in de krant...'

'Dus je bent gekomen om me uit de nood te helpen?' Hij moest ophouden, wist hij, maar de woede en de pijn stroomden uit zijn mond.

Ze keek weer boos. 'Ik had beter moeten weten.'

'Ach, kom op, Annie. Als het je iets kon schelen, was je in de afgelopen vijf jaar wel een keer gekomen. Misschien had je moeten komen toen je het beloofd had.'

'Hoe durf jij tegen mij iets te zeggen over beloftes.' Haar stem werd hard en scherp. 'Jij was degene die *jouw* belofte verbrak. Je beloofde dat we samen een leven gingen opbouwen. Jij was degene die me hier alleen liet zitten omdat je naam wilde maken. Je wilde beroemd zijn. Weet je hoeveel avonden ik op je heb zitten wachten?'

Hij schudde vol walging zijn hoofd. Hoe vaak hadden ze dit gesprek al gevoerd? Dat is de aard van het werk, Annie, had hij talloze keren gezegd. Dat kun je niet met mate doen. Je bent er of je bent er niet. Heet of koud. Aan of uit. Binnen of buiten.

'Je werk was altijd het belangrijkste,' vervolgde ze bitter.

'Dus je berijdt nog steeds je overleden stokpaard,' zei hij, en dat maakte haar nog bozer.

Ze zei niets, maar haar gezicht werd donker en bitter en hij voelde zich aangevallen alsof ze hem beschuldigingen naar zijn hoofd had geslingerd.

'Ga je gang,' zei hij sarcastisch. 'Waarom zeg je niet waarom je me werkelijk haat? Je bent kwaad omdat ik die dag naar mijn werk ging en je vindt dat het mijn schuld is dat Margaret is gestorven. Dat weet ik. Je kunt liegen, maar ik weet dat je mij de schuld geeft.'

Ze zei niets. Ze ontkende, noch bevestigde het. Haar zwijgen stak hem even diep als woorden gedaan zouden hebben.

'Het was een ongeluk, Annie. Het was niemands schuld. Het had jou ook kunnen overkomen. Geef God de schuld als je wilt, maar ik heb onze dochter niet gedood. Ik hield van Margaret en ik hield van jou.'

'Je hield niet van me,' beet ze terug toen hij nauwelijks uitgesproken was. 'Als je van me gehouden had, was je nader-

218

hand bij me gebleven. Je zou met me gepraat hebben. Weet je hoeveel avonden ik naar dat steenachtige masker heb gekeken – hetzelfde dat je nu nog op je gezicht draagt – en gewacht heb tot je ging praten? Iets zou zeggen? Wat dan ook? Maar dat deed je nooit. Je liet me hier in stilte zitten en je liet me hier alleen en uiteindelijk heb ik je verlaten, maar ik maakte alleen werkelijkheid wat jij al gedaan had.'

'O. Nu snap ik het. Dus daar ben jij nu mee bezig, Annie?' vroeg hij. 'Je maakt het *werkelijkheid*? Je maakt de dingen *werkelijk*?'

'Je hebt keuzes gemaakt, Sam. Geef mij de schuld niet.'

'Ik heb keuzes gemaakt. Aha. Nu begrijp ik het. Je vindt zeker dat ik nu mijn verdiende loon krijg, hè,' suggereerde hij ten slotte rustig. 'Misschien laat God me wel boeten. Misschien oogst ik wat ik gezaaid heb.'

Ze schudde haar hoofd, maar gaf geen antwoord. Ze liep langs hem heen de deur uit. Hij bleef staan zonder zich om te draaien, tot lang nadat hij haar auto had horen wegrijden.

★

Ze beefde. Ze reed een eindje en stopte toen langs de kant van de weg om te wachten tot haar hartslag weer normaal werd en haar maag ophield met draaien. Ze wilde niet terug naar het huis van haar vader. Ze had een appeltje met hem te schillen, want hij had vast en zeker geweten, net als de rest van Gilead Springs, dat Sam terug was. Maar ze wilde hem nu niet zien. Ze wilde Laurie en Ricky niet zien. Ze wilde Mary niet zien en niemand anders die ze kende. Ze startte de auto weer en reed naar het oosten, met een lange rookpluim in haar kielzog. Zonder stoppen of nadenken reed ze naar Asheville. Ze vond een verhuisbedrijf en vulde de kofferbak en de achterbank van de huurauto met opgevouwen dozen en breed plakband. Het was bijna één uur toen ze de auto omdraaide om weer naar Gilead Springs te rijden. Ze hoopte vurig dat hij alles had laten staan zoals het stond. Ze had hem zich liever herinnerd met een laatste spoor van liefde dan deze bittere, koude herinnering. Vol angst reed ze naar Gilead Springs terug.

Ze passeerde het bord voor de korte wandeling naar Silver Falls en op dat moment dacht ze aan de plaat, die prachtige prent van Jezus met het mooie handschrift op de achterkant, die nog steeds in vloeipapier verpakt in haar reistas zat. *Annie Johnson-Wright*, stond erop, *Silver Falls, North Carolina.* En zij had behoefte aan uitstel. Ze draaide om en reed de stad in. Bij het bezoekerscentrum stopte ze, stapte uit en ging naar binnen. Het was een grote, lege ruimte, langs de muren stonden glazen vitrines met oude foto's en artikelen uit de geschiedenis.

'Kan ik u helpen?' Het was een jonge vrouw, blond, met modieus stekelhaar, en Annie was verrast. Ze had verwacht dat een suppoost oud was, lid van de blauwharige oudewijvenbrigade, zoals Laurie en zij de matrones van Gilead Springs hadden genoemd.

'Ik heb een plaat gevonden in een antiekzaak,' zei ze. 'Er staat Annie Johnson-Wright op, 1920, Silver Falls. Heeft u enig idee hoe ik te weten kan komen wie de eigenaar is?'

'We houden geen genealogische gegevens bij,' zei ze opgewekt. 'Misschien kan juffrouw Harrison van het Historisch Genootschap u helpen. Dat zit recht tegenover ons op het plein in dat oude Victoriaanse huis achter het gerechtsgebouw.'

Annie bedankte haar en liep weer naar buiten. Bij het Historisch Genootschap, dat duidelijk een dubbelfunctie had als het huis van juffrouw Harrison, ging ze zitten en onderzocht de omgeving terwijl juffrouw Harrison verrassend genoeg enkele gegevensbestanden op internet raadpleegde op zoek naar genealogische informatie.

'Er zijn verscheidene takken van de familie over,' kondigde ze ten slotte aan. 'Je hebt Charles Johnson, die de kleinzoon was. Hij woonde vroeger op Millard Street, maar ik geloof dat hij nu in een verpleeghuis in Bryson City zit. Er staan twee achterkleindochters in het databestand. Een in Virginia en een in South Carolina. De enige die hier woont, zou mevrouw Rogers kunnen zijn aan de Pigeon Creek Road. Ik geloof dat ze op een of andere manier familie is, maar ik ben bang dat ik geen tijd heb om dat nu meteen uit te zoeken. Ik moet weg naar een andere afspraak. Ik kan u wijzen hoe u er komt, als u wilt,' bood ze aan.

'Hartelijk bedankt,' zei Annie.

Juffrouw Harrison schreef iets op een stukje papier, stak het Annie toe, pakte haar tasje en met z'n tweeën liepen ze naar de deur.

'U heeft zeker niet toevallig haar telefoonnummer?' vroeg Annie toen mevrouw Harrison in haar auto stapte.

'O, u hoeft niet te bellen, hoor,' antwoordde ze.

Daar was Annie niet zo zeker van, maar juffrouw Harrison was al weg. Annie zwaaide naar haar, stapte in haar eigen auto en keek op haar horloge. Het was bijna drie uur. Ze kon teruggaan naar Gilead Springs en beginnen haar verleden in te pakken, maar ze kon ook eerst bij mevrouw Rogers langsgaan.

Ze had niet veel tijd nodig om een besluit te nemen. Ze ging op weg en volgde de aanwijzingen van juffrouw Harrison. Toen ze haar bestemming zag, begreep ze waarom juffrouw Harrison zo zeker had geweten dat ze haar bezoek niet hoefde aan te kondigen. Ze grinnikte en reed het grindpad op. Zoiets had je niet in Seattle of Los Angeles, daar was ze zeker van.

Het was een kleine, landelijke winkel, een wit houten doosje. *Handelsonderneming Rogers*, stond er op het bord. Er was één benzinepomp, met een roestig geel *Pennzoil* bord ernaast. Een bank naast een bak viooltjes. De houten deur stond open. Aan de hordeur hing aan een spijker een bordje met *Open*. Het gras in de zijtuin was welig en groen ondanks de droogte, overschaduwd door verscheidene grote eiken.

Annie parkeerde de auto, stapte uit en liep naar de winkel. Toen ze de hordeur opende, rinkelde de bel terwijl de veren piepten. Ze keek om zich heen en knipperde met haar ogen, wist niet waar ze het eerst moest kijken. Ze wist niet wanneer ze zo veel voorwerpen op elkaar gepropt in zo'n kleine ruimte had gezien. En die geuren! Ze deed haar ogen dicht om ze op te snuiven. Daar was die oude geur weer, samen met houtrook en een overweldigend aroma van appels. Ze deed haar ogen open en zag ze – rood, geel en groen – voor zich staan in grote manden. Daarachter was een plank met hoog opgestapelde potten honing. Sommige potten waren helder en licht amberkleurig, anderen diep donkerbruin. In sommige dreef een raat, in andere niet. De volgende rijen bevatten jams en geleien in kleuren van edelstenen, rood en oranje, paarsachtig zwart, en lichtgeel. Ze draaide zich om en liet haar blik over de rest van de kleine ruimte glijden. Er waren planken en tafels, op elke centimeter stond iets. Blikken en dozen, cakes en taarten, een hele muur vol snoep, ingeblikte waren, een kleine koelvitrine en planken met alles van Marsrepen en gummiberen tot pepermuntstokken en een pot met hoestbonbons.

'Ik kom eraan!' riep een stem uit de ruimte achter de winkel. Door de deuropening zag Annie een fornuis en een keukentafel.

'Doe maar rustig aan,' riep ze terug en bleef om zich heen kijken.

Er was een uitstalling vliegenmeppers, een kartonnen houder met nageltangen waar er twee uit ontbraken, een verlichte vitrine met het profiel van een indiaan, maar vreemd genoeg vol kauwgum in plaats van pruimtabak. Een rode Pepsi-Cola koeler. Ze opende het deksel. Hij zat vol glazen flessen. Ze draaide zich om naar de plank met gebak. Een kokoscake verpakt in karton en cellofaan, broden versierd met rode en blauwe en gele spikkels. Er waren apothekerspotten vol zoutjes en augurken, macaroni en chocoladepinda's. Planken vol spijkerbroeken en overalls. Ze ging nog een deur door en gluurde naar binnen. Een ruimte vol zakken met veevoer en graan.

Ze liep naar de versleten kassa en wachtte, haar emoties werden heen en weer geslingerd in dit kruispunt van heden en verleden. Herinneringen staken hun tentakels naar haar uit en als ze zich los wilde maken, moest ze nu weggaan. Ze staarde naar het rek met chips naast de kassa en dacht aan zo'n zelfde rek waar ze naast had gestaan aan het meer in Gilead Springs. Ze kon het natte haar in haar nek bijna voelen, de warme lucht en de vochtigheid van haar badpak terwijl ze in de rij stond om snoep te kopen.

'Sorry, hoor. Ik haalde net mijn maïsbrood uit de oven. 's Middags krijg ik altijd een beetje trek.'

Annie draaide zich om naar de stem en zag een heel oude vrouw, lang, mager, in een blauwe overhemdjurk en Nike tennisschoenen. Ze kwam door de deur van het woongedeelte. Ze had kort wit haar met pluizige krullen. Ze straalde van verrukking, alsof het zien van een onbekende het belangwekkendste was wat haar in weken was overkomen.

Annie glimlachte, en was terug in haar studietijd. Voor haar afstudeerproject had ze een documentaire gemaakt die opgebouwd was uit mondelinge verhalen van de bewoners van deze heuvels. Om de dag was ze er met haar bandrecorder en aantekenboek op uitgegaan om een of andere oude man of vrouw te interviewen in een hut of een verpleeghuis. O, wat praatten ze graag, en enkele minuten lang konden ze allebei vergeten dat ze in een verpleeghuis zaten en waren ze terug in het dal, wol spinnend naast een laag brandend vuurtje of wevend aan het getouw. Deze plek was een stukje historie op zichzelf. Ze vroeg zich af hoe lang het hier al stond en schatte sinds de jaren dertig.

'Kan ik u ergens mee helpen?' vroeg de vrouw.

'Mijn naam is Annie Dalton,' zei ze. 'Bent u mevrouw Rogers?'

'Levend en wel,' zei ze vrolijk en Annie moest lachen.

'Juffrouw Harrison van het Historisch Genootschap zei dat u misschien een paar vragen voor me zou kunnen beantwoorden.'

Mevrouw Rogers keek verbaasd maar knikte bereidwillig. 'Maar kan het even wachten?' vroeg ze. 'Mijn maïsbrood wordt koud.'

★

'Dank u wel. Dat was heerlijk.' Annie staarde neer op de resten van karnemelk en maïsbrood. Ze had zich niet willen opdringen, maar mevrouw Rogers had erop gestaan dat ze meeging naar de keuken, waar ze een gulle punt van het goudgele maïsbrood voor haar had afgesneden en een pak karnemelk uit de deur van een stokoude koelkast had gehaald. Annie dacht aan oma Mamie die haar hetzelfde had opgediend, de beste remedie voor een lege maag of een hart vol smart. Haar oma was een fijne oude vrouw geweest, sprankelend, pittig en diep gelovig.

Theresa was zelden meer bij oma wezen logeren nadat ze een jaar of twaalf was. Dat was voor Annie. Haar speciale uitstapjes. Mamie en zij sponnen en praatten en aten. O, Mamie had zulke lekkere hapjes voor het naar bed gaan. Koude gebakken kip of toast uit de oven met boter en ingemaakte perziken. Karnemelk en maïsbrood. Of het altijd aanwezige ijs. Dan gingen ze eten en praten en ten slotte bidden.

Ze dacht diep na tijdens die gebeden. Ze herinnerde zich weinig van haar opa, maar genoeg om te weten dat Mamies leven niet makkelijk was geweest. Ze waren arm en hij was driftig, prikkelbaar door de nooit eindigende spanning om eten op tafel te krijgen en kleren aan de lijven van hun kinderen.

Ze had veel avonden doorgebracht in Mamies achterslaapkamertje, waar ze in het piepende ledikant in Mamies oude, zwartleren Bijbel had liggen lezen en nummers van het zuidelijke-baptistentijdschrift, starend naar Mamies spullen op de commode: haar kam en borstel, haar ronde, draadstalen brilletje, haar haarspelden. Ze hoorde de honden blaffen in de verte en de eenzame fluit van de trein die langsreed.

Ze keek mevrouw Rogers' keuken rond en kon bijna Mamies lange gestalte zien die in de vormeloze nachtpon, haar dunne, grijze vlecht bungelend op haar rug, hun hapje stond klaar te maken. Op die ogenblikken werd er wijsheid uitgedeeld. Harde, zware brokken van geloof, goed om een onberekenbaar hart te sterken.

Ze herinnerde zich de veranda met de schommel ernaast, de rij schommelstoelen met lattenrug, en ze zag haar ooms luieren en haar oma die beslagen glazen ijsthee of kopjes dampende koffie uitdeelde, hoorde het geluid van vrouwenstemmen in de keuken, het gekletter van servies en bestek, rammelende pannen en de verrukkelijke geuren die haar stevig bonden aan deze plaats, aan deze mensen.

Ze had het maïsbrood van mevrouw Rogers gegeten met die herinneringen in haar hoofd en had niet veel tegenwerpingen gemaakt toen haar gastvrouw nog een heet stuk op haar bord legde. 'Dank u wel. Dat was het lekkerste maïsbrood dat ik in jaren gegeten heb,' verklaarde ze nu.

'Fijn, hoor,' zei mevrouw Rogers en Annie glimlachte.

'U vraagt zich natuurlijk af waarom een totaal onbekende voor uw deur stond.'

Mevrouw Rogers nam plaats op de keukenstoel, sloeg haar benen over elkaar en zwaaide met een voet. Ze had het uiterlijk van iemand die niet lang stil kan zitten. 'Ik wist dat je het me uiteindelijk wel zou vertellen.'

Annie glimlachte nogmaals en pakte haar tas. De prent zat erin, zorgvuldig verpakt in vloeipapier in een papieren zak. Ze pakte hem uit en stak hem mevrouw Rogers toe. Ze zag haar gezicht herkennend oplichten.

'Ach, dat was van mijn grootmoeder,' zei ze. 'Ik herinner me dat ik het als kind bij haar thuis heb gezien.'

Annie zonk de moed in de schoenen, want ze zou het moeten teruggeven. Daar had ze natuurlijk wel aan gedacht, maar ze had niet beseft hoe erg ze dat zou vinden.

'Ik vroeg me af wat er van haar spullen geworden was,' zei mevrouw Rogers.

'Dit is ver van huis gereisd. Ik vond het in een antiekwinkel in Los Angeles.'

Mevrouw Rogers keek haar verbijsterd aan, toen schudde ze haar hoofd en zwaaide weer zachtjes met haar voet. 'Wel heb je ooit.'

Annie knikte.

Mevrouw Rogers draaide het om en las wat er op de achterkant stond. Haar gezicht verzachtte. 'Ja, dat was ze. Grootmoeder was een godvrezende vrouw. Althans op het laatst, toen ze dit schreef.'

Annie ging rechtop zitten. 'Waarom zegt u op het laatst?' vroeg ze.

Mevrouw Rogers haalde haar schouders op. 'Ze heeft een hard leven gehad. Er is een tijdje overheen gegaan voordat ze zover was.' Ze knikte naar de tekst en Annie las het opnieuw. *Op aarde is geen verdriet dat de hemel niet kan helen. Annie Johnson-Wright. Silver Falls. North Carolina, 1920.*

'Heeft u tijd om me haar verhaal te vertellen?' vroeg ze.

Mevrouw Rogers dacht even na. 'Ik zou je een deel kunnen vertellen en een deel zou je met eigen ogen kunnen zien. Het is me gelukt wat spullen te redden van Imagene,' zei ze grimmig.

'Imagene?'

'Mijn dochter.' Haar mond werd een strakke lijn en ze schudde haar hoofd. 'Toen mijn moeder stierf, hebben Imagene en haar neven en nichten de touwtjes in handen genomen bij het leegruimen van het huis. Ze had koffers vol van deze oude dingen en ze hebben het meeste weggedaan.' Annie zag verdriet in haar ogen. 'Ze zeiden dat het niks waard was. Kun je je dat voorstellen?' vroeg ze Annie gekrenkt.

'Nee,' antwoordde Annie naar waarheid. Ze schudde haar hoofd. 'Dit prentje moet u natuurlijk houden,' bood ze hoffelijk aan. 'Het hoort van u te zijn.'

Mevrouw Rogers dacht even na en Annie zag het licht in haar ogen bij het vooruitzicht. Maar uiteindelijk schudde ze haar hoofd. 'Ik vind van niet,' zei ze, en gaf het terug. 'Ik denk dat jij degene bent die het moet hebben,' en toen Annie het aanpakte, voelde ze een rilling over haar rug lopen, want zo had ze het zelf ook gevoeld. Dat het door jaren en afstand heen had gereisd en dat het geen toeval was dat zij het in handen had gekregen.

'We hebben dezelfde naam,' verklaarde ze, alsof dat feit grote betekenis had. 'En ik kom uit Gilead Springs. Ik was toevallig in Los Angeles, en daar was het.' Ze vertelde het niet goed. Op geen enkele manier konden haar woorden dat besef van grote gewichtigheid overbrengen.

Mevrouw Rogers keek haar veelbetekenend aan. 'Nou, dat is ook toevallig.'

Annie keek zwijgend op de prent neer.

'Mijn grootmoeder was onderwijzeres in Cade's Cove tot ze trouwde,' zei mevrouw Rogers en Annies nieuwsgierigheid werd nog sterker geprikkeld.

Cade's Cove was een van de oudste nederzettingen in deze bergen. De eerste blanke mensen waren in 1820 gekomen. Het was een bloeiende gemeenschap geweest tot 1930, toen de regering het land had gekocht en de inwoners samen met vijfduizend mensen uit omringende gemeenschappen ergens anders had gevestigd, en het Great Smoky Mountains National Park had opgericht. Ze moest blij zijn dat ze verhuisd waren om de bossen te redden van de houtzagerijen, maar het deed haar verdriet dat zo veel mensen hun huizen en herinneringen waren kwijtgeraakt. Ze was er in het verleden geweest en was eigenaardig geroerd door de overblijfselen van hun leven.

'Heeft u daar ooit gewoond?' vroeg ze mevrouw Rogers.

'Jazeker. Mijn vader had daar een stuk land tot 1940.'

'Ik dacht dat het Park in 1934 was opgericht.'

'Dat klopt.' Mevrouw Rogers glimlachte. 'Papa moest er niets van hebben dat de regering hem zijn land afnam. Hij was de kantonrechter in de Cove en hij keurde het af. Hij bestreed het. Ging naar Asheville en nam een advocaat in de arm. Hij gaf bijna zijn laatste cent uit en hij hield stand zolang hij kon. Uiteindelijk had hij geen geld meer. Hij verkocht het land aan de regering en met het weinige wat ze hem betaalden, kocht hij deze winkel.'

'Wat onrechtvaardig,' zei Annie.

'Inderdaad,' beaamde mevrouw Rogers. 'Maar het moest zo wezen.' Ze stond op en verdween en Annie nam de tijd om rond te kijken, haar belangstelling te bevredigen zonder de grens te overschrijden van nieuwsgierig naar bemoeiziek.

De keuken was een mengeling van oud en nieuw. Er stonden een koffiezetapparaat en een elektrische mixer op het oude buffet en een nieuw elektrisch fornuis stond naast een gietijzeren kachel en een even stokoude koelkast. Op de vloer lag oud groen linoleum met rode rozen. Het bloempatroon was versleten, er waren spijkerkoppen zichtbaar van de vloerplanken eronder. De gordijnen waren rood en gesteven. Het tafelblad waaraan ze zat, was bedekt met een gebloemd zeil en er lag een keramisch brood op dat naar Annie wist Schriftverzen zou bevatten op kleine vierkantjes van karton. Alles voelde vriendelijk en warm aan, en ze nestelde zich in haar stoel, voor het eerst in dagen ontspannen.

Mevrouw Rogers dook weer op uit de slaapkamer. Ze droeg een kleine kartonnen doos en ze zette hem op de grond naast Annies voeten. Annie keek toe hoe ze er een in leer gebonden boek uithaalde waarvan sommige bladzijden loszaten, en het op tafel legde.

Ze sloeg het open en er viel een vergeeld krantenknipsel uit. Annie raapte het van de grond en las de kop voordat ze het teruggaf.

Broers omgekomen door val in ijskoude vijver,' stond er, *Asheville Tribune*, datum 15 januari 1905. Annies hart begon te bonzen.

'Ga je gang,' zei mevrouw Rogers en gaf het haar terug. 'Dit was haar verdriet.'

Annie las het vergeelde knipsel.

Vrienden in de provincies Swain en Cherokee zullen met leedwezen kennisnemen van het overlijden van Henry Clark Wright en Robert Francis Wright de afgelopen week in Swain County. De jongens wilden een bevroren vijver oversteken toen één broer door het ijs zakte. De ander verdronk terwijl hij hem probeerde te redden, zoals gemeld wordt door enkele heren die langskwamen en een reddingspoging deden. Henry Wright was zeven jaar oud en Robert Wright vijf jaar oud. Ze laten hun moeder achter, Annie Dorothea Wright-Billington, oorspronkelijk uit Asheville, hun vader Clayton Andrew Wright, uit Buncombe County, en een zusje, Sarah Jane Wright. De hele gemeenschap leeft mee met de rouwende familie.

Annie staarde naar het knipsel en gaf het langzaam aan mevrouw Rogers terug.

'Wat verschrikkelijk,' zei ze. 'Ik snap niet hoe ze er ooit overheen heeft moeten komen.'

'Ze is een lange weg gegaan,' zei mevrouw Rogers, en ze overhandigde Annie het leren boek. 'Hierin schreef ze haar gedachten op.'

Annie nam het dagboek van haar aan, sloeg het open en begon te lezen. De woorden schokten haar, ze zagen er prachtig uit, maar hun betekenis kwam daar niet mee overeen. Haar ogen werden naar het midden van de bladzijde getrokken.

Ik ben een nalatige moeder geweest. Dat begrijp ik. Het is me volkomen duidelijk nu het te laat is om daar verandering in te brengen. Ik zie mezelf zoals ik de meeste van mijn dagen doorbracht, één kleine baby in mijn armen, de andere twee dartelend om mijn knieën, mijn schort gevlekt, mijn haar in de war, mijn mond babbelend tegen Bessie, tegen Cassie, tegen wie er maar luisteren wilde terwijl ik schoffelde en veegde en kookte en het afwaswater over de stokbonen goot.

Eén ding maar is een troost voor me. Ze waren blije baby's, en blije, stevige peuters en blije, dappere jongens. Ik zie ze in eikenbomen klimmen en eikels naar beneden gooien en over de rivier zwaaien aan dat stuk touw dat ze hadden vastgemaakt aan de hoogste tak. Ik zie ze plonzen in diezelfde vijver, onwetend en zorgeloos als ik zelf was.

Clayton zegt dat ik moet ophouden eraan te denken. Maar hoe kan ik dat? Ik denk er voortdurend aan. Maar ik praat niet over ze. En zeker niet tegen Clay. Hij geeft mij de schuld. Hij zegt het natuurlijk niet, maar ik weet het. Ik zie het aan de manier waarop hij naar me kijkt. Aan de manier waarop hij niet naar me kijkt. Zijn blik glijdt over me heen en hij wendt zijn ogen snel af als ik hem aankijk, alsof mijn ogen poelen zijn die zich

over zijn hoofd zouden kunnen sluiten als hij te dichtbij zou
komen of er te diep in zou kijken.
Ik weet dat hij daarom is weggegaan, al zou hij liever zelf gestor-
ven zijn dan dat te zeggen. 'Ik ga naar Charleston om in het
katoenpakhuis te werken,' zei hij toen de oogst was binnenge-
haald. Nadat de winter was ingevallen en de bomen kaal waren
en de avonden lang en stil en alleen wij tweeën en de kleine
Sarah Jane nog over waren in het lege huis. 'Tegen de planttijd
kom ik terug,' beloofde hij.
Ik geloof hem. Natuurlijk geloof ik hem.

Annie knipperde met haar ogen en staarde voor zich uit.
Een deel van haar wilde het boek teruggeven, vlug vertrekken en nooit meer terugkomen in dit huis. Een ander deel
van haar werd aangetrokken door haar onbeantwoorde vragen. Was Clayton teruggekomen? Had hij haar vergeven? Ze
draaide de prent om en las de naam op de achterkant nog
eens. Annie *Johnson*-Wright. Was ze als oude vrouw hertrouwd? Of was meneer Johnson in het spel gekomen na
meneer Wrights al te lange reis naar het katoenpakhuis?

Maar heus, ze wist dat deze vragen, hoe fascinerend ze
ook mochten zijn, onbelangrijk waren. Wat haar echt in haar
hart had geraakt, waren de eerste woorden die ze had gelezen. *Ik ben een nalatige moeder geweest*, had Annie gezegd, en
ach, wat kende zijzelf dat gevoel goed. Ze streek over de
leren omslag van het dagboek en vroeg zich af waarom die
Annie van langgeleden zichzelf er de schuld van had gegeven dat haar twee kinderen door het ijs waren gezakt.
Misschien wilde ze het niet weten.

'Dit is ze,' zei mevrouw Rogers en overhandigde haar een
foto.

Annie bekeek hem geconcentreerd. Een vrouw met donker haar en donkere ogen, met drie kinderen. Twee jongens
en een klein meisje. Allemaal poserend voor een kerstboom,

een warrige den versierd met stukjes papier en slingers van stof. Ze glimlachte, kijkend naar de kinderen. De jongens leken als twee druppels water op elkaar. Ze misten melktanden en hadden sproeten, ze zagen er vrolijk uit en het bolle toetje van het kleine meisje straalde terwijl ze een handgemaakte pop in haar handjes klemde. Maar Annies ogen bleven rusten op de gestalte van de vrouw. Ze zat achter hen in een stoel, licht naar voren gebogen. Ze had een donkere jurk aan, om haar hals was een reep kant vastgezet met een cameebroche. Haar donkere haar was in het midden gescheiden, naar beneden gekamd om haar oren te bedekken en van achteren opgestoken. Haar gezicht straalde. Haar ogen dansten. Ze zag er vrolijk en aardig uit en Annie werd misselijk bij de gedachte aan wat ze van haar leven wist.

'Ze kwam uit Asheville uit de hogere kringen,' zei mevrouw Rogers.

Dat verwonderde Annie. Op een of andere manier klopte het niet met het beeld van de vrouw die ploegde en schoffelde en afwaswater over de stokbonen goot.

'Haar vader wilde dat ze met de plaatselijke dominee trouwde, maar ze werd onderwijzeres in Cade's Cove en werd verliefd op een gewone man, een boer die een hoeve wilde bouwen in de heuvels. Ze was jong en had geen idee wat het allemaal inhield. Hier is de brief die ze aan haar zus schreef.'

Annie nam de vergeelde envelop aan en haalde de opgevouwen vellen eruit.

Lieve Clarissa,
Papa zegt dat hij me onterft als ik met Clay Wright trouw en naar de heuvels verhuis. Ik heb hem verteld dat Clay geen boerenkinkel is, maar landeigenaar en een heer. Papa is niet overtuigd. Het kan me niet schelen wat hij zegt. Ik ben van plan precies te doen wat ik wil.

Annie glimlachte onder het lezen. Niemand had verzet geboden tegen haar huwelijk met Sam, maar ze kon zich voorstellen dat zijzelf een dergelijke uitspraak had gedaan. Ze keek nog eens naar de vrouw op de foto. Naar de vrolijke ogen en de krullende mond. Ja. Ze kon zich voorstellen dat die ogen van staal werden en de mond een vastberaden streep.

Papa zegt dat hij niet wil hebben dat zijn kleinkinderen voor galg en rad opgroeien, en ik heb hem verteld dat mijn kinderen zullen doen wat ze willen. Dat ik bijvoorbeeld niet van plan ben ze mijn standpunten op te dringen of ze te verhandelen alsof ze een koe of een muilezel waren die geveild worden aan de hoogste bieder. Hij zei dat de regeling van mijn verloving met de dominee slechts een suggestie was, geen bevel. Ik heb hem verteld dat ik zelf wel uitmaak met wie ik trouw, maar toen zag ik zijn ogen. Die stonden zo verdrietig en gekwetst dat ik nu spijt heb dat ik zo overhaast gesproken heb. Maar toch, moet ik met iemand trouwen om wie ik niet in het minst geef? De dominee is bijna achtentwintig jaar oud en ik ben pas achttien. Ik zou een oude vrouw worden lang voor mijn tijd als ik met hem trouwde. Bovendien heb ik geen zin om domineesvrouw te worden en dag en nacht mensen over de vloer te hebben. Ik geloof dat ik zal genieten van het leven in de prachtige heuvels. Ik ga een tuin aanleggen en leren koken.
Ik heb besloten dat ik een rol wit linnen met blauwe bloemetjes ga bestellen die ik bij Fancy's in de catalogus zag. Ik zal er mijn trouwjurk van laten maken.

De rest van de brief ging over de schoenen die ze zou dragen en welke oorringen en ketting en hoed het best bij haar ogen zouden passen. Annie glimlachte en schudde daarna verdrietig haar hoofd toen ze aan het eind van het verhaal dacht.

'Ze moest nog volwassen worden,' merkte mevrouw Rogers op. 'Ik geloof niet dat ze enig idee had waar ze aan begon. Maar ja, dat geldt voor ons allemaal. Het is volkomen waar wat mijn moeder altijd zei: "Je leert een man pas kennen als je met hem trouwt."'

Annie glimlachte en keek neer op de leren Bijbel die mevrouw Rogers samen met het dagboek en de brieven tevoorschijn had gehaald. 'Mag ik?'

'Ga je gang,' zei mevrouw Rogers.

Ze pakte hem op en hield hem voorzichtig vast, het oude zwarte leer vormde zich naar haar hand. De omslag was beschadigd en de randen waren gekerfd, aan weerskanten van de rug was het zwart tot bruin versleten. *Bijbel. Scofield Reference Edition. Annie Johnson-Wright* was in nauwelijks leesbare gouden letters op de voorkant gestempeld. Ze sloeg hem voorzichtig open. De rug was gescheurd. De ivoren bladzijde was bedekt met het vloeiende schrift uit de vorige eeuw, hetzelfde schrift als op de achterkant van de prent, alleen ouder, puntiger. *De vijf kronen*, had ze geschreven, met verwijzingen naast elke kroon. *Kroon van glorie. Kroon van onvergankelijkheid. Kroon van leven. Kroon van vreugde. Kroon van rechtvaardigheid.*

Annie bladerde door de vliesdunne bladzijden. Genesis. De allereerste zin onderstreept. *In den beginne schiep God.* Ze sloeg de bladzijden om, haar ogen gleden over de woorden en zinnen en zagen de bibberige onderstrepingen, de kriebelige aantekeningen. De pagina's waren door het gebruik nog dunner geworden dan ze van oorsprong al waren. Langzaam bladerde ze erdoor. Naar Numeri waar de andere Annie had onderstreept:

Indien de Here welgevallen aan ons heeft, dan zal Hij ons in dit land brengen en het ons geven, een land, dat vloeit van melk en honing.

Naakt ben ik uit de schoot van mijn moeder gekomen, naakt zal
ik daarheen wederkeren. De Here heeft gegeven, de Here heeft
genomen, de naam des Heren zij geloofd. In dit alles zondigde
Job niet en schreef Gode niets ongerijmds toe. (Job)
En hij zal uw ziel verkwikken en u verzorgen in uw ouderdom.
(Ruth)
Want één dag in Uw voorhoven is beter dan duizend (elders); ik
wil liever staan aan de drempel van het huis van mijn God dan
verblijven in de tenten der goddeloosheid. Want de Here God is
een zon en schild, de Here geeft genade en ere; het goede ont-
houdt Hij niet aan hen die onberispelijk wandelen. Here der
heerscharen, welzalig de mens die op U vertrouwt. (Psalmen)

Ze staarde voor zich uit in de stille keuken en toen ze tot
zichzelf kwam, besefte ze dat mevrouw Rogers haar zwijgend gadesloeg, met medelijden in haar ogen. 'Op aarde is
geen verdriet dat de hemel niet kan helen,' zei ze zacht.

Annie knipperde met haar ogen en antwoordde niet. Ze
bleven een paar minuten zwijgend zitten.

'Wie ben je, Annie Dalton?' vroeg mevrouw Rogers ten
slotte zacht. 'Ik ben steeds aan het woord geweest. Nu is het
jouw beurt.'

En toen Annie antwoord gaf, verraste ze zichzelf, want ze
zei niet de gewone dingen. 'Mijn familie komt uit deze heuvels,' zei ze. '*Mijn* betovergrootvader was een rondreizend
predikant en mijn betovergrootmoeder was de vroedvrouw
die alle baby's ter wereld hielp in de omgeving van Gilead
Springs.'

'De vroedvrouw!' riep mevrouw Rogers uit.

'Precies,' glimlachte Annie. 'Ik weet niet op wie ik lijk. Op
hem, denk ik, want ik reis nogal veel, en hoewel ik nooit een
baby ter wereld heb geholpen, heb ik er wel een gebaard.'

Mevrouw Rogers luisterde zwijgend en viel haar niet in
de rede met vragen.

235

'Wat ik op deze wereld het allerliefste deed, is denk ik dingen planten en kijken hoe ze groeien, en schapen scheren en spinnen en die draden dan door elkaar weven om iets te maken wat er eerder nog niet was.'

'Deed?'

'Nog steeds, denk ik. Maar nu weef ik voornamelijk woorden. Ik schrijf voor een krant. Ik ga naar Los Angeles verhuizen om daar te werken.'

'Daar valt niet veel te scheren en te spinnen,' merkte mevrouw Rogers droogjes op.

'Nee. Dat zal wel niet,' zei Annie, denkend aan de hoge betonnen torens, de graffiti en het prikkeldraad, de saaie, platte uitgestrektheid van snelwegen. 'Maar hier is alles veranderd,' zei ze, alsof ze haar besluit moest verdedigen.

'Het leven is niets anders dan veranderingen,' beaamde mevrouw Rogers.

'Ik wil dat het is zoals het was,' zei Annie, en ze schaamde zich voor het verlangen in haar stem.

Mevrouw Rogers keek haar medelijdend aan en deed haar mond al open om te antwoorden, toen de winkelbel rinkelde.

'Ik moet naar huis,' zei Annie. 'Ze zullen zich wel afvragen wat er met me gebeurd is.'

'Blijf nog een poosje,' drong mevrouw Rogers aan. 'Ik ben zo klaar met die klant. Wil je niet weten wat haar overkomen is?'

'Ik moet gaan,' herhaalde Annie.

'Goed.'

'Dank u voor het eten.'

'Je komt me nog eens opzoeken,' zei ze, en het was meer een voorspelling dan een uitnodiging.

'Dank u,' zei Annie. 'Graag.' Geen beloften.

Ze liepen samen de winkel in. Een oude man in een overall stond teleurgesteld in de Red Man Tobacco bak te kijken.

236

'Ik heb geen tabak en geen alcohol,' zei mevrouw Rogers opgewekt. 'Neem liever kauwgom of frisdrank.'

Mopperend vertrok hij en mevrouw Rogers lachte Annie breed toe terwijl ze gedag zwaaide.

Het was die avond bijna negen uur toen Carl klaar was met zijn ziekenhuisronde en tegen tienen toen hij zijn dossiers had ingevuld en naar huis reed. Inez Williams maakte het beter na haar beroerte. Ze kon overgebracht worden naar een revalidatiecentrum. De hartkwaal van Evelyn Groves had lelijk opgespeeld. Hij had haar medicatie veranderd en haar laten opnemen, zodat ze haar in het oog konden houden. De orthopedisch chirurg had goed werk verricht met het gebroken dijbeen van de jongen van Turner. Hij kon morgen waarschijnlijk naar huis.

Hij had een lange, drukke dag gehad. 's Morgens had hij huisbezoeken afgelegd en 's middags was hij teruggekomen naar de praktijk voor het gratis spreekuur. Er kwamen er veel te veel, maar wat moest hij dan? De baby met oorontsteking naar huis sturen? De jonge vrouw met tonsillitis? Het jongetje met de gebroken arm? Hij was natuurlijk gebleven en had ze geen van allen weggestuurd, daarna was hij naar het ziekenhuis gegaan om zijn ronde te doen.

Hij was moe. En, wat niets voor hem was, hij had sinds het ontbijt niets meer gegeten. Pearlie's Country Buffet, zijn lievelingsrestaurant, was gesloten. Hij had overwogen onderweg een hamburger te kopen, maar besloten het niet te doen. Zijn maag was een beetje van streek. Hij parkeerde zijn oude auto op de oprit achter Annies huurauto, ging de praktijk binnen en beantwoordde de dringendste telefoontjes. Het was een troep in zijn onderzoekkamer, waar hij de arm van het kind in het gips had gezet toen hij terugkwam met de röntgenfoto's die de breuk bevestigden, maar hij was te moe om het nu op te ruimen. Het kon wel tot morgen wachten.

Hij ging het huis binnen. Het was stil en donker, alleen in de keuken brandde een lichtje. Diane lag ongetwijfeld te slapen en Annie moest naar haar kamer zijn gegaan. Hij zou haar niet storen.

Hij ging in de woonkamer zitten en keek naar het nieuws. Het ging nog steeds over het kleine meisje. Hij zuchtte, stond op en ging naar de keuken om een maagzuurtabletje te pakken. Hij dronk een glas melk en zag dat Diane gevulde kippenborstfilet voor hem op een afgedekt bord in de koelkast had gezet, maar de gedachte aan eten maakte hem misselijk. Hij bad voor Sam en Annie, las een paar minuten in zijn Bijbel, maar kon zich moeilijk concentreren. Ten slotte ging hij naar boven, stapte in bed naast Diane, die zich dicht tegen hem aan nestelde, maar niet echt wakker werd. Hij sliep onrustig tot hij om twee uur wakker werd. De misselijkheid was erger geworden en er zat een strakke, pijnlijke band om zijn borst. Hij zweette.

'Wat is er, Carl?' Het was Diane, die recht overeind zat en ongerust naar hem keek.

'Ik heb een hartaanval,' zei hij, en de gedachte flitste door hem heen dat hij naar Diane had moeten luisteren toen ze zeurde dat hij beter voor zichzelf moest zorgen. De pijn werd veel erger. Hij kon niet ademhalen. Toen grote commotie. Diane was uit bed en stond naast hem, schreeuwde om Annie en daar stond Annie in haar nachtpon bij de slaapkamerdeur.

'Bel het alarmnummer,' schreeuwde Diane, en het laatste wat hij zag, was het geschokte, ontstelde gezicht van Annie die naar de telefoon greep en om hulp belde.

Annie reed, als je het rijden kon noemen. Ze schoot wild tussen het verkeer door en reed veel te hard om de ambulance bij te houden. Diane wenste dat ze erop gestaan had zelf te rijden, maar ze was er echt niet toe in staat. Haar handen trilden zo hevig dat ze nauwelijks haar mobiele telefoon kon bedienen. Ze wachtte terwijl de telefoon almaar overging tot Mary Truelove eindelijk met slaperige stem opnam. Diane vatte de toestand in één zin samen. 'Carl heeft een hartaanval. Ik moet Sam spreken.' Diane keek opzij naar Annie, maar die was net zo verlangend naar deskundige leiding als Diane.

Mary, die na al die jaren als doktersvrouw nog steeds doortastend reageerde, liet geen tijd verloren gaan met vragen. 'Ik haal hem,' zei ze vlug en binnen dertig seconden klonk Sams geruststellende stem aan de andere kant van de lijn.

'Waar gaan ze heen, Diane?' vroeg Sam.

'Asheville. Naar het hartcentrum daar. Ze vonden het beter om rechtstreeks daarheen te gaan dan naar het ziekenhuis in het stadje.'

'Hoe is de toestand?'

'Hij is bij bewustzijn. Ze zeiden dat hij stabiel was.'

'Hoe ver zijn jullie?'

Diane kromp ineen toen ze antwoord gaf. Gilead Springs was 56 kilometer van Asheville. 'Nog twintig minuten,' antwoordde ze. 'Een kwartier bij deze snelheid. Annie, houd je ogen op de weg,' berispte ze scherp en Annie richtte haar ogen en het stuurwiel weer op de weg en de auto zwenkte terug in zijn eigen rijbaan.

'Heeft hij een cardioloog?' vroeg Sam.

'Natuurlijk niet. Ik kan hem niets laten doen waar hij geen zin in heeft, Sam. Dat weet je toch.'

'Goed. Ik ben onderweg. Onderweg zal ik een paar telefoontjes plegen om te zien wie ik kan opscharrelen om naar hem toe te komen. De artsen daar zijn vast en zeker prima, maar ik heb er liever iemand bij die ik ken. We zullen hem vanavond stabiliseren en morgenochtend besluiten of we hem overbrengen naar Knoxville of Winston-Salem.'

Morgen. Hij had morgen gezegd. Hij had het ergste gehoord en gedacht dat Carl er morgenochtend nog zou zijn als onderwerp van hun overwegingen. 'Bedankt, Sam.' Diane voelde haar hart overlopen van dankbaarheid.

'Ik zie je straks, Diane.'

Ze beëindigde het gesprek, sloeg toen haar hand voor haar mond en staarde zonder met haar ogen te knipperen het raam uit. Carl was ouder dan zij. Ze had geweten dat deze kans altijd bestond. Dat was de reden dat ze hem zo aan zijn hoofd zeurde om goed voor zichzelf te zorgen, omdat de gedachte aan een leven zonder hem onverdraaglijk was. Ze wilde er niet aan denken. Ze richtte haar ogen weer op de weg voor hen, op de zwaailichten van de krijsende ambulance, die Annie zo uitstekend bleek te kunnen bijhouden.

'Komt hij?' vroeg Annie even later, haar mooie, gespikkelde ogen vol zorg.

Diane knikte.

'Mooi,' antwoordde Annie.

'Houd je ogen op de weg,' las Diane haar de les en voor één keer deed Annie zonder tegenwerpingen wat haar gezegd werd.

Ze lieten Diane in de behandelkamer binnen en Annie werd een plaats gewezen in de wachtkamer. Natuurlijk. Diane was haar vaders echtgenote. Annie ging zitten en staarde naar de generieke kunstwerken aan de muren, de gedateerde tijdschriften en de dreunende televisie. Ze probeerde niet te denken aan de andere keer dat ze in een ziekenhuis in de wachtkamer had gezeten. Ze masseerde haar slapen en de brug van haar neus. Ze voelde hoofdpijn opkomen achter haar ogen.

Tien minuten, twintig misschien, toen was hij er. Ze hoorde de automatische deuren opengaan en zag hem voordat hij haar zag. Hij ging naar de receptiebalie en sprak de verpleegster aan. Ze knikte en drukte op een knop om hem binnen te laten in het heiligdom. Hij verdween en Annie staarde nog een paar minuten naar de televisie. Een kwartier later kwam hij naar buiten en liep op haar toe. Toen hij dichterbij kwam, zag ze dat zijn ogen rood waren van slaapgebrek, zijn gezicht stond uitgeput. Hij had een stoppelbaard.

'Je mag naar binnen,' zei hij.

Ze knikte zonder een woord en ging door de deuren waardoor hij naar buiten was gekomen. Papa zag verschrikkelijk bleek. Zijn ogen waren dicht. Er waren vijf verpleegkundigen in de ruimte aanwezig, in verschillende stadia van haast. Diane stond als verlamd naast zijn bed, haar hand op zijn voorhoofd, haar ogen op zijn verstilde gezicht.

Ze maakten hem klaar om hem te verplaatsen, pasten de slangen en zakken aan, vouwden lakens zodat ze niet in de buurt van de wielen kwamen en legden grafieken boven op zijn benen.

'Vlug gedag zeggen, dan gaat hij naar het katheterisatielab,' zei de verpleegkundige.

Annie liep naar hem toe, boog zich over hem heen en

streek met haar lippen langs zijn wang. 'Ik houd van je, pap,' zei ze in zijn oor en toen waren ze verdwenen. Diane liep met ze mee. Annie keek hen na tot ze verdwenen waren. Ze ging naar de wachtkamer terug, half en half verwachtend dat Sam weg was, maar hij zat er nog. Hij praatte in zijn mobiele telefoon. Ze ging tegenover hem zitten en keek op haar horloge. Het was vier uur. Ze keek naar buiten door de vlakglazen ramen. Het was nog donker. De zon zou pas over twee uur opkomen.

Sam beëindigde zijn gesprek en stak de telefoon in zijn zak. Ze keken elkaar even aan voordat Sam zijn blik afwendde naar de televisie. Annie volgde zijn blik en zag wat zijn oog getrokken had. Op CNN werd de toestand van Kelly Bright besproken. Ze keek naar zijn gezicht terwijl ze luisterden naar de correspondent die vertelde dat er geen verandering in de situatie was. Ze ging niet achteruit. Sams gezicht was donker van verdriet. Dit was zijn marteling en ze vroeg zich af of ze het prettig vond om hem te zien lijden. Nee. Nee, helemaal niet. Ze leed zelfs met hem mee, ondanks alles. CNN beëindigde het verhaal en schakelde over op iets anders. Hij keek haar weer aan.

'Sam, ik ben niet gekomen om jou te zien lijden,' zei ze.

'Dat dacht ik ook niet echt,' gaf hij rustig toe. 'Laten we geen ruzie meer maken.' Vermoeid, berustend, te lusteloos om de moeite te nemen.

'Nee,' beaamde ze. 'Goed.' Ze voelde zich ineens ook heel moe. En verdrietig. Net zo moe en verdrietig als Sam eruitzag. Ze maakte haar ogen los uit de zijne en keek naar zijn schoenen. Ze waren van goede kwaliteit leer en netjes gepoetst. Ze keek naar haar eigen voeten. Ze droeg een paar laarzen van Diane die ze bij de voordeur had gevonden, het eerste wat ze tegengekomen was.

'Je hebt nooit meer geld opgenomen,' zei hij, 'na die eerste duizend.'

Dus hij had het gemerkt. Ze schudde haar hoofd.

'De helft is van jou,' zei hij. 'En het is er allemaal nog.'

Ze knikte. 'Dank je.' Waar zou ze het aan besteden? Ze zag ineens een beeld voor zich van een huis in El Segundo. Nieuwe meubels en kleren. Nieuw leven. Ze keek de betegelde gang door en het leek nu allemaal trots, het idee dat je je leven kon manipuleren, de dingen kon laten gebeuren zoals je wilde.

Ze stond op, moest in beweging komen, de kamer uit. 'Ik ga een kop koffie halen,' zei ze. Hij knikte. Hij bood niet aan met haar mee te gaan. Ze ging naar de cafetaria en ontdekte dat die gesloten was, haalde toen twee bekertjes koffie uit de automaat in de gang. Ze drukte de knoppen in voor geen suiker, extra melk, zoals Sam zijn koffie wilde. Zij nam suiker en melk en ging met de twee bekertjes terug naar de wachtkamer, maar halverwege de schuddende lift begon ze zich af te vragen waarom ze eigenlijk dacht dat hij er nog was. Wat als hij vertrokken was? Even voelde ze zich wanhopig. Dat had niet gehoeven. Hij was er nog, wachtend waar ze hem had achtergelaten. Hij bedankte haar toen ze hem de koffie gaf. Ze dronken zwijgend, en toen ze hun bekertjes bijna leeg hadden, gingen de schuifdeuren weer open en kwamen Laurie en Ricky binnen. Ze had net een gegeneerd rondje begroetingen en omhelzingen achter de rug, toen Mary arriveerde. Annie omhelsde haar en voelde opnieuw die vreemde mengeling van vers verdriet en liefde. Er was niets veranderd, en opnieuw vroeg ze zich af waarom ze gekomen was om deze wond weer open te rijten.

Weer ging de schuifdeur open en kwam er iemand binnen.

'Ik heb de auto geparkeerd,' zei Elijah Walker en Annie staarde hem met open mond aan.

'Elijah!'

'Hallo, Annie,' zei hij.

'Kennen jullie elkaar?' vroeg Sam, van Annie naar Elijah kijkend.

Ze knikte. 'We hebben naast elkaar gezeten in het vliegtuig.'

'Zo, dat is even toevallig,' zei Sam alsof het hem nauwelijks interesseerde.

'Elijah logeert in mijn gastenverblijf,' verklaarde Mary blozend.

Annie voelde verwondering. Het was verbijsterend, hoewel ze niet precies kon zeggen waarom.

Elijah was een beetje rood aangelopen en Mary bloosde volop. Annie zou verder geïnformeerd hebben, als ze niet was afgeleid door de komst van de cardioloog uit Knoxville. Hij drukte Sam de hand en ze verdwenen samen in de ingewanden van het ziekenhuis. Naar het katheterisatielab waarschijnlijk. Annie ging weer in de wachtkamer zitten.

Laurie zag er nog hetzelfde uit. Een beetje voller in haar gezicht, maar nog steeds mooi met haar donkere bos haar, haar bruine ogen en snelle glimlach. Ze ging naast Annie zitten en legde een hand op de hare. Ze zuchtte en klopte erop en Annie voelde onmiddellijk weer de vriendschap van vroeger. Ze herinnerde zich hun kattenkwaad en de intimiteiten, hun projecten en het drama dat Laurie van bijna alles maakte. Tranen sprongen in haar ogen en ze gaf haar vriendin en schoonzus nog eens een knuffel.

'En ik dan?' vroeg Ricky.

Ze gaf hem ook nog een knuffel en hij lachte haar vriendelijk toe. 'Ik ben blij dat je terug bent, zusje,' zei hij, zinspelend op het koosnaampje dat hij haar in hun kindertijd had gegeven. Hij ging naast Laurie zitten en Annie voelde zich nederig. Hun goedheid was onverwacht en onverdiend.

Mary glimlachte steeds als hun ogen elkaar ontmoetten, maar ze leek niet op haar gemak. Net als Elijah Walker, die Mary waarschijnlijk op Sams verzoek gereden had. Hij bewoog zich gegeneerd half binnen, half buiten hun kringetje.

Na een tijdje kwamen Sam en de cardioloog naar buiten en zeiden dat ze besloten hadden 's middags te opereren. Ze zouden een bypass aanleggen om verdere schade aan zijn hart te voorkomen. De chirurg hier was goed, verzekerde Sam haar, en het ziekenhuis een prima instelling. Al het mogelijke werd gedaan.

Ze staarde hem met lege ogen aan en bedacht dat ze die woorden eerder gehoord had.

Ze bleven nog een poosje zitten praten en toen voegde Diane zich bij hen. Haar ogen waren rood en ze zag er uitgeput uit.

Ze plofte zonder plichtplegingen in de lege stoel. 'Ik heb hulp nodig,' zei ze eenvoudig en ineens benijdde Annie haar. Wat makkelijk en verfrissend moest het zijn om eenvoudig om hulp te vragen als je het nodig had.

'Wat kunnen we doen?' zei Sam vlug.

'Iemand moet mijn vee voeren en water geven en Carls afspraken afzeggen.'

'Daar kunnen wij voor zorgen,' zei Mary kordaat.

'Ik kan helpen,' bood Annie aan.

'Absoluut niet,' zei Mary, en haar kracht verbaasde Annie. 'Jullie moeten allebei hier blijven.'

'Iemand moet Theresa bellen,' zei Annie, die ineens aan haar zus dacht.

'Dat zal ik wel doen,' zei Diane. 'Ik heb mijn mobiele telefoon, als jij het nummer hebt.'

Dat had ze. Ergens in haar tas.

'Nou, dan gaan we maar,' zei Sam.

'Weet je nog hoe je een varken spoeling moet voeren?' plaagde Annie hem.

Hij wierp haar een snelle, verraste blik toe. Het verbaasde haar zelf ook, maar het was er zomaar uitgeflapt.

Hij keek haar recht aan en ze verstrakte, bang dat ze hem beledigd had, een grens had overschreden. Maar toen glimlachte hij naar haar en haar hart sloeg een slag over. Want als hij glimlachte, kwam de zon door. Ze had die glimlach in geen jaren en jaren gezien, en hij verwarmde haar.

'Dat zal wel lukken,' zei Sam. 'Ik weet de weg nog wel in de stal.'

'Je kunt het wel aan, broer. Het is geen hogere wiskunde,' spotte Ricky.

'Gelukkig niet,' zei Sam en Annie voelde een beroering in haar binnenste die ze vlug onderdrukte.

22

Sam, Mary en Elijah reden langs huis om zich te verkleden en gingen toen met z'n drieën naar het huis van Carl en Diane.

'Ik begin wel met het werk,' bood Elijah aan.

'Ik zeg de afspraken voor de komende dagen af,' zei Mary en ging naar binnen om de sleutels van de praktijk te zoeken.

'Heeft hij een vervanger?' vroeg Sam.

Mary schudde haar hoofd. 'Ik geloof van niet. Het is een eenmansbedrijf.'

Sam luisterde de telefonische boodschappen af. Er was een baby met oorpijn, een man die een spier in zijn rug had verrekt, een vrouw met buikpijn. Hij belde ze alledrie terug. Hij verwees de baby naar de associé van zijn broer, droeg de verrekte spier op te koelen met ijs, pijnstillers te slikken en morgen terug te bellen als het niet beter ging, en verwees de vrouw met buikpijn na enkele vragen door naar Ricky. Het klonk als endometriose. Hij voelde zich bijna opgevrolijkt toen hij ophing, alsof hij een moeilijke puzzel had afgemaakt. Glimlachend schudde hij zijn hoofd. Zijn moeder had het afsprakenboek meegenomen en zat binnen aan de andere telefoon. Sam keek rond in Carls spreekkamer.

De praktijk bestond uit vier ruimtes. Een badkamer, een kleine wachtkamer, een onderzoekkamer, en deze, zijn spreekkamer. De onderzoekkamer was een beetje rommelig. Carl had gips aangebracht en de verpakking en de schaal water stonden nog precies waar hij ze had laten staan. Sam ruimde de troep op, ging naar buiten en goot het water op het bloembed, om geen druppel te verspillen. De badkamer was in orde, net als de wachtkamer, maar Carls spreekkamer was een zwijnenstal, het leek of er een tornado was gegaan door een verzameling papieren en kaarten, snackverpakkingen en halfvolle koffiekopjes. Hij was terug in zijn middelbareschooltijd, toen hij voor Carl en zijn vader had gewerkt. Het contrast tussen de twee mannen was opmerkelijk geweest. Carl chaotisch en onverstoorbaar. Zijn vader netjes en obsessief. Sam verzamelde het afval, leegde de prullenbak in de grote container buiten, deed de deur dicht en sloot de praktijk af.

Even later kwam zijn moeder de veranda op. Ze had alle patiënten voor morgen en overmorgen afgezegd of een telefonische boodschap ingesproken. Ze waren allemaal van streek, niet zozeer omdat hun afspraak niet doorging, maar om het ongeluk van hun geliefde dokter. Alle boodschappen kwamen op hetzelfde neer. 'We houden van u, dokter Carl. We bidden voor u. Word gauw beter.'

'Mag ik eens zien?' vroeg hij, en zijn moeder overhandigde hem het zwarte afsprakenboek, volgeschreven met Carls bekende krabbels. Sam bekeek de afspraken voor de komende paar weken. Elke dag was vol en Carl had morgenmiddag gratis spreekuur hier in de praktijk. Die mensen kon je niet afzeggen, want je wist niet wie er kwamen. Er moest iets geregeld worden. Maar niet nu.

★

Mary voerde de kippen en de koeien en gaf ze water. Elijah zorgde voor de schapen en de geiten.

'Kun je koeien melken?' vroeg Mary aan Elijah.

'Ik heb het wel eens gedaan, maar dat is jaren geleden,' antwoordde hij. Hij zette zijn pet af en haalde zijn hand over

249

zijn hoofd voordat hij hem weer opzette.

'Voor mij ook,' zei ze.

'Nou, misschien krijgen we het met z'n tweeën wel voor elkaar,' zei hij lachend en ze werd alweer een beetje rood.

Ze volgde hem naar de stal waar Hilda, een guernseykoe met bruine ogen, geduldig stond te wachten. Onderweg wierp ze een blik op Sam die het prima lukte het varken spoeling te voeren, en ze moest lachen. Die kleine uitwisseling met Annie had een zaadje van hoop in haar hart geplant voor hen beiden.

Elijah ging op het krukje zitten. Zij pakte de emmer. Samen knielden ze neer en Elijah stond erop dat zij de eerste poging waagde. Ach, waarom niet? Ze ging op het krukje zitten en plaatste haar handen zoals ze zich herinnerde, kneep zachtjes, maar er gebeurde niets, afgezien van een zwiepje van Hilda's staart. Ze probeerde het nog eens. Nog steeds niets. Elijah hurkte neer om haar techniek te controleren en suggesties te doen. Ze probeerde het nog eens en nu schoot een straal melk naar buiten en belandde op het voorpand van zijn overhemd.

'O, sorry,' zei ze lachend.

'Liever jij dan ik,' zei hij, eveneens lachend. 'Waarom dacht je dat ik wilde dat jij het eerst probeerde?'

Ze zette zich nog steeds lachend weer aan haar taak, maar halverwege droeg ze het aan hem over. 'Jouw beurt. Dit is veel te leuk om alleen voor mezelf te houden.'

Hij grinnikte en nam haar plaats in op het krukje. Hilda nam nog een hap voer en kauwde vreedzaam.

Elijah kneep en een straal melk spoot in de emmer.

'Nou, je wist het toch nog!' zei Mary bewonderend.

'Het is net als fietsen,' zei hij lachend.

Toen ze klaar waren, nam Mary de melk mee naar binnen en goot het in een van de weckpotten die ze in de bijkeuken vond. Ze zette hem in de koelkast en maakte een aantekening dat ze morgen terug moest komen om af te romen.

Ze ging weer naar buiten juist toen Sam en Elijah klaar waren met het schoonmaken van de stal. Om elf uur was al het werk gedaan en ze gingen naar huis terug. Elijah ging naar de cottage om op te ruimen.

'Kom je straks?' inviteerde Mary. 'Ik maak voor ons allemaal een lunch klaar.'

Hij nam het op zijn hoffelijke wijze aan en Mary ging zich even opknappen. Ze maakte een schaal met dikke sandwiches, zette schijfjes augurk klaar, sneed wat fruit en zette een pot koffie. Het deed haar goed toen ze allemaal als hongerige soldaten op de maaltijd aanvielen. Naderhand kondigde Sam aan dat hij terugging naar het ziekenhuis en Mary stond zichzelf geen hoop toe. Ze knikte alleen maar, volgde hem naar buiten en keek hem na toen hij in zijn auto stapte en wegreed.

Ze kwam de keuken weer binnen. Elijah had de tafel afgeruimd en zette de borden in de afwasmachine. Mary wilde protesteren, maar zweeg. Ze zou Dianes voorbeeld volgen.

'Dank je wel,' zei ze.

Elijah glimlachte naar haar, zijn ogen gleden over haar gezicht voordat hij verder ging met de borden.

'Ik weet er iets vanaf wat er gaande is,' zei hij na een korte stilte. 'Als je er over wilt praten, zal ik met alle genoegen luisteren. En als je wilt zeggen dat een ouwe man zich met zijn eigen zaken moet bemoeien, ga je je gang maar.'

Absurd genoeg was Mary's eerste gedachte na zijn woorden dat hij niet oud was. Hij was toch zeker van haar leeftijd? En zij *voelde* zich niet oud, hoewel ze het inderdaad wel zou zijn. Ze schudde haar hoofd om het onbeduidende ervan. 'Nee. Alsjeblieft, zeg maar wat je wilt.'

Hij richtte zich op en droogde zijn handen af aan de handdoek, die hij netjes aan het rek hing. 'Annie heeft me gisteren onderweg in het vliegtuig iets verteld,' zei hij. 'Ze vertelde me over je zoon. Over het kleine meisje.'

Mary bevroor. Wat had ze hem verteld? Dat het allemaal Mary's schuld was geweest?

'Ik neem aan dat er geen verandering is,' zei hij.

Mary trok in verwarring rimpels in haar voorhoofd, maar toen begreep ze het. Annie had hem over Kelly Bright verteld. 'O, nee,' zei ze vlug. 'Er is geen verandering.' Ze had elk uur naar het nieuws gekeken.

'Je keek zo verbaasd. Wat dacht je dat ik bedoelde?' vroeg hij.

Daar had je het nou. Nu stond ze voor de keus. Ze kon het weer wegstoppen. Het vlug terugschuiven in zijn rottende kuil. Of ze kon het vertellen. Ze keek naar zijn verweerde gezicht, zijn vriendelijke grijze ogen, die zo lang weg waren geweest en toch zo vertrouwd waren, en ineens wilde ze aan iemand vertellen waar niemand anders haar over liet praten, ofwel omdat hun eigen pijn te groot was of omdat ze bang waren dat die bijdroeg aan de hare.

'Ik dacht dat je het over het dochtertje van Sam en Annie had,' zei ze en ze zette zich schrap voor de vraag die hij beslist zou stellen. Wachtte tot hij zei: 'Ik wist niet dat ze een dochtertje hadden. Waar is ze?' Maar dat zei hij niet. Zijn ogen lichtten begrijpend op en hij knikte.

'Dat verklaart veel,' zei hij zacht. 'Ik wist wel dat het om een groot verdriet ging.'

'Ze is vijf jaar geleden gestorven,' zei Mary, 'en toen is Annie weggegaan.'

Elijah haalde diep adem en schudde zijn hoofd, toen wendde hij zich tot haar en nu stond er in zijn ogen een vraag te lezen. 'Waarom kwel *jij* jezelf zo?' vroeg hij, en ze had er een afschuw van dat ze weer begon te huilen, want ze kon er niet over praten zonder te huilen en te beven en die afschuwelijke wanhoop en machteloosheid die bezit van haar namen. Ze ging aan tafel zitten en voelde zijn hand op haar schouder.

'Lieve Jezus,' bad hij. 'Geef Uw dochter vrede. Dit is niet van U, Here. Dit is niet van U,' zei hij ferm en ze hield op met huilen, zo verrast was ze door zijn vastberaden verklaring. Ze keek naar zijn gezicht en vroeg zich af of hij haar veroordeelde. Misschien vond hij dat ze zwak was. Dat ze door moest kunnen gaan zonder dat theatrale gedoe. Maar ze zag geen afkeuring in zijn ogen. Alleen genade. En daarom vertelde ze het hem. En ze keek naar zijn gezicht terwijl ze sprak. Zijn ogen stonden rustig. Vol pijn en verdriet terwijl ze vertelde, maar kalm. En toen ze begon te beven toen het tot leven kwam, legde hij zijn hand op haar arm en bad weer.

'Here Jezus, open deze wond en maak hem schoon,' bad hij.

Weer was ze verwonderd. Alles wat hij zei, scheen haar te verwonderen. En met de verwondering kwam hoop, want hij zei andere dingen dan ze ooit gehoord had.

'Ze hebben haar begraven,' voltooide ze, 'maar Annie en Sam zijn nooit meer dezelfde geworden. Hij gooide zich met nog meer vuur op zijn werk en zij was zo verdrietig dat ze het huis niet uit wilde. Aan mij hadden ze niets.' Ze snikte en kon even niet verder.

'Deze situatie is veel te moeilijk om te kunnen helpen. Je had niets kunnen doen,' zei hij, en weer werd ze onverwacht verlost.

'Ik *moet* helpen,' wierp ze tegen, haar geest was niet in staat zijn absolutie te aanvaarden. 'Ik moet het herstellen, iets doen,' zei ze wanhopig, en ze had de woorden nauwelijks uitgesproken of ze zag dat ze vastgelopen was. Tussen haar machteloosheid en haar behoefte een onherstelbare verschrikking te herstellen.

'Nee,' herhaalde hij. 'Dat kun je niet.'

Ze deed haar ogen dicht en landde weer met beide benen op de grond, want dat had ze wel geweten. Dit was niet verwonderlijk.

'Maar Hij kan het wel,' zei Elijah.

Ze deed haar ogen open. 'Hoe dan?' Haar vraag klonk effen. Twijfelend, ongelovig.

Hij scheen even na te denken, maar toen gaf hij een knikje alsof hij eruit was. 'Tja, Hij zal het kind waarschijnlijk niet weer tot leven brengen. Hoewel ik wonderen gezien heb.'

Hij zei het kalm en op zo'n zakelijke toon dat ze hem geloofde.

'Maar ik weet dat Hij de pijn wil genezen,' zei hij.

Ze staarde hem aan, niet wetend wat te zeggen.

'Hij is *Jehova Rapha*,' zei Elijah. Hij boog zich over haar heen en fluisterde het bijna, zijn stem laag van passie. 'De God die u geneest.'

Meer dan ze ooit iets in haar leven gewild had, wilde ze dat die woorden waar waren. En niet alleen voor haarzelf. Voor hen allemaal. Elk verlangen dat ze ooit had gehad, verbleekte daarbij.

'Hoe?' vroeg ze.

'Ik weet het niet,' antwoordde hij.

De moed zonk haar in de schoenen. Hij had zoveel op een profeet geleken, dat ze had gedacht dat hij zijn hand naar haar uit zou steken en de genezing zou er zo uit vallen, hier aan haar keukentafel.

'Maar ik weet dat Hij erachteraan gaat,' zei hij, en ze kreeg weer hoop. 'De zaken zijn in beweging. Voel je dat niet?' vroeg hij en ze dacht misschien van wel, want er was een frisheid in de atmosfeer die er eerst niet was geweest.

'Mary,' zei hij, en het beviel haar hoe haar naam klonk uit zijn mond. 'Die marteling die je hebt doorstaan, is niet van God. Dit is niet Zijn werk.'

'Maar het was mijn schuld,' zei ze.

Hij schudde zijn hoofd.

'Of het was mijn schuld, of het was een ongeluk. En als het een ongeluk was, dan...' En daar had je hem, de zin die ze niet kon afmaken. Want ze bleef liever voor de rest van haar leven zichzelf haten omdat het haar schuld was, dan God de schuld geven. Beter zichzelf eindeloos te haten dan God te...

Na een paar minuten stilte sprak Elijah weer. 'Hij is groot genoeg voor wat je ook voelt,' zei hij zacht. 'Je hoeft niet bang te zijn.'

Ze staarde hem met grote ogen aan, want het was bijna of hij had geweten wat ze dacht.

'Wanhoop en hopeloosheid zijn nooit van God. Wat er ook gebeurd is, die gevangenis waar jullie allemaal in zitten, is niet Zijn wil. Maar ik geloof dat Hij al aan het werk is. Kijk maar om je heen,' verklaarde hij. 'Misschien zijn de dingen nog niet hersteld, maar alle spelers zijn terug op het toneel, nietwaar?'

Tja, daar had hij gelijk in. Mary snufte en dacht erover na. Ze had nooit gedacht dat ze Sam en Annie nog eens in dezelfde ruimte zou zien zitten. Ze herinnerde zich Annies plagerijtje en Sams glimlach. Ze knikte en bette haar ogen en haar gezicht. En ineens voelde ze hoop als een piepklein vuurtje in zich oprijzen. 'Wat moet je wel van me denken,' zei ze hoofdschuddend, maar toen ze zijn blik ontmoette, keek hij haar op een eigenaardige manier aan.

'Ik denk alleen maar goede dingen over je,' zei hij, en verlegen sloeg ze haar ogen weer neer.

23

Sam kwam net op tijd in het ziekenhuis terug om voor de bypassoperatie met Carl te praten. Toen gingen Annie en hij tegenover elkaar zitten en staarden naar de vloer, tuurden met glazige ogen naar de monotoon dreunende televisie in de hoek van de wachtruimte op de afdeling chirurgie, bekeken verjaarde tijdschriften en voerden een vriendelijk gesprek met Diane.

Toen de chirurg naar buiten kwam, merkte Sam hoe het voelde om aan de andere kant te staan van die bekende gesprekjes en het trof hem hoe behoeftig hij zich voelde, hoe kwetsbaar.

'De operatie is goed verlopen,' zei de dokter en Sam luisterde, alleen waren het deze keer zijn eigen ogen die hoopvol keken en andere bekende, eens beminde gezichten die het nieuws ontvingen. Carl had vijf transplantaten gekregen. Het moest in orde komen. Hij was bij bewustzijn, maar verdoofd. Hij kon om het uur een paar tellen bezoek hebben, volgens de regels van de intensive care cardiologie.

'Ik ga nu weg,' zei Sam toen de chirurg was uitgesproken en vertrokken. 'Ik geloof dat jullie hier in goede handen zijn.'

Annie keek hem aan en hij bespeurde verwijt, wat hem zowel verwarde als ergerde. Wat had hij verkeerd gedaan? Wilde ze dat hij bleef? Dat hij eerder weg was gegaan? Diane bespaarde hem verdere overwegingen.

'Sam, zou ik je even kunnen spreken voordat je weggaat?'

'Natuurlijk,' zei hij.

'Ik ga wel even bij papa kijken als het vertrouwelijk is wat je te zeggen hebt,' bood Annie aan.

'Hoeft niet,' zei Diane op die botte toon die hij haar zo vaak tegen Annie hoorde aanslaan. 'Blijf maar. Jij moet het ook horen.'

'Goed.'

'Kom weer zitten,' opperde Diane.

Sam ging weer zitten in de stoel waaruit hij zojuist was opgestaan. Diane zag er moe uit. Haar vriendelijke bruine ogen zakten bij de hoeken naar beneden. Hij ging zitten en wachtte af wat ze te zeggen had, en op een of andere manier deed het hem denken aan dat gesprek met die oude vrouw in het restaurant. 'Jongeman, ik wil je spreken,' had ze gezegd. Was dat pas een paar weken geleden? Hij herinnerde zich wat ze had gebeden – dat een onzichtbare hand Annie en hem tot elkaar zou trekken. Zijn ogen gingen wijddopen van verbijstering toen hij besefte dat precies datgene was gebeurd waar ze voor gebeden had. Toch betwijfelde hij of ze deze manier van verhoren bedoeld had. Hij wierp een blik op Annie. Ze had haar aandacht op Diane gericht.

'Sam,' zei Diane, 'ik weet niet hoe ik je dit moet vragen, dus ik val maar met de deur in huis.'

Hij verstrakte, benieuwd welk pijnlijk gebied ze zou betreden.

'Ik heb je hulp nodig.'

Niet wat hij verwacht had en tot zijn eigen verbazing antwoordde hij gretig: 'Wat je maar wilt. Zeg maar wat ik doen moet.'

'Carls praktijk overnemen,' flapte ze eruit.

Hij ging rechtop zitten. Beslist niet wat hij had verwacht. Hij keek naar Annie, maar ze leek niet zo verbaasd als hij.

'Diane, dat weet ik niet –'

'Ga me nou niet vertellen dat je het niet kunt, want ik weet dat je het wel kunt. Ik heb het Ricky gevraagd, en hij zei dat artsen vergunning hebben om geneeskunde te beoefenen, niet een bepaald specialisme. Hij zei dat jij vergunning had in Tennessee en in North Carolina en dat je op ieder gebied getraind bent voordat je je specialisme koos. Hij zei dat je het prima zou doen als huisarts.'

Sam schudde zijn hoofd. Hij glimlachte, al was zijn geamuseerdheid vermengd met irritatie. Jegens zijn broer. Net iets voor Ricky om zijn neus in Sams zaken te steken, hem te strikken voor iets waar hij zelf op geen enkele manier toe bereid was. Hij zag dat Annie ook glimlachte. Geamuseerd, want zij had altijd meer genoten van de streken van zijn broer dan hij.

'Diane, het is gecompliceerd wat je vraagt. Afgezien van de vraag of ik bekwaam ben algemene geneeskunde te beoefenen, zijn er praktische kwesties – bijvoorbeeld de verzekering voor medische fouten,' zei hij, het eerste punt noemend dat in zijn hoofd opkwam. 'En het recht om op te laten nemen in de ziekenhuizen in de omgeving.'

'Ik weet dat het ingewikkeld is. Maar ik vraag het je toch. Ik vraag je om die dingen te regelen en me te helpen, want ik heb je nodig.'

Tja, dat nam zijn bezwaren weg. Wat viel er hierna nog te zeggen?

'Hoor es, Sam. Ik zal eerlijk tegen je zijn. Er rust een torenhoge hypotheek op onze boerderij en ons spaargeld bestaat uit twee hypotheekbetalingen. Carl heeft een heleboel beminnelijke eigenschappen, maar zuinigheid hoort daar niet bij.'

Hij keek weer naar Annie, maar ze scheen geen aanstoot te nemen aan Dianes onomwonden vaststelling. Wat hem betrof, hij vond het een understatement. Hij knikte bedachtzaam.

'De droogte heeft al onze reserves opgeslokt,' vervolgde Diane. 'Ik heb twee jaar lang voer moeten kopen en zal dit jaar waarschijnlijk mijn vee moeten verkopen als de droogte aanhoudt. Als Carl moet stoppen met werken, moeten we zijn praktijk kunnen verkopen, we kunnen hem niet laten doodbloeden.'

Weer bleef het stil. Ten slotte zei Sam iets. 'Wat vind jij ervan, Annie?' Hij keerde zich naar haar toe. 'Wat vind jij van dit plan?'

'Ik zou het prima vinden,' zei ze zacht. 'Ik bedoel, ik zou het ook op prijs stellen. Alles om papa en Diane te helpen.'

'Alsjeblieft, Sam,' zei Diane.

Hij knikte. Hij zou haar niet laten smeken. 'Goed,' zei hij. 'Ik zal zien of ik de boel bij elkaar kan houden tot Carl weer op de been is.'

Dianes ogen schoten vol tranen en ze pakte zijn hand. Hij hield de hare een hele tijd vast, keek haar in de ogen en herinnerde zich vaag, van vele jaren geleden, dat hij zo'n zelfde band met anderen had ervaren als onderdeel van het dagelijks leven. Hij glimlachte tegen haar, een echte glimlach die diep in zijn hart begon. 'Maak je geen zorgen,' zei hij, en hij zag een deel van de onrust uit haar ogen verdwijnen. 'Alles komt goed.'

Ze sloeg haar armen om hem heen en hij omhelsde haar. Toen hij zich omdraaide om weg te gaan, zag hij dat Annie hem ernstig en nadenkend aanstaarde.

★

Het telefoontje kwam laat die nacht. Zijn mobiele telefoon rinkelde en hij zat meteen rechtop, zwaaide zijn benen over de rand van het bed. Hij had de telefoon al aan zijn oor en het licht aangeknipt voordat hij bedacht hij niet langer dienst had. Dit was geen spoedgeval waarbij zijn ingrijpen vereist was.

'De gouverneur heeft vanavond de wet ondertekend en

ze hebben de sonde teruggeplaatst,' zei Melvin zonder inleiding. 'Kelly krijgt op dit moment weer voeding toegediend. Haar levensfuncties zijn stabiel.'

Sam haalde diep adem, bedankte hem en hing op. Hij bleef even zitten, toen trok hij zijn kleren aan en ging naar buiten in de koele nacht. Hij liep naar het gazon en staarde omhoog naar de lucht. Het diepste deel van de nacht was voorbij. De sterren verflauwden tot dat gedempte grijs dat wil zeggen dat de zonsopgang niet ver meer is.

Hij had het gevoel dat hij respijt had gekregen, een onverwacht en ongegrond moment van genade. De pijn die de achtergrond van zijn leven vormde, nam af en er gloorde hoop in de verte, als het licht dat de oostelijke horizon roze kleurde.

24

Diane huurde een motelkamer een paar straten van het ziekenhuis en zou daar blijven zolang als het duurde. Annie was na haar vaders operatie naar huis gereden. Daar was alles in orde, dankzij Elijah, Mary en Sam, die een briefje op de deur had achtergelaten. *Vee heeft voer en water gehad. Kom morgenochtend terug.*

Ze had niet willen denken aan de morgen. Ze had zich in bed laten vallen en diep geslapen, als ze gedroomd had, wist ze het niet meer. Ze werd wakker toen de zon opging en trok haar overall aan en een overhemdblouse met lange mouwen, want de ochtenden waren koud in de bergen. Ze trok sokken aan, poetste haar tanden, vlocht haar haar en ging naar beneden. Ze deed de deur open en stapte op de veranda. De lucht was als grijze zijde en terwijl ze keek, kwam de zon op en schroeide hem met tinten van violet, mauve en roze, en iets in haar was tot rust gebracht en tevredengesteld.

Ze ging naar binnen en liet de deur achter zich open om frisse lucht binnen te laten. Er lag een briefje op het aanrecht. *Verse melk in de koelkast. Kom alsjeblieft eten vanavond. Liefs, Mary.* Annie voelde een golf van liefde voor haar schoonmoeder en voor een ogenblik was alles duidelijk definieerbaar. Ze zag de dingen even zoals ze geweest waren en weer zouden moeten zijn, maar het was slechts een korte flits van helderheid terwijl de lens werd gedraaid, nauwelijks te bevatten voordat het beeld weer wazig werd. Maar de werkelijkheid van hun relatie van nu leek duidelijk de verwringing. Absurd, onlogisch, en fout dat ze deze vervreemding had laten voortbestaan.

Ze ging naar de gootsteen en vulde de percolator met water en koffie, glimlachend om papa's eigenaardigheden. Ze rommelde in de kastjes en vond een bus havermout. Ze maakte een pan vol, want Elijah zou wel verschijnen zodra de haan begon te kraaien. Sam zou waarschijnlijk ook komen, besefte ze, als hij vandaag papa's patiënten moest bezoeken.

Annie voelde een zekere beroering bij die gedachte, maar wilde er niet bij stilstaan. Het was alleen maar logisch dat ze zich niet op haar gemak voelde met hem in de buurt, hoewel dat het niet precies beschreef en onverklaarbaar moest ze ineens denken aan de uitdrukking op zijn gezicht gisteren toen hij Diane geruststelde. Het had haar doen denken aan hoe hij vroeger was, zoals ze had gedacht dat hij nooit meer zou zijn. En het besef dat ze ongelijk bleek te hebben, liet haar niet met rust. Ze luisterde naar het gorgelen van de koffie en zette haar gedachten opzij.

Ze bakte een schaal broodjes en maakte een pot van Dianes zelfingemaakte perziken open, schepte de room van de melk en zette die op tafel met bruine suiker en wat gelei en honing. Het ontbijt stond klaar toen Elijah en Sam arriveerden. Ze stapte de veranda op om ze te begroeten.

★

Annie droeg vandaag haar overall en Sam moest onwillekeurig glimlachen. Vroeger had ze dat rare geval ook gedragen, met een strohoed.

'Waar is je bonnet?' vroeg hij speels en ze glimlachte, denkend aan dezelfde dingen als hij, nam hij aan.

'Ik denk dat ik een nieuwe nodig heb,' zei ze. 'Ik weet niet wat er met dat ouwe ding gebeurd is. De hond heeft hem zeker opgegeten.' Ze gaf Carls bordercollie een zetje met haar voet en hij beloonde haar met een hondenglimlach en een enthousiaste zwaai van zijn pluimstaart. 'Kom maar aan tafel, jullie,' zei ze. 'Ik heb het ontbijt klaar.'

Hij at, want mama had nog geslapen toen hij vanmorgen naar buiten sloop. Hij had aan Elijahs deur geklopt, zoals ze afgesproken hadden, en met z'n tweeën waren ze vertrokken. Hij was blij dat mama haar rust genomen had, want meestal sliep ze 's nachts niet goed. Hij nam een kom havermout en twee van Annies broodjes en had er nog wel meer op gekund. Ze kon het nog. Ze waren smeuïg, heet en goudbruin. Hij genoot van elke hap druipend van boter en jam, en spoelde ze weg met een kop van haar hete, sterke koffie.

'Dat was verrukkelijk,' zei hij. 'Dankjewel.' En het kon verbeelding zijn, maar hij dacht haar gezicht even te zien oplichten van plezier bij zijn woorden.

Elijah wierp zich op om met Annie samen het werk te doen, zodat Sam zich aan de praktijk kon wijden. Hij ontsloot hem met de sleutel die Annie hem gegeven had en bekeek het afsprakenboek. Carl had voor vanochtend een ziekenhuisronde en vier huisbezoeken op het programma staan en vanmiddag was er gratis spreekuur. Wie weet wie er dan kwam? Hij wenste dat hij wist wat hij verwachten kon.

Hij keek op zijn horloge. Eerst zou hij naar het ziekenhuis gaan en om opnamerechten vragen. Hij had er geen idee van hoe lang dat kon duren of wat hij in de tussentijd zou doen aan Carls in het ziekenhuis opgenomen patiënten. Hij bekeek de lijst van huisbezoeken die voor vanochtend gepland waren. Hij kende de locatie van drie adressen. Hij zou een plattegrond kopen om het vierde te vinden. Hij had Carls tas nodig en na een geagiteerde zoektocht belde hij ten slotte Diane.

'In de afgesloten kast,' zei ze. 'Helaas heb ik de sleutel hier.'

'Dat geeft niet,' zei hij tegen haar. 'Er ligt vast wel ergens een reservestethoscoop en medicijnen kan ik voorschrijven. Hoe gaat het met Carl?'

'O, zo'n stuk beter, dat kan ik je niet vertellen. Hij is wakker en drinkt heldere vloeistoffen. Ze hebben het erover hem morgen van de intensive care te halen.'

'Wat ben ik daar blij om, Diane.'

'Sam, ik kan je niet zeggen hoe ik het op prijs stel wat je doet.'

'Geen dank,' zei hij. 'Ik ben blij dat ik kan helpen.'

En, zo besefte hij toen hij de telefoon neerlegde, dat was waar. Hij keerde dat ogenblik van genade dat hij had ontvangen in gedachten om en om, bewonderde het, maar durfde het niet van al te dichtbij te onderzoeken. Hij had een gevoel van beweging, dat dingen die geblokkeerd waren eindelijk losraakten, en hij voelde zich beter, al wist hij niet wat er ging gebeuren. Hij kon weer bewegen en ademhalen.

Hij nam het afsprakenboek mee, zei Elijah en Annie gedag en ging op weg om de ronde te doen.

'Ik ga bij papa op bezoek, dan breng ik de sleutel voor je mee,' beloofde ze. 'Ik neem hem wel mee als ik vanavond kom eten.' Ze bloosde hevig. 'Je moeder heeft me gevraagd.'

'Mooi,' zei hij mild. 'Tot vanavond dan.'

★

Het was gek om weer in een ziekenhuis te zijn. Sam liep voorzichtig en behoedzaam door de gangen, alsof zijn aanwezigheid aangevochten kon worden. Dat gebeurde niet. Hij stond stil voor de operatiekamer en snoof de geur op. De operatiekamer had zijn eigen geur. Een mengeling van ontsmettingsmiddel en gesteriliseerd rubber. Zijn adrenaline begon te stromen en hij draaide zich om en ging de andere kant op, naar de administratiekantoren.

Hij vond waar hij naar op zoek was, stapte naar binnen,

keek rond en glimlachte. Wat een aardige, knusse wereld. Het bureau van de secretaresse stond midden voor de deur en een oudere, weelderiger versie van Izzy goochelde met twee telefoonlijnen en schreef tegelijkertijd iets op. Hij dacht dat hij haar misschien herkende, maar hij wist het niet zeker. Ze zou wel de moeder van een vriend van hem zijn. Gilead Springs was een klein stadje en ieders pad kruiste dat van anderen wel eens.

'Kan ik u helpen?' vroeg ze met een glimlach.

'Ik ben Sam Truelove,' zei hij. 'Ik zou graag de directeur spreken, als dat kan.' Hij knikte naar de deur waar *B. Dandridge* op stond. Zijn broer had hen aan elkaar voorgesteld tijdens een kerkelijke viering, maar hij kende hem niet goed. Hij voelde zich gespannen en vroeg zich nogmaals af wie wat over hem wist. Wie wat dacht.

'Gaat u maar meteen naar binnen,' zei ze met een glimlach. 'Hij zal u graag ontvangen, dokter Truelove.'

Dus hij was hier bekend. Tja, overal waarschijnlijk. 'Dank u,' zei hij en liep naar de deur en klopte aan.

'Sam! Fijn om je weer te zien.' Bruce Dandridge stond op achter zijn bureau en wenkte Sam naar binnen. 'Ricky zei al dat je wellicht langs zou komen.'

Aha. Mysterie opgelost. 'O ja?'

'Hij belde me gistermorgen. Trudy heeft al het papierwerk zelfs al klaar voor je handtekening.'

'Wat attent, zeg.' Gistermorgen. Voordat Diane en hij de kwestie zelfs maar besproken hadden. Hij had het gevoel dat hij in een goed gebouwd web verstrikt raakte, maar eigenlijk vond hij dat niet erg. 'Ik hoop dat je ook een lijst hebt van Carls patiënten in het ziekenhuis. Ik ben bang dat dat allemaal in Carls hoofd zat, en we hebben nog geen gelegenheid gehad om te praten.'

'Dat kan Trudy waarschijnlijk wel bovenhalen op de computer.'

'Komt voor elkaar,' riep ze vrolijk uit de andere ruimte, en Sam grinnikte.

Bruce Dandridge kwam achter zijn bureau vandaan en deed zacht, maar stevig de deur dicht. Hij draaide zich om naar Sam en ging in de stoel naast hem zitten. 'Ik wilde je even zeggen hoe erg ik het vind van je moeilijkheden.' Hij keek Sam eerlijk en oprecht aan. 'We zijn blij dat je er bent. Het is ons een eer dat we de kans krijgen om met je samen te werken.'

En daar was weer zo'n onverwachte genade. 'Dank je,' zei Sam eenvoudig, maar hij was dankbaar en hij kreeg een brok in zijn keel.

Hij tekende de papieren die hem toestemming gaven patiënten te laten opnemen in het Gilead Springs Memorial Hospital.

'Ik kan Asheville voor u bellen als u wilt, dat u daar ook kunt laten opnemen,' bood Trudy aan. 'Ik ben bevriend met de receptioniste. Zij zou de papieren kunnen klaarmaken, dan kunt u ze ophalen.'

Een uitstekend idee. 'Dank u,' zei hij. 'Ik waardeer het zeer.'

Trudy knikte en straalde. Ze gaf hem een patiëntenlijst. Carl had drie patiënten in het ziekenhuis. Sam ontsloeg er een en verwees haar door naar een revalidatiecentrum voor verder herstel van haar beroerte. De andere, een jongen van twaalf jaar met een gebroken dijbeen, zou later die dag bezocht worden door de orthopedist, maar zou waarschijnlijk ook naar huis gestuurd worden. Hij ging bij de derde kijken. Het was een oude vrouw, vijfentachtig jaar om precies te zijn, die leed aan een hartkwaal. De medicatie die Carl haar had voorgeschreven was niet de meest effectieve. Sam schreef een recept voor een nieuw geneesmiddel en vertrok na een kort praatje.

Toen hij klaar was, ging hij bij Ricky's praktijk langs. Daar was zijn zus ook. Ze was maatschappelijk werkster bij de Sociale Dienst van North Carolina en gebruikte vaak Ricky's praktijk om aantekeningen te maken en telefoontjes te plegen. Haar kantoor was buiten Asheville, maar dat was een lange rit voor elke keer dat ze een kopietje wilde maken of een computer gebruikte.

'Hoi, broer,' zei ze en stond op om hem te omhelzen. Hij drukte haar onhandig tegen zich aan en voelde haar pluizige haar langs zijn wang en neus strijken. Haar haar was altijd groter geweest dan zij, een pluizige, donkere corona om haar gezicht, haar ogen dansten of bliksemden al naar gelang de innerlijke weersomstandigheden en haar mond was altijd in beweging.

'Ik hoor dat je huisarts wordt,' zei ze, terwijl ze weer ging zitten.

'Dat heb je goed gehoord.'

'Mooi,' zei ze. Toen deed ze vlug haar mond dicht. Een zeldzame gebeurtenis.

Hij wist wat ze had willen zeggen. Dat is goed voor je. Leidt je af van je moeilijkheden. Tja, ze had immers gelijk?

'Weet je, ik heb zo'n gevoel.' Lauries ogen werden groot, haar wenkbrauwen schoten omhoog, ze draaide haar gezicht half opzij en verstarde, alsof ze luisterde naar iets wat Sam zeker niet hoorde. 'Dat er iets gaat gebeuren,' zei ze ferm.

Hij keek haar wantrouwend aan. 'Dat gevoel heb je?'

'Kom, Sam. Je weet dat mijn gevoelens altijd juist zijn.'

'Daar weet ik niks van.' Sam kon zich niet herinneren dat er ooit een van Lauries gevoelens uit was gekomen, al zei ze na het feit altijd dat ze het al die tijd al geweten had.

Ze keek hem ongelovig aan. 'En Miss Pitty dan?' vroeg ze.

Hij keek haar aan en schudde zijn hoofd.

'Kijk niet zo naar me.'

'Hoe?'

'Alsof ik gek ben. Je weet precies waar ik het over heb. Ik voorspelde dat Miss Pitty dood zou gaan!' In Lauries toon klonk ongeloof dat hij het moest vragen. 'Weet je dat niet meer?! Ik heb je er alles van verteld. Ik kwam die ochtend binnen en ik zei tegen Ricky dat ik het gevoel had dat er iets vreselijks ging gebeuren, een soort duisternis... verderf... ik weet het niet.' Laurie huiverde, woorden schoten haar kennelijk te kort. 'Toen kwam ik 's avonds thuis, en daar lag ze, die arme, ouwe poes, uitgestrekt naast haar waterbakje, stijf als een plank.' Haar ogen werden vochtig bij de herinnering aan het heengaan van Miss Pitty.

Sam trok een gezicht. 'Miss Pitty was een kat van negentien jaar, Laurie. Je hoefde niet bepaald helderziend te zijn om te voorspellen dat ze binnenkort het hoekje om zou gaan.' Toen hij uitgesproken was, had Sam meteen spijt van zijn woorden. Grapjes maken over Miss Pittypat ging te ver, een overtreding die niet in Lauries catalogus van vergeeflijke zonden stond.

Ze hief haar kin. 'Nou, en die keer dan dat ik zei dat ik gewoon *wist* dat er iets leuks ging gebeuren, en mama vond haar trouwring in de suikerpot?'

'Laten we het eens van de andere kant bekijken,' opperde Sam. 'Wanneer heb je *niet* een of ander gevoel gehad? Als je elke dag voorgevoelens hebt, zul je vanzelf wel van tijd tot tijd een klapper maken. Zelfs een blind varken vindt af en toe een eikel.'

'Ja hoor, maak jij er maar grapjes over,' zei Laurie. Ze hees zich stijf omhoog en keerde zich om naar haar computer. 'Maar ik zeg je, ik heb het gevoel. En dat bedriegt me nooit.'

'Ik hoop dat je gelijk hebt,' zei hij. 'En hartelijk dank dat je het met me wilde delen.'

Ze gaf geen antwoord. Snoof alleen en begon te typen en met grote belangstelling haar monitor te inspecteren. Sam grinnikte en liep langs haar heen naar de kamer van zijn broer. Ze zou er al overheen zijn als hij binnen was en op een stoel zat. Zijn zus was als een onweersbui in de bergen. Donder en bliksem en gieten van de regen, en vijftien minuten later was het gras alweer droog.

'Hij is er niet,' riep Laurie hem na. 'Hij doet een bevalling. De tweeling van Susan Baker.'

'Net klaar,' klonk Ricky's stem en ineens was hij er, als een frisse windvlaag, gekleed in een keurig maatkostuum, met een volle kop koffie in zijn hand. Sam rook zijn aftershave. Het gezicht van zijn broer straalde van goedgehumeurdheid en Sam benijdde hem. Hij was van nature hartelijk en onbekommerd.

'Ik kwam alleen maar even langs om je te bedanken voor al het werk dat je ten behoeve van mij gedaan hebt,' zei Sam tegen zijn broer.

Ricky was een en al verbaasde onschuld. 'Nou, graag gedaan, broer, maar ik weet niet waar je het over hebt.'

'Dat weet je heel goed. Achter mijn rug om plannetjes maken met Diane en dan Bruce Dandridge bellen.'

'Broer, ik wil gewoon dat je een gelukkig man ben. Is daar iets mis mee?' Hij pakte zijn koffie op, deed zijn ogen dicht terwijl hij een slok nam en er brak een brede glimlach door op zijn gezicht.

'Mmm, mmm. Beter dan zo wordt het niet,' mompelde hij in verrukking.

'Beter dan wat?' vroeg Sam, die een glimlach naar zijn strakke gezicht voelde kruipen alleen omdat hij in dezelfde ruimte was als Ricky.

'Ik heb vannacht lekker geslapen. Het gaat prima met Amanda en de kinderen. Ik heb vanmorgen twee baby's verlost en als ik nog een paar patiënten heb bezocht, ga ik naar de golfbaan. Ga met me mee.'

Sam schudde zijn hoofd. 'Dankzij jou moet ik huisbezoeken afleggen en vanmiddag heb ik gratis spreekuur.'

Ricky grijnsde. 'Nou, jij kunt wel een kop koffie gebrui-ken.'

'Ik pak wel een kopje op weg naar buiten.' Hij stond op en wilde weggaan.

'Zeg, Sam,' zei Ricky en Sam draaide zich om. Zijn broer keek ernstig. 'Ik heb het nieuws over Kelly Bright gehoord. Ik ben er erg blij om. Het is een gebedsverhoring. Ook daarom ben ik zo vrolijk,' zei hij en Sam bedacht hoe Ricky er altijd voor hem geweest was in slechte tijden. Hij had het recht zich te verheugen nu een deel van de druk was afge-nomen.

'Dank je,' zei hij. 'Ik ben ook opgelucht. Het blijft een vreselijke situatie, maar ik ben blij dat ze verzorgd wordt. Niemand zou op die manier moeten sterven.'

Ricky's telefoon rinkelde. Sam stak groetend zijn hand op en vertrok toen zijn broer begon te praten. Iemands vliezen waren gebroken en hij zag Ricky's golfspel in het water val-len. Hij zwaaide naar zijn zus, die ook aan de telefoon zat. Hij ging naar buiten en ademde diep de warme lucht in.

25

De huisbezoeken waren niet al te moeilijk. Een baby met kroep, een tweejarige met vermoedelijk mazelen, een oude vrouw die even een luisterend oor nodig had en een bloeddrukcontrole. Sam schudde zijn hoofd. Hij kon niet geloven dat Carl twintig minuten de heuvels in reed alleen om iemands bloeddruk op te nemen, maar eigenlijk was dat het beste bezoek van allemaal geweest. Hij had met de oude vrouw op de veranda gezeten en een kop koffie gedronken, en geluisterd naar het kabbelen van de beek. Hij had zich vredig gevoeld, voor een poosje althans.

Elijah was bijna klaar met het werk toen Sam terugkwam bij het huis van Carl en Diane. Annies huurauto was weg. Hij vroeg zich af wat ze met zijn truck had gedaan. Die wilde hij graag terug.

'Hallo,' begroette Elijah hem. 'Ik wilde net mijn lunch gaan opeten toen Annie vertrok. Je bent precies op tijd.'

Lunch klonk lekker. Hij voelde zich alsof hij vandaag al kilometers had afgelegd, en hij had nog een uur voordat het gratis spreekuur begon. Met een beetje geluk zou er niemand verschijnen en kon hij weg.

Ze aten de sandwiches op die Annie had klaargemaakt, en Sam bewonderde haar werk. Annie wist hoe je een goede sandwich maakte, ze gebruikte een dikke plak vlees en een dikke plak kaas, smeuïg, stevig brood, en sla, tomaat en zout en een augurk ernaast. Hij herinnerde zich dat ze haar eigen komkommers inlegde met dille en kruiden, de planken van hun kleine keuken stonden vol weckpotten. Op weekdagen lachte ze van verrukking als de potten dichtgingen en de knallen door het hele huis klonken.

Toen hij klaar was met de lunch, ging hij naar de praktijk. De geneesmiddelen stonden natuurlijk in een afgesloten kast en hij wenste dat Annie hier was met de sleutel. Nou ja, hij moest zich vandaag maar zien te redden. Meer kon niemand vragen. Vreemd. Maar hij besefte dat hij het meende. Op een of andere manier verwachtte hij hier geen volmaaktheid van zichzelf, en hij wist dat het kwam omdat er zoveel minder op het spel stond.

Hij zorgde dat er schoon papier op de onderzoektafel lag, ruimde de wachtkamer op, zette een pot koffie en een pot met heet water. Hij controleerde het intekenklembord en zorgde dat er papier was, en opnieuw wenste hij dat hij iemand had om hem te helpen. Hij zou mensen moeten inschrijven, hun kaarten invullen en behandelen.

Hij was nerveus als een bruidegom toen hij de eerste auto hoorde aan komen rijden. Toen hij naar buiten keek en zag dat het Annie was, werd dat niet minder. Ze overhandigde hem triomfantelijk de twee sleutels. 'Deze is van de medicijnkast. En deze van de voorraadkast.'

'Dank je,' zei hij. 'En bedankt voor de sandwiches.'

'Graag gedaan,' zei ze. 'Het is aardig van je dat je dit voor papa doet.'

Hij knikte. Morgen zouden ze moeten terugkomen op de eigenlijke kwestie waarom ze hier gekomen was, maar voorlopig genoot hij van het uitstel.

Hij ging de praktijk weer binnen, opende de medicijnkast en controleerde Carls voorraad. Hier was Carl in ieder geval efficiënt en goed bevoorraad. Epinefrine, injecteerbare amoxicilline en andere antibiotica. Morfine, diazepam. Glucose voor diabetici. Wat middelen tegen misselijkheid. Prednison. Geactiveerde houtskool voor gevallen van vergiftiging. Atropine en nog wat andere noodmedicaties voor hartaanvallen en beroertes. Hij voelde zich iets beter voorbereid. Hij keek in Carls spreekkamer en nam het *Bureauhandboek voor de huisarts* en *Mercks handboek* mee. Om één uur haalde hij diep adem, maar de telefoon rinkelde voordat hij de deuren kon openen.

Tegen de tijd dat hij het telefoontje beëindigde, was het vijf over een. Hij stapte de wachtkamer binnen en zag tot zijn verbazing minstens twaalf mensen zitten. Ze zaten op de stoelen, stonden op de oprit, praatten zachtjes met elkaar en wachtten geduldig. Hij was verrast, maar dat duurde niet lang. Het waren harde tijden. Er waren ontslagen gevallen in het plaatselijke bedrijfsleven en de droogte was voor niemand gemakkelijk. Gratis medische zorg was een geschenk. Hij ging aan het werk en begroette de patiënten, vroeg elk wat het probleem was en probeerde snel en efficiënt beslissingen te nemen.

'Zo te zien heb je je handen vol.'

Sam keek op naar Elijah en knikte. Hij wilde niet onbeleefd zijn, maar het antwoord lag voor de hand. Hij was druk bezig de dringende gevallen te scheiden van de gewone. Hij was nu halverwege de rij en vroeg iedereen wat hij mankeerde, zodat pijn op de borst niet hoefde te wachten achter een verzwikte enkel.

'Ik zou je daarmee kunnen helpen,' bood Elijah aan. 'Ik zou ze kunnen sorteren, dan kun jij met de dringende gevallen beginnen.'

Sam keek met een ruk op, verrast, maar toen het tot hem doordrong, schudde hij zijn hoofd om zijn eigen domheid. Hij was zo opgegaan in zijn eigen problemen dat hij niet eens had gevraagd wat voor zendeling Elijah Walker was geweest.

Elijah gaf opheldering. 'Ik ben ook arts. Ik heb door het grootste deel van Afrika gereisd en alles behandeld van cholera tot polio. Ik heb geen vergunning om praktijk te voeren in North Carolina, maar ik zou je assistent kunnen zijn.'

'Je bent vast en zeker uitstekend opgewassen tegen deze taak,' zei Sam. 'En ik zou je dankbaar zijn voor je hulp.'

Samen sorteerden ze de patiënten en vergeleken kort hun aantekeningen, spraken af wie het eerst geholpen moest worden. Annie kwam terug en ontving het nieuws van Elijahs beroep met geamuseerde berusting.

'Natuurlijk. Naast wie zou ik anders gaan zitten? Ik zei het toch, het is hier vergeven van de artsen. Ik trek ze aan. Ik ben een artsenmagneet.'

Ze hielp hen, deelde genummerde stukjes papier uit aan de menigte, zocht kaarten op, en haalde twee pasgeboren lammetjes uit de stal om de kinderen te vermaken.

Tegen het eind van de middag hadden ze zestien patiënten ontvangen, tien recepten uitgeschreven, een steenpuist opengesneden, een man naar de EHBO in Gilead Springs gestuurd en veel geruststellende woorden gesproken.

★

'Ik snap niet hoe Carl het doet,' verklaarde Sam ronduit na het verorberen van een bord gebraden rundvlees met groenten van zijn moeder. Ze namen hun koffie met cake mee naar de veranda.

Elijah en Mary praatten op hun gemak met elkaar, en toen Mary opstond om de vaat te gaan doen, stond Elijah erop haar te helpen.

Sam trok een wenkbrauw op toen ze weg waren.

Annie schommelde op de schommelbank en glimlachte. 'Wat is er?'

'O, niks,' antwoordde hij. 'Ik vraag me alleen af of er romantiek in de lucht zit.'

'Mary en Elijah?' Ze scheen het een boeiend denkbeeld te vinden. 'Tja, waarom niet?'

'Zeg dat wel, waarom niet,' zei hij. 'Ik vermoed dat ze elkaar jaren geleden gekend hebben.'

'Echt waar?' Annie was geïntrigeerd.

'Echt waar.' Hij was te moe om zich druk te maken om zijn moeders liefdesleven, maar hij vond het heerlijk om hier met Annie te zitten nu de dag ten einde kwam. Ze nam nog een hap cake en de schommelbank kraakte gezellig mee.

Ze zuchtte en haar gezichtuitdrukking veranderde.

'Wat is er?' Hij verstrakte, wist niet zeker of hij het wilde weten.

'Ik heb een nieuwe baan aangenomen,' zei ze. 'Ik ga verhuizen naar Los Angeles. Daar was ik naartoe op weg toen ik besloot hierheen te gaan.'

'Los Angeles.' Hij was geschokt toen de werkelijkheid tot hem doordrong.

'Ik ga schrijven voor de *Times*.'

'Gefeliciteerd.' Hij probeerde de teleurstelling uit zijn stem te weren. 'Bij de grote jongens.'

Ze haalde haar schouders op.

Ze praatten nog even door, maar er was iets veranderd. De werkelijkheid had zijn entree gemaakt en hij kon niet doen alsof het niet zo was. Zo ging het met de waarheid, besefte hij. Eenmaal op tafel verdween hij niet vlug meer.

'Ik ben kapot,' zei hij ten slotte, opstaand. 'Ik denk dat ik maar eens naar bed ga.'

Ze begreep de hint en stond eveneens op. 'Ik moet ook weg. Ik moet morgen zaken regelen.' Ze keek hem niet aan.

Hij hoorde haar de keuken binnengaan en zijn moeder bedanken en Elijah gedag zeggen. Hij ging naar zijn kamer en deed de deur dicht en kwam niet meer tevoorschijn, zelfs niet nadat hij haar had horen wegrijden.

26

Het weekend ging snel voorbij. Op zaterdag legde Sam enkele huisbezoeken af, daarna werkte hij aan het schoonmaken en herbevoorraden van Carls praktijk, evenals kaarten invullen, archiveren, en duidelijke aantekeningen maken voor Margie Sue, de doktersassistente, die ongetwijfeld uiteindelijk zou komen. Annie zag hij niet. Het huurautootje was weg en hij veronderstelde dat ze op bezoek was gegaan bij haar vader. Zelf had hij Carl zaterdagavond willen bezoeken, maar eenmaal thuis bij zijn moeder had hij de avondmaaltijd opgegeten die ze had klaargemaakt en toen was hij even op bed gaan liggen om een half uurtje te rusten en was in slaap gevallen. Hij had beter en langer geslapen dan hij in maanden had gedaan – jaren misschien. Hij werd om twee uur 's nachts één keer wakker, kroop onder de dekens en toen pas weer zondagochtend om tien uur.

Het was stil in huis. Mama was natuurlijk naar de kerk. Hij was in jaren niet naar de kerk geweest. Vijf om precies te zijn. Hij had niet bewust een besluit genomen niet meer te gaan. Alleen, tenzij hij er een prioriteit van had gemaakt, had het werk zijn tijd gevuld. Maar deze zondag deed hij geen ander werk dan het beantwoorden van een paar telefoontjes, die snel afgehandeld waren. Als alternatief bracht hij de dag rustig door met zijn familie. Jim en Laurie en Ricky en Amanda kwamen met al hun kinderen. Mama maakte eten klaar voor iedereen en Elijah voegde zich bij hen. Hij paste er op een natuurlijke manier tussen, praatte met de mannen, was vriendelijk en wellevend tegen de vrouwen, maar was bijzonder in trek bij de kinderen. Hij speelde met de bal met de jongste kinderen van Jim en Laurie en duwde daarna bijna een uur de dochtertjes van Ricky op de schommel. Toen hij ging zitten om uit te rusten, kropen ze helemaal over hem heen. Sam hoorde dat de jongste hem Pawpaw noemde, de naam die ze zijn vader hadden gegeven. Het stemde hem tot nadenken. Niet vanwege een gevoel van bezitterigheid, maar hij besefte opnieuw dat Elijahs vertrek een leegte zou achterlaten – vooral voor zijn moeder.

Hij had haar vandaag gadegeslagen. Het kon verbeelding zijn, maar hij had haar ogen meerdere keren op Elijah zien rusten en dan lichtte haar gezicht op van een tevredenheid die hij in vele jaren niet had gezien.

Nu was het maandagochtend en Sam stapte de veranda van de cottage op en klopte aan de deur. Hij had Elijah uitgenodigd vanmorgen met hem mee te gaan op ronde en huisbezoeken, nu Annie vrijdag tijdens het avondeten had volgehouden dat ze het werk in haar eentje afkon.

'Diane doet het ook alleen,' had ze gezegd met die opgeheven kin en Sam was wel wijzer dan tegenwerpingen te maken.

'Kom erin,' riep Elijah. Sam deed het.

Elijah stond gebogen over de kleine keukentafel. 'Ik kijk mijn tas na, of je hem soms zou willen gebruiken.' Sam stelde zich de traditionele dokterstas voor en bedacht een beleefd antwoord. Als hij er zo een wilde, had hij de keus. Die van zijn vader en grootvader lagen ergens op zolder, en die van Carl in de voorraadkast in de kliniek. Maar toen hij dichterbij kwam, stond hij verbaasd. De tas was van zwaar zilverkleurig nylon, voorzien van een stevig slot en goed uitgerust met een reeks medicijnen en instrumenten. Hij liet zijn blik eroverheen glijden en zag alles wat hij in elke denkbare en ondenkbare situatie nodig kon hebben.

'Dit zijn antimalariamiddelen,' zei Elijah, een handvol

medicijnflesjes opzij zettend. 'En dit zijn AIDS-medicijnen en antiparasietmiddelen.' Weer een handvol werd opzijgezet. 'Die hebben we hier waarschijnlijk niet nodig.'

'Dat denk ik ook niet,' beaamde Sam. Er was een ruime verzameling antibiotica, twee antidepressiva, enkele standaard hartmedicaties, steroïden, valium, morfine, braakmiddelen en medicijnen tegen misselijkheid, een goede voorraad vaccins, injecteerbaar en tabletten voor onder de tong, plaatselijke verdovingen, Narcan voor het geval van onverhoopte medicijnoverdosis, astmamiddelen, tetanusvaccinaties. Braakwortel. Er was een assortiment eenvoudige chirurgische instrumenten, verband en gaas, gips en spalkmaterialen. Navelklemmen en een verlostang.

'Je bent overal op voorbereid,' zei Sam vol bewondering.

'Moest wel,' zei Elijah met een knik. 'Je reist een week of twee en je komt niet even terug omdat je wat vergeten bent.'

'Nee, dat zal wel.' Sam bekeek de oudere man met nieuw ontzag. 'Vertel eens over je werk,' zei hij terwijl ze naar de auto liepen.

'Ik ben begonnen in Kenia,' zei Elijah toen ze instapten en de tocht naar Carls praktijk begonnen. 'Daar hebben we twee ziekenhuizen gebouwd. Toen ben ik in het Opper-Nijlgebied gaan werken in Zuid-Soedan. We reden het gebied binnen met terreinwagens, gingen zo ver als we konden en legden de rest van de weg te voet af. Er is zo veel oorlog en armoede en ziekte, dat je het gevoel hebt dat je de oceaan leegschept met een lepeltje.'

'Het moet erg moeilijk voor je zijn om terug te komen na zo'n lange tijd zo ver weg geweest te zijn, en zulk zwaar werk te hebben gedaan,' zei Sam, en hij was getroffen door zijn eigen ongevoeligheid. Hij was zo opgegaan in zijn eigen problemen dat hij zelfs niemand anders had opgemerkt op zijn radar.

'Het is even wennen,' gaf Elijah met een gespannen lachje toe.

'Ik stel me voor dat je verbijsterd bent door de excessen
hier,' zei Sam, 'als je het zo lang met zo weinig hebt moeten
doen.' Hij dacht aan de dure onderzoeken en apparatuur, de
ongelooflijke hoeveelheid technologie die door elk van zijn
kleine patiëntjes werd opgeslokt.

Elijah draaide met een ruk zijn hoofd naar hem toe, verbaasd door Sams begrip. 'Dat is het precies,' bekende hij. 'De
meest wanhopige situatie hier is meestal toch nog beter dan
wat wij daar elke dag zagen,' zei hij. 'De mensen hebben zo
weinig en ze zijn zo dankbaar voor hulp. Ik vind het ook
moeilijk om op bezoek te zijn in kerken en te zien hoe
iedereen opgaat in zijn eigen leven en hoe weinig ze aan de
zendelingen denken of voor hen bidden. Ik probeer niet te
oordelen,' zei hij zacht, 'maar het is soms moeilijk.'

'Dat kan ik me voorstellen.' Hij voelde zich zelf gevon-
nist.

'Maar het moeilijkste van alles is het gebrek aan geloof dat
ik hier zie.'

Sam fronste. 'Wat bedoel je precies?'

'Als je op het scherpst van de snede leeft, zoals wij deden,
moet je geloof hebben. Zonder dat hadden we niet kunnen
functioneren. Wij zaten wanhopig in het nauw en we baden
wanhopige gebeden. En ik geloof dat we als resultaat daarvan verhoord werden. Ik heb wonderen gezien. Ik ben in
dorpen geweest, en terwijl we baden, zag ik dat de medicijnen letterlijk niet op raakten toen ze allang op had moeten
zijn. Ik zag de ene dosis na de andere – dertig of veertig –
worden toegediend uit hetzelfde flesje, en toen we vertrokken was het nog steeds halfvol. Ik heb eens een klein meisje gezien dat op het punt stond te sterven aan ondervoeding.
We legden onze handen op haar en baden nadat we alles
hadden gedaan wat we konden, maar om je de waarheid te

zeggen, had ik nooit verwacht dat ze nog zou leven toen we de week erop terugkwamen. Ze liep rond en praatte,' zei hij hoofdschuddend. 'Ik heb een man zien genezen van lepra.' Elijah keek voorzichtig wat zijn reactie was.

'Ik heb ook wonderen gezien,' bekende Sam na een ogenblik, en hij herinnerde zich hoe hij de macht had gekregen als hij de scalpel opnam en deed wat eigenlijk niet kon. 'Misschien niet zoals die, maar het waren toch wonderen. De laatste tijd heb ik er niet veel gezien,' gaf hij toe.

'Je bent hier, nietwaar?' bracht Elijah naar voren. 'En Annie ook.'

'Daar heb je gelijk in.' Hij glimlachte.

Daarna spraken ze niet veel meer. Ze kwamen bij het huis van Carl en Diane. Hij parkeerde de auto en ze stapten uit.

Annie was er, en Sams hart begon te bonken toen hij haar zag. Ze was kennelijk klaar met het werk en op weg ergens heen. Ze droeg een beige linnen pakje en zag er verzorgd uit, en hij herinnerde zich wat ze had gezegd over verhuizen naar Los Angeles. Hij besefte hoe dom hij was geweest om hoop te putten uit een paar gesprekjes en lachjes.

'Ik ga bij papa op bezoek,' zei ze, en hij kon het zich verbeelden, maar het leek of ze overal naar keek behalve naar zijn gezicht. 'Er staat havermout op het fornuis en er ligt fruit in de koelkast als jullie trek hebben.'

'We nemen wel wat onderweg de stad uit,' zei Sam kortaf terug en hij zag haar ogen donker worden.

'Mooi. Wil je de huissleutel?'

'Nee. Sluit maar af. Ik heb niks anders nodig dan wat in de praktijk ligt. Zeg tegen Carl dat ik blij ben dat het goed gaat en dat ik hem gauw kom opzoeken.'

Annie knikte. 'Dan zie ik jullie tweeën later wel weer.'

Hij betwijfelde het. Hij knikte terug. 'Dag.'

Tijdens hun woordenwisseling was Sam zich bewust geweest dat Elijah met een uitdrukking van pijn op zijn gezicht toekeek, maar nu sloeg hij zijn ogen neer.

Toen Annie zich omdraaide om te vertrekken, wendde Sam resoluut zijn gezicht af en ontsloot de deur van Carls praktijk. Hij controleerde het afsprakenboek. Er stonden drie afspraken voor vanmiddag op het programma en twee huisbezoeken voor vanochtend. En zijn patiënt in het ziekenhuis kon waarschijnlijk vandaag ontslagen worden. Daar ging hij eerst heen. Hij luisterde of er telefonische berichten waren en handelde ze snel af. Het waren vragen om herhalingsrecepten en mensen die een afspraak wilden maken. Toen hij klaar was, veranderde hij de tekst in het antwoordapparaat en gaf het nummer op van zijn mobiele telefoon voor spoedgevallen.

Sam en Elijah vertrokken en sloten de praktijk af. Ze gingen naar het ziekenhuis en ontsloegen Sams patiënt, met wie het veel beter ging na het nieuwe hartmedicijn.

'Hartelijk bedankt, dokter Truelove,' straalde ze en Sam bloosde van plezier. Wat een lieve dame.

'Het genoegen was geheel aan mijn kant,' zei hij en ze glunderde.

Hij trakteerde Elijah op een ontbijt in de Cracker Barrel en zag Ricky hun kant op komen. 'Dat bedoel ik nou, broer!' kraaide zijn broer. 'Je begint er slag van te krijgen.'

'Slag van wat?' vroeg Sam, uit gewoonte geïrriteerd tegen zijn broer.

'Slag van het leven.' Ricky grijnsde verrukt en schudde Elijah de hand. 'Fijn u weer te zien, broeder. Deze heer spreekt aanstaande zondag in onze kerk, Sam,' informeerde Ricky hem. 'Je moet ook komen. Het kwartet zingt ook.'

Natuurlijk. Sam berekende dat de jaarlijkse Truelovereünie eraan kwam, volgens de traditie in de maand dat de Ambassadors weer bij elkaar kwamen en hun jaarlijkse acte de présence gaven. Met alle beroering in zijn persoonlijke leven en Carls ziekte, was hij het vergeten. Hij vroeg zich af of zijn moeder het ook vergeten was, want ze had nog geen woord over de reünie gezegd. 'We zien wel,' zei hij tegen Ricky, hoewel mama hem waarschijnlijk ook mee naar de kerk zou vragen. Als hij nee tegen haar wilde zeggen, moest hij ruim van tevoren zijn hart gaan verharden. Hij was dankbaar voor de waarschuwing.

'Moet weg,' zei hij tegen Ricky, die straalde en gedag wuifde op weg naar zijn tafeltje.

Sam betaalde en ze gingen op weg naar de heuvels voor hun eerste bezoek.

★

'Hoe is dit gebeurd?' vroeg Sam, die het gezwollen oog van de boer onderzocht.

'Geschopt door een muilezel.'

'Hoe?

'Toen ik hem besloeg.'

'Wanneer?'

'Gisteravond.'

'Hier moet u mee naar een ziekenhuis.'

'Ga niet naar een ziekenhuis.'

'Deze wond moet gehecht worden.'

Geen antwoord, alleen hoofdschudden.

Elijah haalde zijn schouders op en begon de 4.0 prolene en de lidocaïne uit zijn tas te halen. 'Bewustzijnsverlies?' vroeg hij. 'Overgeven?'

'Geen van beiden,' antwoordde de man. Hij haakte een duim achter de band van zijn overal.

'Ziet u dubbel?' vervolgde Elijah.

'Ik zie prima. Van alles één.'

Sam onderzocht het oog, betastte de botten en voelde niets wat duidelijk van zijn plaats was. Hij vroeg zich af of hij een smoes moest bedenken om naar de auto te gaan om in zijn *Merck's handboek* te kijken. 'Kijk eens hierheen,' instrueerde hij. 'Nu hierheen. Nu omhoog. Neer.' Geen vastzittende ligamenten en de pupillen zagen er goed uit. Hij gaf Elijah de oogspiegel, die hetzelfde deed.

'Zeg, ik ga niet voor twee dokters betalen,' zei de man achterdochtig.

'Ik ben er als extraatje bij,' zei Elijah lachend. 'Kost u geen cent. Ik vind dat het er goed uitziet,' zei hij na een snel onderzoek tegen Sam.

'U moet er echt door een oogarts naar laten kijken,' drong Sam aan. 'En laat een CT-scan van uw hoofd maken om zeker te weten dat uw hersenen niet beschadigd zijn.'

'Ik kijk wel uit,' zei de boer botweg. 'Ik had u niet eens willen bellen.'

Sam zag de echtgenote in de buurt rondscharrelen.

Hij zuchtte, bette het ooggebied met betadine, nam de injectiespuit van Elijah aan, injecteerde de plaatselijke verdoving en hechtte de wond. De man zat de hele procedure stoïcijns uit. Er waren vier hechtingen nodig. Sam knipte de laatste af en Elijah ruimde op. 'Is het een probleem als u een receptje krijgt?' vroeg Sam, benieuwd of de man even moreel gekant was tegen medicijnen als tegen ziekenhuizen.

'Ik kan een recept meenemen naar de stad,' zei de echtgenote, die ineens verscheen met koffie en een bord vol koekjes.

Sam schreef er twee uit. Een voor antibiotica en een voor een neusdecongestivum. 'Een week of twee uw neus niet snuiten,' zei hij.

De boer knikte, zette zijn John Deere-pet op en vertrok. De vrouw schreef een cheque uit van vijftien dollar terwijl Sam en Elijah gingen zitten en stroopkoekjes aten en koffie voor zichzelf inschonken.

'Het is een chagrijnige ouwe knar, maar ik houd van hem,' zei ze met stralende ogen tegen Sam.

Sam glimlachte en pakte de cheque aan. Hij stopte hem in zijn zak en dacht na over zijn veranderde leven.

'Hartelijk dank, dokters,' zei ze.

'Het genoegen was aan onze kant,' antwoordde Elijah en ze gingen op weg naar het tweede bezoek.

★

Eliza Goddard was het exacte tegendeel van de geschopte boer. Ze woonde in een enorm Victoriaans huis dat uit de toon vallend op de top van een bergkam stond. Sam bekeek een panoramisch uitzicht op de Great Smokies uit de erker-ramen in de woonkamer. Voor de kost schreef ze romans. In haar ingesproken boodschap had ze gezegd dat ze licht in het hoofd was, alsof haar bloeddruk een beetje hoog was. Sam belde aan en Elijah en hij werden binnengelaten door een dienstmeisje. Toen de vrouw des huizes verscheen, betrok haar gezicht van teleurstelling toen ze hen beiden zag.

'Waar is Carl?' vroeg ze met verlangen in haar stem en Sam stelde onmiddellijk de diagnose.

'Ik ben bang dat dokter Dalton zelf in het ziekenhuis ligt,' zei hij en zijn analyse werd bevestigd toen haar gezicht wit werd van ontzetting. Mejuffrouw Goddard was in de greep van een ernstig geval van verliefdheid op de dokter. Hij zou een dosis realiteit voorschrijven. 'Hij is herstellende, met zijn vrouw en dochter aan zijn zijde.'

'O.' Stilte. 'Maar het gaat dus goed met hem?'

'Ja, hoor.'

Weer was het stil.

'U was bezorgd over uw bloeddruk?'

Ze leefde op en knikte, kennelijk wekte het onderwerp van haar gezondheid haar belangstelling. 'Als ik ga staan, word ik duizelig en dan moet ik weer gaan zitten. Ik vroeg me af of ik soms hoge bloeddruk had. Dat had mijn vader ook, ziet u.'

'Slikt u medicijnen voor uw bloeddruk?'

'Nee.'

Sam knikte neutraal. 'Gaat u maar even zitten, dan zullen we eens kijken.' Elijah opende de tas en overhandigde hem de manchet en de stethoscoop. Hij nam één keer op. Twee keer. Staand. Zittend. Liggend. '120 over 80,' zei hij. 'Helemaal volgens het boekje.'

'O.' Ze was beslist teleurgesteld.

'Nog andere symptomen?'

Ze dacht na met een hoopvol gezicht. 'Soms zie ik vlekjes voor mijn ogen als ik net wakker ben.'

'Ziet u ze nu?'

'Nee, ik geloof van niet.'

'Als u ze ziet, zijn het er dan veel, zou u zeggen dat het een douche was?'

'Nee. Een of twee maar.'

'Lichtflitsen of sterretjes?'

'Nee.'

'Iets als hittegolven?'

'Nee.'

Elijah overhandigde hem de oogspiegel. Sam gaf hem terug. 'Ga uw gang,' zei hij.

Elijah deed het. 'Ziet er prima uit,' zei hij. Hij klopte haar op haar arm en ze fleurde op.

'Wat u beschrijft, zijn zwevende puntjes op het glasachtig lichaam,' vertelde Sam. 'Het zijn meestal onschuldige klompjes cellen. Een normaal deel van het verouderingsproces.' Haar gezicht betrok bij het woord veroudering.

'U heeft zeker niet toevallig zoiets als een kop koffie, hè?' vroeg Elijah en ze vrolijkte helemaal op.

'Ach, ik wilde het net aanbieden,' zei ze. 'Josie, breng eens koffie met scones.'

285

Elijah straalde. Sam schudde zijn hoofd. 'Neem me niet kwalijk,' zei hij en ging naar de gang om de boodschappen uit de praktijk af te luisteren. Er was er een van een andere patiënt. Hij krabbelde de informatie neer op zijn notitieblok. Een terminale kankerpatiënt had iets nodig tegen de pijn. Dat was belangrijker dan koffie met scones.

'Ik ben bang dat we een andere oproep hebben,' zei Sam. Elijah verontschuldigde zich en ze vertrokken net toen de verfrissingen verschenen.

'Dit is voor het gratis spreekuur van dokter Dalton,' zei mevrouw Goddard en ze overhandigde hem een opgevouwen cheque. Sam stopte hem in zijn zak. 'In welk ziekenhuis ligt hij?' vroeg ze. 'Ik wil graag bloemen sturen.'

'Het Baptistenziekenhuis in Asheville,' antwoordde hij.

In de auto bekeek hij de cheque. Vijfhonderd dollar. Geen wonder dat Carl best een huisbezoek wilde afleggen bij een hypochonder.

Elijah was meer filosofisch. 'Ze is eenzaam,' zei hij. 'Dat zie je zo als je naar haar gezicht kijkt.'

Sam haalde zijn schouders op en nam niet de moeite om tegen te werpen dat hij hier geen vijftien jaar voor geleerd had. Ze reden naar hun laatste afspraak.

Het was moeilijk. De patiënt was een drieënveertigjarige man in het eindstadium van maagkanker. Hij was afgevallen tot 55 kilo. Sam diende een morfine-injectie toe en schreef fentanylpleisters voor. De man viel in een genadige slaap toen het medicijn begon te werken. De familie was dankbaar, maar uitgeput door de zorgen en het verdriet. Er werd geen koffie met koekjes aangeboden. Geen geld veranderde van eigenaar.

'Het is erg,' zei de afgematte echtgenote en Sam keek haar vol medeleven in de ogen.

'Wat kan ik voor *u* doen?' vroeg hij en zijn eigen woorden verrasten hem. Hij wist niet goed waar ze vandaan gekomen waren. Haar ogen werden vochtig.

'Carl bidt altijd met ons,' antwoordde ze eenvoudig. Sam keek naar Elijah. Die staarde naar zijn schoenen.

Sam knikte en ze bogen allemaal het hoofd. 'Hemelse Vader,' begon Sam zacht, 'U ziet het lijden van Uw kinderen. Uw Woord zegt dat U elke traan ziet en dat U Uw oor neigt naar hun roepen. Dat U Zich ontfermt over alles wat U heeft gemaakt. Stort Uw zegen over ons uit, God,' bad hij en ineens week hij af van het script dat hij in zijn hoofd had samengesteld. 'Zegen ons.' Zijn stem werd intenser. 'Wij hongeren naar Uw aanraking, God. Wees genadig. Geef ons genezing. Help ons, God. Help ons.'

Ze snikte zachtjes.

'Ja, God,' prevelde Elijah. 'Doe het, God. In Jezus' naam.'

Zwijgend reden ze terug naar de stad, ieder in zijn eigen gedachten verzonken.

★

Haar vader zat rechtop in bed toen Annie binnenkwam en onthaalde de verpleegsters op verhalen uit de tijd dat de oude Jonas Carter zijn beide schouders uit de kom draaide door te proberen zijn 65 Pontiac van zijn prijswinnende zeug te tillen.

'Hij was zo dronken als een tor,' zei Carl, 'dus ik hoefde hem niet te verdoven om ze er weer in te plaatsen.'

De zusters giechelden. Annie schraapte haar keel. Het verhaal eindigde abrupt en details waren voor altijd verloren. Hoe bijvoorbeeld de zeug onder de wielen van de 65 Pontiac was gekomen. Annie dacht niet dat het haar iets kon schelen.

'Annie, liefje,' riep haar vader en ze ging naar hem toe.

Na een knuffel inspecteerde ze haar vader. Ze had een matte, vermoeide houding verwacht, als van iemand die zich voorbereidt op de ontmoeting met de Schepper. Ze had beter moeten weten. Haar vader zag er uitstekend uit. Zijn kleur werd beter, zijn ogen stonden helder en opgewekt, en het hoopvolste teken van allemaal – zijn mond stond niet stil.

'Een paar dagen laat ik je alleen en kijk eens wat er gebeurt,' zei Annie verwijtend.

'Weet ik toch? Maar ik ben nu aan de beterende hand.'

Diane kwam binnen met een blad eten en Annie en zij begroetten elkaar.

'Wat schaft de pot?' vroeg Annie.

Carl trok een gezicht toen Diane het deksel van het bord tilde. Het was gestoomde witvis met rijst en gekookte worteltjes en erwtjes.

'Ik ga geen cheeseburger met friet voor je halen, dus begin er maar niet over,' zei Diane streng.

'Schat, er staat met grote letters *onbeperkt dieet* op mijn kaart,' protesteerde hij. 'Ik moet alleen cafeïnevrije koffie drinken in plaats van gewone.'

'Die manier van denken is er de oorzaak van dat je hier ligt,' snauwde Diane terug. Carl keek Annie hulpzoekend aan.

'Ja, daag. Echt niet.' Ze schudde haar hoofd. 'Ik ga er niet tussen zitten.' Op de televisie speelde *Matlock*. Toen het afgelopen was, begon *JAG*. Carl begon aan de vis en vrolijkte zichzelf op door een klein hapje van zijn dessert te nemen, een kom perziksorbet die voornamelijk bestond uit perziken uit blik met een kleine hoeveelheid havermout en bruine suiker bovenop. Diane was druk bezig met het herschikken van kaarten en bloemen.

'Schat,' zei Carl tegen zijn vrouw, 'zou je het erg vinden om even voor me naar de kantine te gaan om iets te drinken te halen? Een cafeïnevrije cola light?' vroeg hij. Haar gezicht klaarde meteen op.

'Natuurlijk.' Ze pakte haar tas, boog zich over hem heen, drukte een kus op zijn getuite lippen en vertrok.

'Wat zou je zeggen van een snel ritje naar het drive-inrestaurant, Annie Ruth?' vroeg hij met twinkelende ogen.

Ze schudde ferm haar hoofd. 'Geen sprake van, papa. Doe geen moeite.'

Hij haalde filosofisch zijn schouders op, alsof hij het omwille van zijn zelfrespect had moeten proberen, en onthulde toen zijn echte agenda. 'Hoe gaat het met je, Annie?' vroeg hij op nonchalante toon en Annie glimlachte. Alleen papa kon een hartaanval krijgen, een grote operatie doorstaan, alle zusters van de afdeling charmeren, onmetelijk veel energie steken in het overreden van vrienden en familie om verboden voedsel voor hem te halen, en nog energie overhouden om zijn neus in de zaken van zijn dochter te steken.

'Goed.'

'En met Sam?'

'Goed, schijnt het. De voedingssonde van het kleine meisje is teruggeplaatst, weet je,' zei ze en haar vaders gezicht werd ernstig.

'Er zijn een hoop gebeden opgezonden voor dat meisje,' zei hij kalm. 'Als God haar wegneemt, dat moet het op Zijn tijd en op Zijn wijze zijn, en niet zo.'

Ze knikte. Precies zoals zij het voelde.

'Hoe maakt Sam het met mijn patiënten?' vroeg papa, halfslachtig in de vis prikkend.

'Hij heeft gisteren een hele menigte ontvangen op het gratis spreekuur. Elijah Walker helpt hem.'

'Ach ja, de zendingsarts die teruggekeerd is uit het veld.'

Reken maar dat papa het wist. Zelfs in het ziekenhuis legde hij zijn oor te luisteren.

'Hoe ben je het te weten gekomen?'

'Margie Sue is langs geweest en heeft het me verteld,' zei hij. 'Dat is me een verhaal,' zei hij en Annies nieuwsgierigheid was gewekt.

'Waarom zeg je dat?'

Haar vader keek quasi-verlegen, maar hij kon hen geen van beiden voor de gek houden. Hij kon net zo min een nieuwtje voor zichzelf houden als naar de maan vliegen.

'O, niks. Alleen dat ze geen vreemden voor elkaar waren.' Annie haalde haar schouders op. 'Sam zei dat ze elkaar vroeger hadden gekend.'

Haar vaders ogen lichtten op. 'O, het was wel een beetje meer dan dat.'

Ze keek hem belangstellend aan. 'Nou? Ga je het nog vertellen of moet ik de hele dag blijven raden?'

'Ze waren verloofd.'

'Nee!'

Hij knikte. 'Elijah heeft haar een ring gegeven en alles, maar toen kreeg hij de oproep voor het zendingsveld. Het volgende moment was hij weg en Mary Ellen Anderson was niet meer verloofd. John wachtte een fatsoenlijk poosje en greep toen zijn kans voordat iemand anders haar weg kon kapen.'

Annie kreeg een raar gevoel toen ze bedacht dat met één lichte verschuiving van het lot Sam niet geboren zou zijn en zij niet met hem getrouwd was. Margaret zou nooit geboren zijn. Allemaal vanwege iets wat Elijah Walker vijfenveertig jaar geleden besloten had. Meteen toen ze hem voor het eerst zag, had ze geweten dat ze op een of andere manier verbonden waren.

'Waarom is ze niet met hem meegegaan?'

'Dat heb ik me ook afgevraagd,' zei Carl, 'maar ze heeft het nooit verteld en ik heb het nooit gevraagd.'

Annie knikte.

'Dus Sam doet het goed met mijn patiënten?'

Zijn vraag rukte haar terug naar de werkelijke wereld. 'Ik geloof van wel,' zei ze. 'Hij heeft niet geklaagd.'

'Hij zal het natuurlijk prima doen.'

'Huisarts zijn is niet zijn specialiteit,' bracht Annie hem onder het oog.

'*Mensen* zijn de specialiteit van een arts, wat hij verder ook mag weten,' gaf haar vader terug. 'Bovendien zal hij het sneller oppakken dan ik hartchirurgie. Zorg dat hij weet dat Margie Sue morgen komt om de rekeningen op te maken. Zelf ben ik binnenkort terug,' beloofde hij.

Diane kwam terug. Ze bleven nog een poosje praten tot Annie wegging. 'Ik kom woensdag weer,' beloofde ze. 'Morgen ga ik aan het huis werken.'

Ze wist dat hij haar gehoord moest hebben, maar hij sloeg totaal geen acht op de laatste zin. 'Ik kijk naar je uit,' zei haar vader met een knipoog. 'Neem Sam mee en ga onderweg even bij Bojangles' langs. Breng gebakken kip voor me mee en een paar van die kaneelbroodjes.'

★

Om vijf uur precies reden Sam en Elijah Mary's grindpad op. Ze hadden vier patiënten ontvangen in de praktijk, de ziekenhuisronde gedaan en huisbezoeken afgelegd, en waren op tijd thuis voor het eten. Sam schudde zijn hoofd, nog steeds niet gewend aan het langzamere levenstempo. Het voelde wel prettig om 's nachts te slapen en 's morgens verkwikt wakker te worden, maar soms wist hij geen raad met zijn gedachten en zijn handen.

Terwijl hij het huis naderde, zag hij een onbekende auto staan en vroeg zich af wie er op bezoek was. Even kreeg hij een onheilspellend voorgevoel, maar dat verdween toen hij de persoonlijke kentekenplaat zag met *Johannes 3:16* en de bumpersticker met *Bid voor Amerika*. Dit was geen advocaat of verslaggever die hem een hoop ellende kwam brengen.

Elijah wuifde ten afscheid en ging naar de cottage, maar Sam wist dat hij terug zou komen. Zijn moeder zou voor hen drieën gedekt hebben voor het avondeten en dat beviel hem eigenlijk wel. Hij genoot van het gezelschap van de man. Elijah was een evenwichtig mens, besefte hij. Hij had de doelbewustheid die zijn eigen vader had gehad, maar een vriendelijkheid en kalmte die het hart tot rust brachten. Weer knaagde de gedachte dat er een traan bijkwam in het verscheurde hart van zijn moeder als Elijah vertrok. Hij schoof de gedachte opzij, zich ironisch herinnerend wat Tom Bradley, de ziekenhuisdirecteur, had gezegd: 'Elke dag heeft genoeg aan zijn eigen kwaad.'

Hij stapte op de veranda, trok de hordeur open, stapte naar binnen en hoorde het sissen van de snelkookpan en het gemurmel van vrouwenstemmen uit de richting van de keuken. Hij ging naar binnen en vond zijn moeder ernstig in gesprek met twee van zijn vaders zussen.

Zijn twee tantes vertoonden veel van de trekken van zijn vader, en ook van hem, veronderstelde hij. Ze hadden hetzelfde donkere haar, hoewel dat van hen grijs geworden was, en dezelfde ontstellend blauwe ogen. Ze hadden het brede voorhoofd en het symmetrische gezicht van de Trueloves, dezelfde rechte witte tanden en brede lach. Hij begroette ze elk met een omhelzing en al zocht hij in hun ogen naar een veroordeling, hij zag niets anders dan vriendelijkheid en liefde.

'Sammy, we hebben voor je gebeden. Dag en nacht,' zei tante Roberta toen ze hem losliet uit haar stevige greep en Sam nam haar woorden met dankbaarheid aan.

'Dat stel ik op prijs,' zei hij eenvoudig. 'Ik heb het nodig.'

'Ik heb iedereen die het maar horen wilde, verteld wat een goede arts je bent, wat een fijne christen,' bracht Eloise in het midden na een ruwe knuffel. Zij was niet het zacht troostende type, maar vurig beschermend als het om haar familie ging. Hij had medelijden met degene die in haar aanwezigheid een geringschattende opmerking over hem zou maken.

'We zijn net de reünie aan het bespreken,' zei zijn moeder.

Hij knikte en ging naar het fornuis om deksels van de pannen te tillen. Gebraden kip en aardappelpuree en wat er dan ook in de snelkookpan zat. Op het aanrecht stond een taart af te koelen. Aardbeien, zo te zien aan de kleur van het sap dat ontsnapte door de spleten in de korst. Zijn maag rammelde.

'We hebben besloten hem niet door te laten gaan,' zei Eloise.

Hij draaide zich met een ruk om, de angst die hij misschien had gevoeld bij de gedachte zijn hele familie onder ogen te moeten komen, werd plotseling overschaduwd door een scherpe pijn van verlies. 'Waarom ter wereld zou je dat doen?' vroeg hij.

Roberta knipperde met haar ogen. 'We dachten dat jij dat soms liever had.'

Hij schudde hevig zijn hoofd en voelde dat hij de woorden die uit zijn mond kwamen werkelijk meende. 'We hebben hem nu meer nodig dan ooit,' zei hij en hij zag Eloises ogen vonken.

'Dat is *precies* wat *ik* ook zei,' sprak ze. 'Laat Sammie weten dat zijn familie van hem houdt, zei ik. Dat is het beste wat je hem geven kunt.'

Sam glimlachte en voelde zijn hart groter worden. Ze hadden hun gebreken, zijn familie, maar hij besefte opnieuw dat ze hem nooit in de steek zouden laten. Op zijn kop geven, dat wel. Een grote mond opzetten, natuurlijk. Maar ze waren verenigd door de band van het bloed en dat was een loyaliteit die nooit kon worden gebroken.

'Dezelfde opzet als altijd?' vroeg hij en na een ogenblik van aarzelen, knikten ze allemaal. De reünie zelf zou op zaterdag worden gehouden, op het kampeerterrein van de kerk, en iedereen die maar in de verte familie was, kwam erheen. Maar op vrijdag kwam een kleiner groepje van nauw verwante familieleden bij elkaar voor de traditionele visbarbecue.

'Ik zal dit jaar de vis wel bakken,' wierp hij zich op en hij zag het gezicht van zijn moeder oplichten van blijdschap.

'Misschien wil Annie ook wel komen,' bracht Eloise plompverloren te berde. Roberta en Mary keken neutraal en vonden duidelijk dat ze te ver was gegaan.

Sam keek zijn tante aan. Ze ontmoette zijn blik, terugkrabbelen was niets voor haar.

Hij dacht erover na, het idee zijn vrouw nog één keer in die bekende omlijsting te zien en hij dacht aan het eerste jaar dat ze als paar bij de reünie waren geweest. Hij haalde zijn schouders op en keek vaag. 'Misschien wel,' zei hij en ging zich verkleden. Toen hij vertrok, staken ze hun hoofden bij elkaar in ijverig overleg en het maakte hem blij te zien dat zijn moeder er zo in opging.

27

Mary sliep maandagnacht zonder onderbreking, voor het eerst in lange tijd. Dinsdagochtend werd ze wakker toen de zon opkwam, douchte, kleedde zich aan en had het ontbijt klaar voor Sam en Elijah voordat ze weggingen om de ronde te doen. Ze aten met z'n drieën en toen ze bijna klaar waren, rinkelde Sams mobiele telefoon. Hij verstijfde, zoals altijd als er opgebeld werd, stond op en nam hem mee naar de gang. Mary had opgemerkt dat hij altijd gespannen werd tot de beller zich bekendmaakte. Het was alsof hij er zo lang van langs had gehad, dat hij als vanzelfsprekend verwachtte dat elke interactie weer een klap zou brengen. Ze leefde met hem mee, maar bij de eerste woorden van het gesprek besefte ze dat het een patiënt van Carl was.

Dat ze Sam en Elijah zag samenwerken, ze allebei weer dicht bij zich had, maakte dat haar hart zwol in haar borst, en ze besefte dat ze zich de laatste tijd meer dan eens zo had gevoeld. Ze kon niet ontkennen dat de dingen in beweging waren. Vreugdevolle dingen. Ze wist niet waar ze toe zouden leiden of dat ze iets anders zouden inluiden dan dit korte respijt. Er was tenslotte nog steeds zo veel dat zo vreselijk verkeerd was. Ze dacht aan Sam en Annie en kleine Kelly Bright, maar zelfs toen kon ze er niets aan doen dat ze een flauwe hoop voelde gloren. Ze dacht aan Lazarus, die gebonden was in het duister van dood en wanhoop, maar het eerste zwakke geluid hoorde van iemand in de verte die zijn naam riep.

Ze keek naar Elijah. Hij was ouder geworden. Zij ook.

Dat kon ze niet ontkennen. Maar hij was nog steeds knap. Zijn zongebruinde huid glansde bijna tegen het witte katoenen overhemd dat hij droeg. Hij nam een slok koffie en hij moest haar blik op zich hebben voelen rusten, want hij draaide zich glimlachend naar haar toe en er verschenen lachrimpeltjes op zijn gezicht, in zijn warme grijze ogen lichtte genegenheid op. Ach, wat herinnerde ze zich die glimlach goed en ze voelde een golf van wat ze toen voor hem had gevoeld. Destijds had het haar toegeschenen of haar hart, de hele wereld zelfs, te klein was geweest om alles te bevatten wat hij voor haar betekende. Ze herinnerde zich haar bittere, bittere tranen toen hij haar verlaten had, de holle plek in haar hart die nooit meer opgevuld kon worden, had ze gedacht.

'Wat ga je vandaag doen, Miss Mary Ellen?' vroeg hij met die lieve stem die hij voor haar reserveerde. 'Op de bank liggen en naar soapseries kijken en bonbons eten?'

Ze glimlachte. In lange tijd had niemand zo tegen haar gepraat. Niemand plaagde haar ooit meer. Ze behandelden haar allemaal met fluwelen handschoentjes aan, alsof ze zou kunnen breken.

'Ik denk dat ik vandaag maar eens naar Asheville rijd om Carl op te zoeken,' zei ze. 'En daarna weet ik het niet. Misschien eet ik inderdaad wel een paar bonbons.' Ze glimlachte naar hem terug.

'Het is wel fijn om af en toe tijd voor jezelf te hebben, hè?'

'Ik geloof van wel,' zei ze, maar zijn simpele opmerking deed haar beseffen dat hoewel ze tijd in overvloed had, weinig daarvan werd besteed aan iets wat ze bijzonder prettig vond. Ze dacht aan de dingen die ze nooit meer deed. Ze maakte nooit meer een quilt. Ze naaide nooit meer. Ze ging nooit mee met een uitstapje. Ze las nooit een boek of een tijdschrift. Ze deed nooit iets wat haar geest voedde, behal-

ve misschien tuinieren, maar zelfs dat was zakelijk en doel-
bewust, een jacht op onkruid in plaats van het koesteren van
schoonheid.

Ze keek naar Elijah, naar zijn verweerde gezicht. Ook hij
moest bar weinig van zulke dagen gekend hebben. Zijn
leven was niet makkelijk geweest nadat hij haar verlaten had.
Toegegeven, hij was degene geweest die vertrok, maar hij
was niet gevlucht naar een leventje van luxe en gemak. Het
was God geweest die hem had weggenomen, niet een andere vrouw. Hij had alles opgegeven om gehoor te geven aan
die roep en ineens daagde het haar hoe hij dat gevoeld
moest hebben, hoe het nog steeds voelde om zo ontworteld
en alleen te zijn.

'Ben je naar je huis terug geweest?' vroeg ze hem, zich
ervan bewust dat ze gevoelig terrein betrad.

Hij knikte half. 'Dominee Lindsey heeft me erheen gereden. Het is helemaal vervallen en weg.' Zijn gezicht werd
somber, zijn ogen verdrietig. 'Alles is veranderd,' zei hij en
hoewel hij glimlachte, was die eenzame blik nog in zijn ogen
toen hij langs haar heen keek.

Ze legde even haar hand op de zijne, zijn warme, gebruin-
de huid nauwelijks aanrakend voordat ze hem wegtrok.
'Niet alles,' zei ze stoutmoedig en verrast sloeg hij zijn ogen
naar haar op.

*

Mary bloosde nog om haar voortvarendheid toen ze het
parkeerterrein in Asheville opreed. Die arme Elijah had er
geen idee van gehad waar hij zich in begaf toen hij afgesproken had te logeren in het gastenverblijf van een dame van de
kerk. Geen idee dat hij op een lang vergeten romance zou
stuiten. En hoe had ze zich vanmorgen gedragen! Tjonge, nu
begreep ze hoe Laura Lee aan dat flirtzieke trekje kwam dat

ze met zoveel moeite had proberen te bedwingen toen haar dochter op de middelbare school zat. Mary's wangen brandden en ze besloot de kwestie achter zich te laten. Ze hoopte maar dat Elijah hetzelfde zou doen. Ze parkeerde de auto, zocht de lift en Carls kamer en tegen de tijd dat ze binnenstapte, had ze zich weer in de hand.

Diane zat te breien. Carl keek televisie, verveeld genoeg om uit zijn vel te springen, maar hij klaarde aanmerkelijk op toen hij haar zag. Mensen hadden dat effect op hem. Hij vibreerde van energie als hij mensen om zich heen had.

'Nou, als dat Mary Truelove niet is, die me komt opzoeken,' zei hij stralend. Ze glimlachte hartelijk terug. Carl was altijd als een broer voor haar geweest en Diane was als familie geworden. Mary boog zich over Diane om haar een kus te geven en toen begroette ze Carl met een omhelzing.

'Hier, ga zitten,' bood Diane. 'Ik ga wel een andere stoel zoeken.'

'Dat hoeft niet,' protesteerde ze, maar Diane was al weg. Ze kwam even later terug met een rolstoel en Mary vroeg zich af of ze die gepikt had uit de zusterpost. Ze achtte haar er niet te goed voor. Ze gingen allebei zitten en Carl straalde haar tegen.

'Zeg, ik hoor dat je bezoek hebt,' zei Carl zonder tijd te verliezen aan kletspraat en Mary voelde haar wangen alweer branden.

'Ik dacht dat we het eerst wel eens over je gezondheid konden hebben,' zei ze zuur glimlachend.

Diane rolde met haar ogen. 'Carl vindt niet dat hij een gezondheidsprobleem heeft. Hij vindt dat we allemaal overdreven gereageerd hebben en dat hij weer terug moet naar zijn dieet van gebraden kip met patat.' Moeiteloos liet ze steek na steek afglijden met die vreemde breimethode van haar. Europees, had ze Mary eens verteld. Ze zei dat het sneller ging en efficiënter was. 'Bovendien heeft hij veel meer belangstelling voor een gesprek over jouw persoonlijke leven.'

Carl grinnikte en ontkende het niet. 'Hoe gaat het met Elijah?' vroeg hij. 'Is hij alweer gewend aan het burgerleven?'

Mary hield op met grapjes maken en overwoog zijn vraag. 'Ik denk dat het hem veel goed heeft gedaan om iets te doen te hebben. Hij lijkt gelukkig, maar ik weet dat hij zo af en toe het gevoel heeft nergens echt te horen.'

Carl knikte en keek voor één keer ernstig. 'Het moet een moeilijke aanpassing zijn na al die jaren. Niets is meer zoals het in 1959 was.'

'Dat zei hij ook,' beaamde Mary. 'Alles is veranderd.'

'Hij heeft zijn hele leven geïnvesteerd in het werk van God,' zei Diane opkijkend, 'en nu is het afgelopen.'

Mary schudde haar hoofd, ze voelde zich leeg. 'Ik geloof dat hij van plan is terug te gaan.'

Diane fronste en liet nog een paar steken afglijden. Carl grijnsde breed en schudde zijn hoofd. 'Wat een man zegt en wat een man doet, zijn twee verschillende dingen. Ik geloof niet dat God hem alleen maar hier heeft gebracht om hem weer weg te halen ergens anders heen.'

'We zullen zien,' zei Mary ontwijkend. Ze dacht aan de andere dingen die God had weggenomen en bedacht met een naar gevoel dat ze geen zekerheid had dat ook dit niet in verlies zou eindigen.

Daarna praatten ze over algemeenheden. Ten slotte zei Mary: 'Het is prettig om Sam en haar weer samen te zien.'

'Daar heb je nog een situatie waar God mee aan het werk is,' zei Carl breed lachend.

Diane schudde haar hoofd en legde haar breiwerk neer. 'Carl, als het om roddels en koppelarij gaat, ben je nog erger dan welke oude dame ook die ik ken.'

'Ik ben geïnteresseerd in het welzijn van de mensen van wie ik houd,' zei hij plechtig. 'Is daar iets mis mee?'

'Helemaal niets, lieverd,' zei Diane, maar ze rolde weer met haar ogen.

De verpleeghulp kwam binnen met Carls lunchblad, en Mary keek op haar horloge. Het was bijna twaalf uur. Het meisje zette het op het nachtkastje en Carl tilde moedeloos het deksel op. Het was een biefstuk met gestoofde tomaten en twee gekookte aardappels. Hij schudde zijn hoofd en liet het deksel weer zakken.

Diane stond op en rekte zich uit. 'Het is tijd voor mijn uitje,' zei ze tegen Mary. 'Ik ga altijd een wandelingetje maken rond lunchtijd, dan hoef ik niet te luisteren naar Carls gezeur over het eten. Heb je zin om mee te gaan?'

Mary keek op haar horloge en vroeg zich meteen af waarom. Ze had geen programma waar ze zich aan moest houden.

'Laten we de auto nemen en naar Mill Village gaan,' stelde Diane voor en na een korte aarzeling stemde Mary toe. Ze had gehoord over die verzameling restaurants, galerieën en kunstwinkeltjes. 'Goed,' zei ze. 'Laten we gaan.'

'Ik weet heus wel wat jullie van plan zijn,' zei Carl hoofdschuddend. 'Blijf uit de buurt van die winkeltjes.'

Mary wist dat hij plaagde. Hij was degene bij wie het geld in de zak brandde.

Diane drukte een kus op zijn lippen en pakte haar tas. 'Tot straks,' zei ze. 'Geen uitstapjes naar de snackbar terwijl ik weg ben.'

Hij gromde.

Mary en Diane liepen door de gang en zakten met de lift naar de ziekenhuisuitgang. 'Ik weet niet wat ik moet beginnen als hij weer op de been is en in zijn eentje naar het Waffle House en Old Country Buffet kan rijden,' zei Diane hoofdschuddend. 'Ik moet hem maar gewoon aan God overlaten.'

'Dat kan soms moeilijk zijn,' zei Mary vriendelijk en Diane glimlachte haar gespannen toe.

'Zeg dat wel.'

Een antwoord was niet nodig. Ze liepen aangenaam zwijgend naast elkaar. Mary wees de weg naar haar auto. Ze
zochten hun weg door Asheville, door het historische dis-
trict. De gebouwen waren oud en goed onderhouden,
prachtig en sierlijk. Ze gingen door de stad en Diane wees
de weg naar de Village. Mary vond een parkeerplaats en ze
wandelden langzaam over de stoep. Aan weerskanten van de
straat waren kunstwinkeltjes, galerieën en restaurants.

'Kijk hier eens,' zei Diane. 'Dit heeft zo moeten zijn,
Mary. Een kolfje naar je hand.' Ze stond stil voor de etalage
van een quiltshop die *A Stitch in Time* heette. Mary glimlachte en volgde haar naar binnen. De muren hingen vol rollen stof en quiltwerkstukken. Mary keek haar ogen uit naar
de stoffen en patronen. Ze werd in het bijzonder aangetrokken door een uitstalling van aquarelquilts. Die waren schitterend – ware kunstwerken. Ze onderzocht het ingewikkelde stuk werk, de kleuren die zo zorgvuldig gearrangeerd
waren van donker naar licht. Er waren werken die al in
elkaar gezet en doorgestikt waren – een pergola die overliep
van bloemen in tinten van rood en roze en koraal, een tuin
weerspiegeld in een vijver waar elke kleur zijn zachtere
evenbeeld vond in het schitterende water, en het allermooist
vond ze een werk dat 'Siena' heette, huisjes met rode daken
op een grasgroene heuvelhelling, de lucht erachter over-
gaand van lichtblauw tot donkerrood in de verte. Er waren
verscheidene boeken met instructies en patronen. Ze bladerde erin, maar voelde zich meteen schuldig. Ze was te lang
bezig. Ze keek rond om te zien of Diane klaar was om weg
te gaan, maar die werd in beslag genomen door een ander
deel van de winkel. Mary verdiepte zich weer in het boek.
Ze bekeek de diagrammen en onderzocht de kleuren die de
kunstenaar had gekozen.

'Die zijn mooi, hè?' zei Diane weer naast haar.

'Ja, zeker.' Mary legde het boek neer.

'Ga je het boek kopen?'

'Nee, ik denk het niet.'

'Waarom niet?' vroeg Diane en Mary kon niet echt antwoord geven.

Ze gingen weer naar buiten en liepen nog een eindje. Ze praatten en stonden een paar keer stil voor een etalage.

'Zullen we hier gaan eten?' vroeg Diane na een poosje. *The Appleseed Café*, stond er op het uithangbord. De voorgevel bestond geheel uit ramen, op de tafels lagen geruite kleedjes en er hing een vrolijke sfeer. Een paar mensen zaten buiten in het zonnetje te eten.

'Ja. Het ziet er aardig uit,' zei Mary.

'Zullen we buiten gaan zitten?'

'Ja,' stemde Mary in en was blij dat Diane het voorgesteld had. Ze vonden een lege tafel en gingen zitten. Mary keerde haar gezicht naar de zon en deed haar ogen dicht. Het voelde warm en genezend. Ze deed ze weer open. Diane zat naar haar te kijken. Ze glimlachte. Diane lachte terug en Mary voelde zich slecht op haar gemak. Het was langgeleden dat ze met een vriendin zomaar ergens had gezeten zonder doel of zonder iets te doen, al was het maar een maaltijd opdienen. Ze wist niet goed wat ze moest zeggen of hoe ze zich moest gedragen. De menukaarten brachten uitkomst. Ze bekeken ze. Diane bestelde een spinaziesalade. Mary deed hetzelfde.

'Is dat echt wat je wilde?' vroeg Diane toen de serveerster weg was.

Mary was verrast. Ze trok haar schouders een beetje op en wilde juist zeggen, ja, het klonk lekker, toen ze de waarheid besefte. 'Nee,' zei ze. 'Ik wilde eigenlijk een hamburger met uienringen en een chocolademilkshake.'

Diane lachte vrolijk en Mary lachte mee.

'Nou, waarom heb je dat dan niet besteld?'

En Mary had met de beste wil van de wereld geen antwoord kunnen geven. Ze dacht even aan calorieën, maar ze wist dat dat niet helemaal waar was.

De serveerster bracht het eten. Ze praatten over Carl. Over Elijah. Over hun tuin. Over de droogte weer en Dianes gezicht betrok, maar klaarde meteen weer op. 'Ik denk dat de ziekte van Carl de zaken voor me in perspectief heeft gezet,' zei ze. 'Ik maak me niet meer zo druk over *dingen* als vroeger.'

'Als iedereen gezond en gelukkig is, is dat het belangrijkste,' zei Mary zacht en ze voelde zich bekropen door de bekende troosteloosheid. En nu die terug was, realiseerde ze zich dat hij voor een tijdje, voor een paar uur, weg was geweest.

'Ik denk dat ik weet waarom je de spinaziesalade bestelde,' zei Diane zacht.

'Wat?' Mary was van haar stuk gebracht door de plotselinge wending van het gesprek.

'Ik zei, ik denk dat ik weet waarom je de spinaziesalade bestelde,' herhaalde Diane.

Mary wist niet waar ter wereld Diane het over had.

'Ik heb je in jaren niet blij gezien,' zei Diane, nog steeds op die vriendelijke, zachte toon. 'Ik heb je zelfs blijdschap en vreugde van je af zien duwen, alsof je ze niet verdiende.'

Mary was zo geschokt alsof Diane haar glas water had opgepakt en in haar gezicht had gegooid. Ze staarde haar een ogenblik aan en merkte toen tot haar ontsteltenis dat de tranen haar in de ogen sprongen. Ze pakte haar servet en drukte die tegen haar ogen, snufte en schraapte haar keel. Diane reikte over de tafel en legde haar hand op de hare.

'Ik heb je al te lang deze last zien dragen, Mary. Ik kan mijn mond niet langer houden.'

Mary schudde haar hoofd. Ze wenste dat ze niet meegegaan was, want dit gesprek had geen zin. Diane kon haar niet helpen. Niemand kon haar helpen.

'Ik heb voor je gebeden, vriendin. O, wat heb ik voor je gebeden.' Dianes gezicht was toegenegen en verdrietig. 'Ik heb voor jullie allemaal gebeden tot ik niet meer bidden kon. Alleen maar prevelen en kreunen, te diep voor woorden.'

Mary bleef zwijgen, vechtend tegen de tranen die haar keel in hun greep hadden. De serveerster kwam hun borden weghalen.

'Het is te veel om overheen te raken,' kon ze eindelijk uitbrengen en ze zag Margaret weer voor zich. Ze voelde opnieuw de hopeloosheid en de verschrikking toen ze had begrepen dat ze er niet meer was. 'Het is te erg om te genezen.'

'Dat is een leugen die zo uit de hel komt,' zei Diane en Mary's mond viel open van pure verbazing.

'Er is geen enkele toestand van het menselijk hart die Jezus Christus niet kan genezen,' zei Diane met vaste, overtuigde stem.

Mary zweeg, maar vanbinnen was het of twee tegenstanders in een strijd op leven en dood verwikkeld waren. O, wat wilde ze die woorden graag geloven, maar iets hield haar tegen om haar hand uit te strekken naar de hoop die erin klonk.

'Margaret is dood, Mary,' zei Diane en het was een schok om die naam hardop te horen uitspreken. 'Ze is nu bij Jezus en niets kan haar terughalen. En niemand van ons kan Annie en Sam helen, hoe graag we dat ook mogen willen. Wat ga je doen, Mary? De rest van je leven in verdriet en schuld vast blijven zitten?'

'Zo eenvoudig is het niet,' wierp Mary tegen, haar stem heftig van een woede waarvan ze niet had geweten dat ze hem voelde.

Diane keek eerder geïnteresseerd dan beledigd. Ze deed haar mond open om iets te zeggen, maar sloot hem weer.

'Wat wou je zeggen?' eiste Mary.

'Niks.' Diane kneep haar lippen stijf op elkaar.

'Je kunt het net zo goed zeggen,' daagde Mary haar uit. 'Je zit er nou toch al tot over je oren in. Hoeveel erger kun je het maken?'

Diane haalde filosofisch haar schouders op, kennelijk instemmend met haar logica. 'Misschien word je boos op me omdat ik het zeg,' waarschuwde ze.

'Dat zou best kunnen, ja,' snauwde Mary en Diane lachte hardop, niet gewend aan zulke oprechtheid van haar.

'Nou, het viel me zojuist in dat jijzelf misschien niet degene bent die je de schuld geeft.'

Het was een keiharde verklaring en hij kwam pijnlijk aan bij Mary. Alleen een ontkenning kon die druk wegnemen, en ontkennen kon ze niet.

28

Annie lunchte in The Subway in Silver Falls en reed daarna naar de kleine kruidenierswinkel. Hij was open, het bordje was omgedraaid, en Annie was opgelucht. Ze parkeerde de auto en ging naar binnen. De bel rinkelde en even later verscheen mevrouw Rogers. Er brak een stralende glimlach uit op haar gezicht.

'Ik wist wel dat je terug zou komen,' zei ze triomfantelijk. 'Dat heeft God me verteld.'

Annie glimlachte.

'Kom mee naar achteren!' Mevrouw Rogers wenkte haar vanuit de deuropening en Annie volgde haar. Het geurde er verrukkelijk naar vers gezette koffie en bosbessentaart.

'Wil je een stuk?' inviteerde mevrouw Rogers.

'Heeft u hem voor een speciale gelegenheid gemaakt?'

'Ik zei toch al dat God me had verteld dat je kwam?'

Annie moest lachen. 'Nou, in dat geval wil ik graag een stuk.'

Mevrouw Rogers sneed een royale punt voor haar en Annie nam een hap, gevolgd door de hete, sterke koffie, royaal voorzien van suiker en echte room. Mevrouw Rogers bediende zichzelf en ze begonnen gezellig te eten en te praten.

'Ik wist dat je terug zou komen,' herhaalde ze.

Annie glimlachte. 'Dat had God u verteld.'

'Dat klopt,' zei mevrouw Rogers eenvoudig en ze glimlachte toen ze Annie sceptisch zag kijken. 'Herman twijfelde er soms ook aan dat God tot me gesproken had. Maar Zijn schapen horen echt Zijn stem.'

Annie gaf geen commentaar. 'Herman was uw echtgenoot?' vroeg ze.

'Negenenveertig jaar lang,' zei mevrouw Rogers. 'We hebben onze vijftigjarige bruiloft op drie maanden na gemist.'

'Wat jammer,' zei Annie.

Mevrouw Rogers knikte. 'Dat was een zwaar jaar,' beaamde ze. 'Imagene wilde dat ik de zaak sloot en naar Charleston verhuisde. Ze zei dat de winkel niets opleverde en dat niemand er iets aan had.'

Annie fronste, ze wist niet wat ze moest zeggen. Imagene leek haar een harteloos iemand, maar ze was tenslotte mevrouw Rogers' dochter.

'Ik verdien niet veel,' bekende mevrouw Rogers. 'Als ik er de kost mee moest verdienen, zou ik iets anders moeten doen. Maar dit huis is allang afbetaald en ik leef van mijn ouderdomspensioen en Hermans pensioen van de spoorwegen. Ik zei tegen Imagene: "Hartelijk bedankt, maar nee. N.E.E." Ik heb haar verteld dat dit mijn leven was en dat ik van plan was hier te blijven. Het heeft totaal geen zin om voor de dingen weg te lopen.'

Iets in de eenvoud van die verklaring stak Annie als een verwijt, want was dat niet precies wat zij had gedaan? Weglopen voor haar leven? Was dat niet wat ze nog steeds van plan was, alleen nu naar Los Angeles in plaats van naar Seattle?

'Ik ga scheiden,' zei ze plompverloren. 'Dat zou u weglopen noemen, veronderstel ik.' Ze keek de oude vrouw afwachtend aan.

'Dat verbaast me niks,' zei mevrouw Rogers, zwaaiend met haar been. 'De eerste keer dat ik je zag, wist ik al dat je moeilijkheden had. Maar tussen lepel en mond valt veel pap op de grond.'

Annie fronste en vroeg zich af wat dat te betekenen had. 'Ik heb de aanvraag al ingediend,' zei ze, alsof dat een eind aan de discussie maakte. 'Over een paar maanden is het definitief.' Ze slikte. Op een of andere manier leek het plan nu echter. Het kon met koude, anonieme afstandelijkheid beraamd zijn, maar ze was zich er helder van bewust dat het werkelijk ging gebeuren.

Ze nam haar plannen nog eens door. Ze zou teruggaan naar Seattle, haar truck pakken – Sams truck, bedacht ze schuldig – en naar Los Angeles rijden. Ze zou beginnen met haar nieuwe baan en werken voor Jason Niles. Ze zou naar Seattle terugkeren om haar scheiding te krijgen en dan zou ze vrij zijn en ongebonden, maar die gedachte bracht niet de blijdschap die ze verwacht had.

Mevrouw Rogers trok een wenkbrauw op. 'Zoals ik al zei, soms maken wij onze plannen en weet God het beter.'

Annie bleef zwijgen. Ze wilde geen discussie aangaan met haar gastvrouw. Ze nam nog een hap taart en keek naar het keramische brood op de tafel voor haar. 'Mijn oma had er ook zo een,' zei ze met een glimlach.

'Neem er maar een,' inviteerde mevrouw Rogers. 'Kijk maar eens wat God je vandaag te zeggen heeft.'

Annie keek haar waakzaam aan. Mevrouw Rogers glimlachte aanmoedigend en hield haar het brood voor. Annie nam er een vierkant kartonnen kaartje uit. Ze las. Knipperde met haar ogen. Ze overhandigde het aan mevrouw Rogers, die het hardop voorlas.

'Zalig die treuren,' zei ze zacht, 'want zij zullen vertroost worden.' Ze knikte ernstig. 'Dat is een waar woord.'

Annie staarde langs haar heen naar de muur, maar in werkelijkheid zag ze Margaret. Ze was niet vertroost. En ze had vijf lange jaren getreurd.

Mevrouw Rogers nam een slok koffie en leunde achterover in haar stoel. 'Annie liep weg om te trouwen nadat haar vader nee had gezegd.'

Annie werd losgerukt uit haar gedachten en meegenomen in het verhaal van haar naamgenote.

'Ze gingen naar een kantonrechter. Haar zus kwam en Annie droeg het bloemetjeslinnen dat ze besteld had bij Fancy's.' De oude vrouw glimlachte en Annie lachte terug. Ze legde het stukje karton op tafel.

'Ze trouwde met Clay Wright en ze vertrokken naar de heuvels. Haar zus ging terug naar Asheville en vertelde het hun vader en moeder. Ze waren overmand door verdriet, zoals je je kunt voorstellen. Ook de jonge dominee. Hij ging door met zijn werk, maar hij trouwde niet. Er hebben meer dan genoeg vrouwen achter hem aan gezeten, maar hij had zijn hart op die ene gezet, en wat hem het meest pijn deed, was dat hij had gedacht dat God hem had beloofd dat de jonge Annie zijn vrouw zou worden. Het is verschrikkelijk om boos te zijn op God, en de duivel probeerde hem tot die weg te verleiden, maar Lucas – zo heette hij – luisterde niet. Hij ging door met zijn werk en hij gaf het over aan God, en elke dag bad hij voor Annie Wright en haar man dat God hen zou zegenen. En een tijdlang leek het erop dat die gebeden werden verhoord.

Ze kregen de jongens en een paar jaar later het meisje, maar daarna werd het moeilijk. Er kwam een droogte en de oogst mislukte. Ze moesten hun veestapel verkopen en Clayton ging bomen kappen voor de kost. Hij was veel weg, werkte te hard en kwam uitgeput thuis.'

Annie luisterde aandachtig, verbijsterd door de parallellen in hun verhalen.

'Hij had last van de kinderen en Annie probeerde ze stil te houden en uit het zicht als hij er was, wat niet vaak was. Hij werkte van zonsopgang tot zonsondergang en dan viel hij in bed om de volgende ochtend weer op te staan en hetzelfde te doen. Het derde jaar van de droogte hadden ze bijna geen eten meer en het was een schrale winter. Toen stierven de jongens en werd het nog erger.'

Annie was blij dat mevrouw Rogers het verhaal niet tot

in detail vertelde. Ze wilde geen details weten. Daar had ze er zelf genoeg van in haar hoofd.

'Nadat de jongens gestorven waren, ging Clay naar het katoenpakhuis. Hij liet Annie achter met genoeg hout voor een paar weken en zei dat hij thuis zou komen om zaken te regelen, maar de weken verstreken en hij kwam niet.' Mevrouw Rogers stond op en schonk zich nog een kop koffie in. 'Wil je ook nog?' vroeg ze.

Annie hield haar kopje bij, maar wachtte ongeduldig tot ze verderging met het verhaal.

'Na een poosje werd Annie Wright wanhopig. Er was geen eten en geen geld om het te kopen, geen hout om te stoken, dus ze pakte de baby in – Sarah – en ging naar de winkel om haar trouwring in te leveren voor contant geld. Niemand wilde hem hebben. Ze hadden hun eigen moeilijkheden, maar de eigenaar van de winkel was een vriendelijke man en hij bood aan haar naar haar familie in Asheville te brengen. Door de sneeuw.

Nou, je kunt je voorstellen hoe dat was, die bergwegen af met paard en wagen, glibberend en glijdend over de weg, en ze vroeg zich af of ze zich ernstig vergist had, en als het niet om het kleine meisje was geweest, had het haar niet kunnen schelen. Maar ten slotte bereikten ze Asheville en ze ging naar huis. Ze verzoende zich met haar vader en zijn hart brak haast toen hij zag hoe ze er aan toe was, volkomen uitgeput en mager. Hij wilde haar bij zich houden en haar vertroetelen, maar ze wilde nergens van horen, ze wilde alleen maar op de trein naar Charleston. Ze zei dat ze haar man ging zoeken.'

De winkelbel rinkelde. Mevrouw Rogers schudde haar hoofd. 'Had ik het bordje maar omgedraaid,' zei ze geërgerd. 'Wacht even. Het duurt maar heel even.' En inderdaad was ze verbazend vlug terug. Ze ging zitten en pakte de draad weer op.

'Nou, haar vader was niet goed. Zijn hart, zie je.' Ze sloeg op haar borst. 'Hij was te ziek om haar naar Charleston te brengen, maar hij wilde er niet van horen dat ze alleen ging, dus hij zocht iemand om met haar mee te gaan.'

'De dominee,' raadde Annie triomfantelijk en mevrouw Rogers glimlachte.

'Haar zus,' zei mevrouw Rogers en Annie was teleurgesteld. 'Ik plaag je maar,' grinnikte mevrouw Rogers. 'Dominee Lucas ging ook met ze mee, want alleenstaande vrouwen konden toentertijd niet in hun eentje rondreizen. Annie liet haar dochter bij haar moeder en met z'n drieën gingen ze op weg naar Charleston.'

'Hebben ze Clay gevonden?'

'Inderdaad, maar hoe.' Mevrouw Rogers stond op en kwam terug met de kartonnen doos. Ze gaf Annie een knipsel. Annie las het. Clay bleek al één dag na zijn aankomst in Charleston het naamloze slachtoffer te zijn geworden van een cafégevecht.

'Al die tijd had ze gewacht en hij was al dood,' peinsde Annie en ze zag Annie Wright voor zich in die lege hut met de baby en haar schuldgevoel. 'Wat deed ze daarna?'

'Ze bleef in Asheville bij haar vader wonen. Maar het was niet hetzelfde. Want zie je, ze was volwassen geworden. Naar feesten en theepartijen gaan, maakte haar niet gelukkig meer, dus ze begon bij te springen in de kerk.'

'Lucas en zij werden verliefd,' maakte Annie het verhaal af.

'Uiteindelijk. Maar eerst was hij alleen maar een vriend. Lees maar wat ze schreef,' zei mevrouw Rogers en overhandigde Annie het dagboek.

'Er is geen verdriet op aarde, Annie, dat de hemel niet genezen kan,' zei Lucas vandaag tegen me, en hij gaf me een prentje van Jezus, de Goede Herder. Ik bedankte hem en ik hing het aan de

muur in mijn kamer. Als de wateren van het verdriet zich boven mijn hoofd lijken te sluiten, zoals bij mijn zoons, dan kijk ik ernaar en probeer te geloven dat het waar is.

Annie knipperde met haar ogen. 'Wat gebeurde er uiteindelijk? Hoe is ze er ooit overheen gekomen?'

'De Trooster deed Zijn werk,' zei mevrouw Rogers zacht. 'Dat is de enige hoop.'

Ze sloeg het dagboek open naar het einde en liet Annie nog een stukje lezen.

Hij kwam vandaag bij me toen ik verdriet had en deze keer was er iets anders dan vroeger. Ik voelde dat Hij me aanraakte. Bijna alsof Hij echt Zijn hand op me liet rusten. Ik voelde iets anders in mijn hart, want waar het koud en leeg was, begon het vol te lopen met zoiets als warme, genezende olie. Ik kan het niet beschrijven, kan alleen maar zeggen dat ik me volkomen vredig voelde en ik weet dat ik ze zal terugzien. En ik weet dat mijn Losser leeft.

Annie haalde diep adem en legde het boek neer. 'Mijn dochter is gestorven,' zei ze zacht. 'Ze is vijf jaar geleden verdronken. Ze was vier jaar oud.'

Mevrouw Rogers keek verdrietig, maar niet verbaasd. Ze knikte. 'Ja.' Ze knikte ingetogen. 'Ik wist wel dat er iets was. Iets ernstigs.'

Annies pijn was zo vers alsof het gisteren gebeurd was.

'De Trooster deed Zijn werk voor Annie Wright,' zei mevrouw Rogers zacht en legde haar hand op die van Annie. 'Hij zal hetzelfde voor jou doen.'

'Hoe?' Annie vroeg het wanhopig, want ze wenste dat het waar was. Ze wilde dat het waar was.

'Dat is het laatste waar je je druk over hoeft te maken,' zei mevrouw Rogers en Annie was verbaasd. 'Dat *hoe* is aan

Hem. Het enige wat jij hoeft te doen is het Hem vragen en bereid zijn Hem Zijn werk te laten doen.'

Aha. Daar zat hem de kneep, nietwaar? Want de waarheid was dat ze boos was geweest. Dat zag ze nu in. Boos en koud en bitter had ze zich zover mogelijk afgewend.

'Ben je klaar om terug te komen?' vroeg mevrouw Rogers en Annie dacht aan Annie Wright die de lange weg terug naar Asheville had gemaakt, terug naar de familie die al die tijd van haar gehouden had en op haar gewacht had.

'Ik weet het niet,' zei ze.

Mevrouw Rogers knikte en gaf haar een klopje op haar hand. 'Nou, dat is een begin. Een eerlijk nee is beter dan een halfslachtig ja.'

De deurbel rinkelde en Annie veegde haar neus af en pakte haar tas.

'Ik moet gaan,' zei ze. 'Bedankt voor de taart. En dat ik in het dagboek mocht lezen.'

Mevrouw Rogers stond op en liep met haar mee de winkel in. 'Je hebt genoeg te verwerken gehad voor één dag, denk ik.'

29

Toen ze afscheid had genomen van Diane, reed Mary niet naar de snelweg om naar huis te gaan. Ze reed de stad uit en volgde een kronkelweg tot ze een groepje bomen bereikte. Ze stopte in de berm.

Hoe zou het voelen, vroeg ze zichzelf, als ze ophield zichzelf de schuld te geven? Als ze zichzelf vergaf? Hoe zou het voelen om haar schuld los te laten als een fladderende vogel en te kijken hoe hij wegvloog? En ze wist dat ze zelfs als ze dat deed, toch zou blijven zitten met boosheid en schuld, met dat pijnlijke, wringende gevoel van onrecht. Diane had gelijk, besefte ze, en ze zag het feit onder ogen dat ze jarenlang ontweken had. En het werd haar volkomen duidelijk. Ze was niet alleen boos op zichzelf. Ze gaf iemand anders de schuld.

'Waarom?' zei ze hardop met bevende stem. 'Waarom heeft U het toegelaten? U had het kunnen voorkomen. U had honderd, duizend dingen kunnen veranderen. Maar dat heeft U niet gedaan.'

Toen liet ze alles naar buiten komen en hoe langer ze bad, hoe bozer ze werd. Ze legde Hem alle honderden 'wat als' en 'als maar' voor die ze door de jaren heen geformuleerd had, nam alle gedachten die ze had gebruikt om zichzelf te beschuldigen en legde ze deze keer aan Zijn voeten.

'Waarom heeft U die oude man laten bellen? Waarom moest de zuster zo lang wegblijven? Waarom ben ik niet gaan kijken? Waarom werd Sam naar het ziekenhuis geroepen? Waarom heeft die auto Kelly Bright geraakt?' En al terwijl ze die beschuldigingen uitte, begon het haar te dagen dat er geen einde kwam aan die waaroms. Ze zouden generaties en tijdperken ver teruggaan. Elke vraag zou een andere oproepen en weer een andere tot er alleen nog maar een man en een vrouw waren in een hof en een verboden boom. Die eerste verderfelijke keuze had geleid tot de volgende en de volgende, had een waterval ingezet van dood en verdriet en verwoesting die tot nu toe voortduurde.

Ze huilde. Ze beleefde opnieuw die vreselijke dag, maar deze keer was Hij bij haar, hier in de auto zat Hij zwijgend naast haar terwijl de film zich weer afspeelde. Ze zag elk moment vanaf dat Sam haar door de telefoon had gevraagd om op te passen tot het moment in het ziekenhuis toen de dokter naar buiten was gekomen en zijn zegje had gedaan. Eindelijk kwam haar geest tot rust op de duidelijke plaats, de plaats die ze al die jaren had ontweken. Diane had gelijk. Margaret kwam nooit meer terug. Geen schuld of verdriet kon daar iets aan veranderen.

IK ZAL JE NOOIT BEGEVEN OF VERLATEN, fluisterde Iemand naast haar en ze wist dat het waar was. Elk ogenblik van deze afgelopen vijf jaar was Hij bij haar geweest. En ze wist ook, op een onverklaarbare manier, dat er geen antwoord kwam op het waarom. Ze moest een keuze maken. Zijn aanwezigheid en liefde en vergeving zouden haar genoeg zijn. Of niet.

Ze droogde haar ogen. Ze bad, zonder echt op haar woorden te letten, maar het deed haar denken aan een flinke voorjaarsschoonmaak, dat gebed. Ze sleepte alle pijn en woede naar buiten, elk verdriet en alle beschuldigingen, en ze legde ze allemaal voor Hem neer. Toen ze klaar was, was ze moe, maar vanbinnen voelde ze zich goed en schoon. Voor het eerst in jaren. Zat alles nu op zijn plaats? Bij lange na niet. Maar het was nu goed met haar ziel en al het andere kon ze dragen.

Ze reed terug naar Asheville en de weg naar huis, maar impulsief stopte ze en draaide om naar het centrum. Ze parkeerde, stapte uit en liep naar The Stitch in Time. Ze kocht het boek dat ze had bewonderd en ze kocht een stuk stof ook. Het was heel anders dan de bonte katoen en strepen waarmee ze anders werkte. Het was een prachtig handgeverfd batik, een caleidoscoop van edelsteenachtige stukjes kleur die in elkaar overgingen. Junglegroen en zandbeige en zonnegeel en flitsend oranjerood, en ze dacht aan de hitte en de schoonheid van Afrika.

Ze reed naar huis over binnenwegen en nam voor het eerst sinds tijden de vriendelijke pracht van deze bergen in zich op. En onkarakteristiek stopte ze bij het pizzarestaurant aan de rand van Gilead Springs en kocht twee grote combipizza's voor het avondeten. Ze was net op tijd thuis om ze op te warmen en een salade te maken.

Na die eenvoudige maaltijd, toen ze met Sam en Elijah koffiedronk, deed ze iets wat nog minder karakteristiek was.

'Zou je morgen met me uit willen gaan, Elijah?' vroeg ze stoutmoedig. Sam en hij keken haar verbaasd aan. 'Ik heb een plek in gedachten die je misschien wel graag zou willen zien,' zei ze. 'Een plek die al heel, heel lang niet veranderd is.'

Hij keek haar aan, nog steeds verbaasd, maar met het begin van een glimlach. 'Dat zou ik heel graag doen,' zei hij en zijn blik was zo intens dat ze bloosde.

Sam verschoof op zijn stoel en Elijah scheen aan zijn afspraken te denken. 'Maar ik kan Sam niet in de steek laten.'

'Kun jij het morgen in je eentje redden, Sam?' vroeg Mary en tot haar verrukking zag ze een vonk in Sams ogen toen hij antwoord gaf.

'Maken jullie je over mij maar geen zorgen,' zei hij hoofdschuddend, met een grijns. 'Ik red me wel. Gaan jullie maar lekker uit.'

'Mooi,' zei Mary. 'We gaan meteen na het ontbijt weg.'

'Ik trakteer op ontbijt,' bood Elijah aan. 'Tenminste, als Sam zich ook daarmee in zijn eentje kan redden.'

Sam lachte nog breder. 'Veel plezier, jongens,' zei hij.

Mary stond met brandende wangen op en ging zich klaarmaken om naar bed te gaan. Het was een lange, uitputtende dag geweest. Ze had het gevoel of ze een lange reis had gemaakt en ze was moe.

30

Woensdagmorgen sloeg Elijah zijn Bijbel dicht en stond op van de tuinbank. De zon stond hoog aan de hemel. De dauw was aan het opdrogen en de lucht was strakblauw. Het werd weer een heldere, hete, droge dag. Hij liep terug om zijn Bijbel in de cottage te leggen en zag Mary naar buiten komen op haar voorveranda.

Ze wuifde en riep naar hem: 'Ik ben klaar, hoor.'

'Ik kom eraan,' riep hij terug. Hij ging de cottage binnen, legde zijn Bijbel op de keukentafel en deed de deur dicht en sloot hem af. Hij voelde zich een beetje schuldig dat hij de jonge Samuel alleen liet met zijn patiënten, maar als Sam zonder van slag te raken een hartoperatie kon uitvoeren op een pasgeborene, kon hij alles aan wat deze dag zou brengen.

Hij vond het leuk om met Mary uit te gaan, zei hij tegen zichzelf op weg naar de auto, maar toch wilde het knagende gevoel niet wijken. Hij kende de oorzaak en dat was geen schuldgevoel om een dagje spijbelen.

Hij kon hier niet voor altijd blijven, besefte hij met een zwaar hart. Als Sam besloot naar Knoxville terug te keren, vond hij nooit meer ander onderdak. Het was niet gepast als hij bleef zonder iemand anders erbij, gezien de relatie van Mary en hem in het verleden. En hij wachtte nog steeds op bericht van het zendingsbestuur.

Hij dacht aan alles wat er gebeurd was en vroeg zich af wat het betekende. Het vervulde hem nog steeds met ontzag, het feit dat hij hierheen geleid was. Daar was hij zeker van, maar daarna raakten zijn gedachten verward. Hij had God gevraagd wat het allemaal betekende, maar hij was bang dat hij het antwoord wist. Hij was hierheen gestuurd om Mary te helpen haar weg te vinden uit de verwrongen doolhof van verdriet en rouw. Daarna zou hij terugkeren naar zijn roeping, dacht hij, en zij naar haar leven. Hij voelde een scherpe pijn, maar hij hield zich voor dat er geen opoffering bestond in het koninkrijk van God. Het was een voorrecht om te arbeiden voor de Meester en de velden waren altijd wit om te oogsten. Het enige verlies zou zijn als hij niet antwoordde op Zijn roeping.

Hij zette die gedachten vooralsnog opzij en concentreerde zich op het prettige uitstapje.

Mary kwam het verandatrapje af en gaf hem een picknickmand, die hij zorgvuldig op de achterbank van de auto zette. Ze overhandigde hem de sleutels. Hij hielp haar in de auto en nam plaats achter het stuur.

'Waarheen?' vroeg hij.

'Nou, je kunt ontbijten bij het Waffle House, de Cracker Barrel of bij Pearlie's,' zei Mary.

'Laten we naar Pearlie's gaan,' stelde Elijah voor. Dat was er al geweest voordat hij vertrokken was. Mary en hij hadden er zelfs wel gegeten.

Ze vond het goed. Ze gingen naar Pearlie's en aten een stevig ontbijt. 'We gaan naar Cade's Cove,' vertrouwde Mary hem toe toen ze weer in de auto zaten om de reis te hervatten en Elijah knikte en lachte van genoegen. Hij herinnerde het zich goed. Het was jaren geleden dat hij die oude nederzetting had gezien en hij vond het een plezierige gedachte dat hij weer door dat stukje van het verleden zou wandelen.

Hij reed naar de Smokies en zijn ogen dronken de omgeving in. De weg liep een tijdje parallel met de Pigeon River en al stond hij laag, hij wist nog hoe mooi hij was geweest

– bubbelend had hij over de rotsen van de bedding gebruist. Hij zag tulpenbomen, esdoorns, gombomen, paardekastanjes en natuurlijk bloeiden overal de rododendrons en laurierstruiken en wilde kamperfoelie. De heuvelhellingen waren bezaaid met hun delicate roze en oranje en witte bloesems.

Ze klommen hoger over de kronkelende bergwegen. Ze passeerden de Apple Orchard Inn, het River Motel met de rij schommelstoelen op de veranda. Een barbecuestalletje. Een pannenkoekenhuis, talloze cottages, hutten en pensions.

In de buurt van Cherokee reden ze langzaam langs de schuurtjes waar geroosterde pinda's verkocht werden. Sommige waren relikwieën uit zijn jeugd. Er was nog steeds een ouderwetse attractie langs de weg – *Voeder de beren!* stond er op het bordje. De weg werd nog kronkeliger, klom steiler omhoog en ze spraken weinig meer, maar keken naar het landschap. Hier waren naaldbossen, vooral langs de rivier en de kreken, dennen en eiken op de droge plekken samen met suikerahorns en berken. Hij hield in het bijzonder van de berken, met hun lange, statige stammen, de papierachtige grijze bast en hun sierlijke zilveren silhouetten.

Na een poosje nam hij op aanwijzing van Mary een afslag. Er was een uitkijkpunt. Hij opende het portier aan haar kant en samen wandelden ze naar de rand van de steile klif. Hij keek uit over het panoramische uitzicht, in beide richtingen strekten zich de bergen uit en onder hem lag de groene vallei. Hij keek neer op Mary, zich zeer bewust van haar aanwezigheid.

Ze was maar een klein ding, maar ze was sterk. Hij probeerde zich haar voor te stellen naast hem in de wildernis, trekkend van het ene dorp naar het andere. Dat was niet moeilijk en hij vroeg zich af waarom hij haar vroeger niet meteen had meegenomen. Het had niet goed geleken, dat was alles. Hij had op een of andere manier geweten dat het Gods bedoeling was dat hij alleen ging. Hij herinnerde zich nog goed de diepe pijn van de avond dat hij het haar had verteld. De manier waarop haar gezicht vol verwarring was verstrakt terwijl ze probeerde het te begrijpen. Dat was vijf-enveertig jaar geleden, maar nu hij naast haar liep, was het weer even vers alsof het gisteravond was gebeurd.

'Is het niet schitterend?' prevelde ze en hij richtte zijn aandacht weer op de omgeving. Beneden zag hij de uitge-strekte vallei en hij glimlachte toen hij Gilead Springs zag liggen. Het leek wel een ansichtkaart, die plaats, een schilde-rij van Norman Rockwell aan de voet van de Smokies. Hij wist hoe het er in elk seizoen van het jaar uitzag. In de herfst werden de heuvels eromheen goud en rood, een vurige ach-tergrond voor de fluwelen lappendeken van weilanden en boerderijen. In de winter waren de bomen grimmig mooi met hun ijzige edelstenen, de heuveltjes vaak bedekt met ijs, rijp of sneeuw. Hij had deze plek gemist. O, wat had hij het gemist. Het was alsof een pijn in zijn botten eindelijk ver-licht was, alsof hij eindelijk was thuisgekomen op een plaats waar hij kon rusten en stil zijn.

Gilead Springs was alles wat Silver Falls vroeger was, voor-dat het veranderd was. Er woonden een paar mensen in het stadje, in nette huizen in het netwerk van straten om het kleine plein. De rechter. De winkeliers. De sheriff. Een paar stadsmensen die heen en weer reisden naar Asheville om naar hun werk te gaan en dicht bij de straatweg naar de snel-weg wilden wonen, veronderstelde hij. Maar de meeste in-woners van Gilead Springs woonden verspreid tussen deze heuvels en dalen, zoals het altijd was geweest. Tussen deze bergkammen lagen keurige stukjes land, hectaren vol kool en appels en maïs, weilanden met schapen en koeien, nette akkers die geploegd werden door versleten tractors. Hij stel-de zich voor dat hij op zo'n tractor zat en zijn velden ploeg-de en hij fluisterde een gebed, gaf het aan God, want die beelden en visioenen baarden hem op z'n minst zorgen.

'Zijn de bronnen opgedroogd?' vroeg hij Mary.

'Hoogstwaarschijnlijk,' zei ze.

Hij hoopte van niet. Ze waren overal hier, hoog in deze bergen, weggestopt tussen de rotsachtige heuvels en beschermd door bosjes berglaurier en eiken. Het water erin was zo helder dat het schitterde en als een vermoeide, dorstige bezoeker naar de bodem staarde, langs het met mos begroeide graniet, kon hij het leven van de beek zien stromen, gezuiverd en puur door de lagen zand en rots. En o, het water was zo zoet om te drinken. Je werd er niet ziek van. Hij had zelfs horen zeggen dat het water genezend was.

'Ken je Clive Murphy nog?' vroeg Mary.

Elijah nam even de tijd om hem te plaatsen, toen knikte hij. Hij was een kennis geweest, een vriend zelfs. Een beetje een stiekemerd, herinnerde hij zich, maar hij wilde geen kwaadspreken van de man.

'Hij had een bron op zijn land en hij bottelde het water en verkocht het aan een kraampje langs de weg.'

Elijah grinnikte. Hij zag het voor zich.

'Een of ander groot bedrijf uit Asheville kwam en wilde een hele operatie opzetten. Ze waren van plan het via internet te verkopen.'

Elijah schudde zijn hoofd. 'Heeft hij het gedaan?'

'Hij is ermee begonnen, maar toen ze eenmaal kwamen met de grote tankwagen en de pomp, kwam hij tot zijn verstand. Hij stuurde ze weg en ging terug naar zijn koeien.'

'Hij was altijd al een stuk onverstand,' zei Elijah, en Mary lachte hardop. Het was een lief geluid, die lach, en hij wilde hem vaker horen.

Na een tijdje draaiden ze zich om en gingen naar de auto terug, hervatten de reis en Elijah voelde zich tevreden.

Hij zag herten en kilometers bomen, oude verweerde schuren met geroeste metalen daken. Hij zag een wilde kalkoen en wenste dat hij zijn geweer bij zich had. Hij zag glooiende heuvels en houten hekken en overal achter hen de hobbelige bergkam, die hem inderdaad deed denken aan dingen die nooit veranderden.

Ze bereikten de Cove en reden er langzaam doorheen achter in de rij andere toeristen. Ze stopten, stapten uit de auto en keken rond. Er was een picknickplaats, een kampeerterrein, een boswachterspost. De lucht was heet aan zijn gezicht en armen, de zon warm op zijn hoofd en een vogel riep scherp naar zijn partner. Ze liepen over een verhard pad naar de Oliver Cabin. Elijah liet zijn hand rusten op het ruwe hout van de deurpost terwijl ze naar binnen keken in de hut en hij kon zich makkelijk de man voorstellen die hem had gebouwd, de bomen had omgehakt, aan elkaar bevestigd en opgevuld, en hij had de aandrang om zelf zoiets te doen. Om iets te bouwen wat stevig en echt was en er morgen nog zou zijn en overmorgen en over honderd jaar ook nog. Om op te houden met dat dwalen, zich te vestigen en tot rust te komen.

Ze wandelden naar de kant van de weg, naar het houten hek. Hij keek over het groene dal naar de glooiende, beboste berghelling en de golvende pieken daarachter. Hij was thuis en voelde zich tevreden en gerust.

'Hoe heb je je been bezeerd?' vroeg Mary na een tijdje en opnieuw trof het hem hoeveel ze in te halen hadden.

'Ongeluk met mijn jeep,' antwoordde hij. 'Mijn been gebroken op drie plaatsen en ik heb niet zo goed naar de dokter geluisterd.'

Ze glimlachte droevig terug. 'Waarom verbaast me dat niet?'

Ze reden nog een eindje, stapten de paden op en trokken naar alle gebouwtjes. Ze zagen de kerken, primitieve gevallen met eenvoudige banken en weinig ramen, een gat in het plafond waar de kachelpijp had gezeten en Elijah vroeg zich af wat voor soort preken hier gehouden waren.

323

Ze liepen over de begraafplaatsen. *Russel Gregory,* stond er op een grafsteen, *1795 – 1864. Grondlegger van Gregory's Bald. Vermoord door rebellen uit North Carolina.* Ze lazen de namen, Oliver, Abbot, Brown, Myers, Lawson, Ledbetter. *Thuis. Tot rust,* getuigden ze allemaal in variërende bewoordingen. *Was blind, maar ziet nu de schoonheid van de hemel. Heengegaan.*

'Weet je,' zei hij met een lachje. 'Ik geloof niet dat ik er al klaar voor ben me bij ze te voegen.' Hij keek naar Mary, maar zij keek naar iets anders. Naar een kleine grafsteen met een lam op de voorkant. *Dochtertje van de heer en mevrouw William Anthony. Geboren en gestorven op 7 juni 1926. Slapend bij Jezus. Op aarde in de knop gestorven om te bloeien in de hemel.*

Hij pakte haar hand en legde de zijne erop. 'Niet zwaarmoedig zijn,' zei hij. Ze draaide haar gezicht naar hem toe en het kon zijn verbeelding zijn geweest, maar haar ogen leken niet meer zo gekweld als gisteren.

Nog enkele uren bleven ze afwisselend rijden en wandelen – elk spoor volgend onder de overkapping van naaldbomen.

'Laten we op weg naar huis onze lunch opeten,' stelde Mary voor en hij stemde gretig in.

Ze vertrokken uit de Cove, reden terug door het park en toen ze bijna thuis waren, in de heuvels boven Gilead Springs, wees Mary hem een zijweg waar hij de auto parkeerde. Hij hielp haar uit de auto en pakte de picknickmand van haar aan.

'Wat zit er toch allemaal in?' vroeg hij met een grijns.

'Je zult er blij om zijn als je een stukje geklommen hebt,' antwoordde ze gevat.

Ze wandelden een eindje en toen hij zag waar ze hem heen leidde, glimlachte hij bij het vooruitzicht. Parson's Creek was een klein beekje dat nog stroomde, al zou het wel laag staan. Maar dat gaf niet.

'Daar, zie je?' zei ze toen ze door het kreupelhout naar de bron getrokken waren. Ze wees naar beneden en hij zag de golven en rimpelingen in de waterplas van de grot. De bron stroomde nog. Hij knielde neer en stak zijn hand erin. Het was koud. Hij maakte een kommetje van zijn hand en bracht het naar zijn mond. Het smaakte zoet en schoon.

Mary ging op een rotsblok naast hem zitten. Ze zwegen een paar minuten, toen begon ze het gesprek waarvan hij had geweten dat ze het moesten voeren.

'Ik wist niet of je ooit nog terugkwam,' zei ze. 'Ik was gekwetst en boos.'

Hij knikte zwijgend en ging naast haar zitten. Hij staarde naar de grond voor hem en het minuscule bosje mos dat op de rots groeide.

'Ik heb je elke dag geschreven,' zei ze.

Hij keek naar haar op. 'Ik heb maar een stuk of vijf brieven gekregen.'

'De rest heb ik nooit verstuurd.' Haar glimlach was bitterzoet en even later sloeg ze haar ogen neer.

Het was mijn keuze niet, wilde hij zeggen, maar dat was het wel geweest. *Ik wilde met je trouwen,* kon hij zeggen, maar was hij niet degene geweest die het afgeblazen had? *Als ik had kunnen kiezen,* dacht hij, maar hij *had* toch gekozen? Er leek nu niets méér te zeggen dan toen.

'Als ik had geluisterd, had ik Gods waarschuwingen kunnen horen voordat ik je ten huwelijk vroeg,' bekende hij zacht. 'Maar ik was afgeleid.' Hij glimlachte tegen haar en zij lachte terug.

'Ik weet dat nu,' zei ze. 'En ik denk dat ik het zelfs toen al wist, diep vanbinnen, dat de beslissing ons beiden uit handen was genomen.'

Hij knikte.

'Ik heb bijna een jaar gewacht, maar ik kreeg maar vier

brieven van je,' zei ze. 'En die waren niet precies waar ik op gehoopt had.'

Hij herinnerde zich die brieven. Het waren weloverwogen composities, geschreven met veel pijn en zorgvuldigheid. Ze vertelden veel feiten over zijn leven en zijn werk, maar zeiden weinig over zaken van het hart. En er werden vooral geen beloftes in gedaan.

'John was inmiddels om me gekomen,' zei ze met een glimlach. 'Hij was erg vastbesloten. Ik heb je nog één laatste keer geschreven.'

Hij knikte, herinnerde zich die brief bijna woord voor woord. Hij had hem wekenlang bij zich gedragen, had erover gebeden en God steeds opnieuw gevraagd wat hij moest doen, maar hij had geweten wat het antwoord was voordat hij de vraag stelde. *Zou er plaats voor mij zijn daar?* had ze geschreven. *Zou ik je kunnen helpen bij je werk zonder je in de weg te lopen?*

Hij had destijds rondgedwaald in de rimboe, weken en maanden weg van de dichtstbijzijnde zendingspost. Het was eenzaam werk en gevaarlijk. Hij had haar willen vragen om te komen – *waarvoor?* had zijn gezonde verstand hem gevraagd. *Om hier op mij te wachten? Te zorgen voor onze kinderen in dit droge, verloren land, en ze misschien weer mee naar huis te nemen als je weduwe bent en alleen?* Hij had eindelijk bij lantaarnlicht in zijn tent die laatste brief geschreven.

Ik bid Gods rijkste zegeningen over je leven af, had hij geschreven in plaats van de woorden die hij had willen kiezen. *Ik zal je nooit vergeten.* Hij dacht aan het werk dat hij had gedaan, de levens die hij had gered, de verloren zielen die uit zijn hand de waarheid hadden ontvangen. Hij had verdriet gehad, inderdaad, maar hij had geen spijt.

'Ik heb die brieven nog,' bekende ze glimlachend. 'Op zolder in een doos. Ik treurde weer een poosje, maar ergens zal ik wel gevoeld hebben dat het een juiste beslissing was, net als jij,' zei ze en op dat moment bespeurde hij iets van haar kracht. 'Toen John Truelove me ten huwelijk vroeg, heb ik ja gezegd. Ik wist dat hij Gods keuze voor mij was. We zijn veertig jaar getrouwd geweest. Hij was een goede man en ik heb heel veel van hem gehouden.'

'Je hebt het goed gedaan,' zei hij kordaat. 'Je hebt je wedloop gelopen, net als ik de mijne.' Hij dacht aan wat hij van haar leven wist. Hoe ze voor haar ziekelijke familieleden had gezorgd en ze in huis genomen had, hoe ze voor haar man had gezorgd en zijn werk mogelijk had gemaakt, hoe ze haar kinderen had liefgehad en hen had opgevoed tot fijne, integere mensen met karakter. 'De vruchten van onze beslissingen zullen tot in de eeuwigheid duren,' zei hij zacht en toen haar daarop de tranen in de ogen sprongen, gebeurde dat bij hem ook.

Daarna spraken ze niet veel meer, want alles leek gezegd. Ze spreidden hun kleed op de met mos bedekte rots en Mary pakte hun feestmaal uit. Hij at haar gebraden kip en aardappelsalade, dronk haar zoete thee en hij was voldaan. Hij vond het jammer toen het tijd werd om naar huis te gaan. Hij wilde niet dat er een einde kwam aan deze dag, maar hij wist dat het moest.

31

Sam was naar de afdeling spoedeisende hulp geroepen en had in de kleine uurtjes van de donderdagochtend een patiëntje laten opnemen, een kindje van vijftien maanden met buikgriep. Op weg naar Carls praktijk ging hij bij haar kijken en na een nacht aan het infuus was ze levendig en alert. Hij ontsloeg haar en ging naar Carls praktijk, maar er stonden geen huisbezoeken op het programma en er waren maar twee afspraken. Hij vermoedde dat Carls patiënten hun klachten bewaarden voor de dagen van het gratis spreekuur en hij fronste, zich afvragend hoe dat op de lange termijn financieel te behappen zou zijn. Dat was zijn probleem niet, hield hij zich voor.

Het huis van Carl en Diane was afgesloten. Er was geen spoor van Annie. Bij gebrek aan iets te doen, ging hij weer naar huis en werd voor even opgevrolijkt, want juist toen hij kwam aanrijden, kwam hij Elijah tegen in een Jeep Wagoneer uit 1979, glanzend donkerrood en in perfecte staat.

'Dat is nog eens een auto,' zei Sam bewonderend toen ze allebei uitgestapt waren.

'Ach, hij kan me in alle weersomstandigheden rondrijden en bijna alles doen wat ik wil. Ik heb hem van de eerste eigenaar gekocht.'

'Een oud dametje dat er alleen mee naar de kerk reed?' vroeg Sam grijnzend.

Elijah lachte terug en Sam voelde hoe hij op deze man gesteld was. Het was een onverwachte troost hem in de buurt te hebben. Hij hiield van zijn rust, zijn bekwaamheid, zijn praktische wijsheid.

'Dus je bent van plan in de buurt te blijven?' vroeg Sam.

Elijah maakte een beweging met zijn hoofd tussen knikken en schudden. 'Hij is niet moeilijk te verkopen als de tijd komt,' zei hij.

'Als je een beslissing neemt?'

'Als God klaar is. Hij zal het me laten weten als het tijd is om verder te gaan.'

Sam knikte en gaf geen commentaar, maar hij voelde een flits van jaloezie. Wat was Elijah Walker zeker van zijn God.

Hij luisterde het antwoordapparaat van Carls praktijk af terwijl Elijah de Jeep in de was zette. Er waren geen boodschappen. Na de lunch reed hij naar Asheville en ging bij Carl op bezoek. Hij trof hem lopend door de gangen met zijn infuus achter zich aan slepend, nu en dan stilstaand om te kletsen met de verpleegsters en andere patiënten. Hij had gedacht dat hij Annie kon tegenkomen, maar er was niemand. Diane was boodschappen doen in Asheville, ze was op zoek naar een trainingspak voor Carl dat hij kon dragen als hij uit het ziekenhuis kwam, en een nieuwe pyjama.

Het was een kort, maar prettig bezoek.

'Ze zullen me over een dag of twee wel laten gaan,' zei Carl.

Tot zijn schaamte merkte Sam dat zijn gedachten naar Annie gingen. Of ze nog lang zou blijven als haar vader weer thuis was. En toen naar zichzelf, want hij vroeg zich af of zijn associés hem terug zouden laten komen, nu de toestand met Kelly Bright voorlopig was opgelost. Het verbaasde hem dat zijn gevoelens in de kwestie tamelijk mat waren. Hij voelde geen bijzonder verlangen om terug te gaan, maar hij wist dat hij niet voor altijd hier kon blijven. Het was een tijdelijke toestand, dit respijt. Er kwam een einde aan.

'Ik heb begin deze week een paar interessante patiënten

bezocht,' zei hij tegen Carl en hij zag zijn gezicht belangstellend oplichten. 'Een boer die zo koppig was als de muilezel waardoor hij geschopt was. Ik was bang voor een oogkasfractuur, maar hij weigerde naar het ziekenhuis te gaan. Uiteindelijk heb ik hem maar gehecht en laten lopen.'

'Wie was het?'

'Roscoe Adams.'

Carl knikte en zijn gezicht werd ernstig. 'Ze hebben drie maanden geleden een zoon verloren. Zeventien jaar. Hij is omgekomen bij een auto-ongeluk.'

Het was of Carl een stomp in zijn maag kreeg en hij schaamde zich voor zijn lompe schets van de situatie. Hij dacht aan de onwankelbare liefde en steun van de echtgenote en het gesloten gezicht van de oude man. Waarom had hij niet gezien dat er verdriet en pijn zaten achter die muur van onverschilligheid? Nota bene hij moest dat toch hebben opgevangen.

'Ik heb ook Lewis Wilson bezocht.' Sam dacht aan het lijden van de man met terminale kanker. Hij had instructies achtergelaten dat hij dag en nacht gebeld kon worden voor alles wat ze nodig hadden. Hij zou zelf vanmiddag bellen om te vragen hoe het met ze ging, besloot hij.

Carl knikte, met pijn in zijn ogen. 'Hij is een dappere man. Zal het niet lang meer maken.'

'Nee. Waarschijnlijk niet,' beaamde Sam. 'O, en de leukste,' zei hij lachend. 'Je niet-zo-geheime aanbidster, Eliza Goddard. Ze had een beetje last van zwaarmoedigheid. Dacht dat ze hoge bloeddruk had.'

Carl glimlachte treurig en knikte. 'Ik ga elke week bij haar langs. Ik weet dat er niets mis is met haar en diep in haar hart weet ze dat zelf ook wel. Maar weet je, die vrouw is in drie jaar haar huis niet uit geweest.'

Sam staarde hem met open mond aan.

'Agorafobie,' bevestigde Carl. 'Ik heb haar bijna zo ver dat ze naar Asheville gaat om zich te laten behandelen. Ik heb beloofd dat ik haar de eerste keer zelf zal brengen en dat gaf de doorslag.'

Sam was ontnuchterd. Hij vroeg zich af hoe vaak hij was voorbijgegaan aan de pijn van mensen en onpersoonlijke behandelingen en geneesmiddelen had voorgeschreven zonder hun verhaal te kennen. Hij vroeg zich af hoe veel beter hij zijn werk had kunnen doen als hij de tijd had genomen om naar ze te luisteren.

Hij nam afscheid van Carl en reed in gedachten verzonken naar huis.

★

Sam ging naar binnen en verwisselde zijn kostuum voor een spijkerbroek, daarna wandelde hij de tuin in. Zijn moeder was weg en ook Elijah en de Wagoneer. Hij had haar waarschijnlijk meegenomen voor een ritje. Sam glimlachte weer bij de gedachte aan Elijahs verrukking.

Hij dacht erover Ricky te bellen, maar die zou nog wel aan het werk zijn. Hij keek naar het huis van de buren. Lauries auto was weg. Ze was waarschijnlijk nog aan het werk en het viel hem in dat hij eigenlijk geen leven had. Niets anders dan werken en nu dat niet al zijn tijd opslokte, bleek hij nog maar weinig in evenwicht.

Eindelijk zag hij onder ogen wat duidelijk was. Hij was hier gekomen om een bepaalde reden. Hij kon net zo goed nu een begin maken met dat doel. Hij ging naar de truck van zijn vader, die de afgelopen twee jaar achter de schuur had gestaan. Hij moest zich een weg banen door het onkruid om erbij te komen en hij startte niet meteen, maar daarna liep hij prima. Hij reed naar de ijzerwinkel en kocht enkele dozen op zwaar werk berekende vuilniszakken en opslagcontainers.

Hij reed naar het huis van Annie en hem, reed de oprit op en zag dat hij niet alleen was. Annie was er. Dat op zichzelf verbaasde hem niet, maar wel het feit dat ze de Balsem van Gileadboom water gaf. Als ze dozen had ingepakt of de kasten had uitgeruimd, had het hem niet verbaasd, maar dat ze voor die boom zorgde, gaf hem een schok.

Hij stapte uit de truck, knikte ter begroeting en liep naar haar toe.

'Ik kom net terug van je vader,' zei hij.

'Hoe ging het met hem?' vroeg ze.

'Hij is de oude weer.'

Ze glimlachte en keek weer naar de boom en de plas water rond de wortels. Hij keek rond en bedacht hoe vreemd het was dat het zo met hen afgelopen was. Hij had gedacht dat ze de rest van hun leven samen zouden blijven. Hij had voor zich gezien hoe ze hier hun oude dag zouden slijten, terug-kijkend op jaren van tedere liefde. Maar ja, de dingen liepen nou eenmaal niet zoals jij vond dat moest, vaker wel dan niet.

'Ben je gekomen om je spullen te pakken?' Ze vroeg het onverbloemd. Nou ja, dat was toch goed? Waarom zouden ze om de hete brij heen draaien?

Hij knikte.

'Ik ook.'

Hij had niet gedacht dat dat pijn zou doen, maar dat deed het wel, als een harde stomp in zijn onderbuik.

'Ik zal maar eens beginnen,' zei hij kortaf.

Ze knikte resoluut en draaide de slang dicht. 'Ik kom ook naar binnen. We moeten beslissen wat er met de spullen moet gebeuren.'

Dat was niet zijn bedoeling geweest, maar wat kon hij zeggen? 'Goed.' Ze liepen samen het huis binnen. Langs de oude tuinmeubels op de veranda.

'Leger des Heils,' zei hij en gaf de stoel een schopje.

'Dat meen je niet!'

Hij had haar beledigd, hij merkte het.

'Oud riet is in de mode. Dat spul is geld waard.'

Hij haalde zijn schouders op en stak een hand op om haar af te weren. 'Wat jij wilt.'

Ze mopperde nog steeds toen ze de woonkamer binnenkwamen.

Hij bleef stilstaan voor de schoorsteenmantel en keek naar de verzameling foto's die tegen de muur geleund stonden. Hun trouwfoto. Daar stond hij, glimlachend van pure, echte blijdschap. Hij wist nog hoe hij zich die dag gevoeld had. Alsof hem een groot voorrecht ten deel was gevallen en hij moest bewijzen dat hij het waard was. En zo vastbesloten dat hij het zou bewijzen. Dat niets haar kwaad kon doen. Op de foto ernaast zaten ze tijdens de Truelove-reünie met z'n tweeën naast elkaar op de schommelbank, zijn arm om haar heen. Hij wist ook nog hoe hij zich die dag had gevoeld. Eenvoudig gelukkig. Nederig. Blij dat hij er was. Hij hield haar dicht tegen zich aan. Ze glimlachte, haar mond was vastgelegd op een moment dat ze praatte. Zijn gezicht stond zorgeloos, vredig en blij, een lachje om zijn mond, en hij wist nog precies wat hij gevoeld had. Vrede. Want zij was er. Zij was veilig. Zij was gelukkig. Als Margaret en zij gelukkig en veilig waren, dan kon hij zich ontspannen. Verder was er niets. Hij had zijn werk gedaan. Hij kon uitrusten.

'We kunnen de foto's verdelen,' zei ze en het was of ze hem een slag toebracht op een gevoelige plaats. 'Of ze bij laten maken. Daar zal ik wel voor zorgen. Jij bent druk met papa's patiënten.'

'Goed. Dank je.' Hij keek van haar weg, naar de bank en de stoelen, die al afdankertjes geweest waren. 'En de meubels? Niemand wil dat spul hebben.'

'Dit is antiek,' verdedigde Annie vurig en hij moest lachen.

'Neem jij ze dan.'

Ze schudde haar hoofd. 'Het is te duur om ze naar Los Angeles te laten verhuizen.'

'Nou, ik heb er geen plaats voor,' zei hij. 'Dus die gaan ook naar het Leger des Heils.'

Haar gezicht werd rood en ze zweeg. Altijd een slecht teken.

'Wat?'

Ze schudde wild haar hoofd. 'Niks.'

Ze liepen door de keuken, de logeerkamer. Hij opende de deur van Margarets kamer, maar Annie kwam niet mee. Hij keek rond en overwoog wat te doen. Als Annie het niet afhandelde, zou hij wat van Margarets speelgoed en kleren bewaren en de rest weggeven. Er was geen reden waarom een ander kind er niet van zou mogen genieten. Hij keek nog één keer rond, zijn borst voelde strak en koud, toen deed hij zachtjes de deur dicht en ging naar Annie in de woonkamer. Hij besefte dat hun reis door het huis weinig had opgeleverd. Alles was onmogelijk te houden, te waardevol om weg te doen.

'Beslis jij maar,' zei hij ten slotte. 'Ik zal wegdoen wat er nog over is als je vertrokken bent.'

Haar gezicht was nu helemaal rood en ze schudde haar hoofd. 'Dan geef jij alles aan het Leger des Heils.'

'Nou en?' vroeg hij, met moeite het ongeduld uit zijn stem werend. 'Wat wil jij dan?'

'Ik weet het niet. Je hebt gelijk. Dat zullen we doen.'

Hij knikte en ging naar buiten naar de truck. Hij haalde de opslagcontainers naar binnen en begon hun bezittingen uit te sorteren.

Annie verdween, nog steeds met een rood gezicht en zwijgend afgezien van haar rondstampen in de keuken en het kletteren van potten en pannen. Hij ging naar de slaapkamer en studeerkamer en begon te sorteren. Hij nam zijn cd's en sportkleding mee. Zijn kleren en zijn boeken. Na overleg met Annie nam hij de stereo, en de camera omdat zij een nieuwe had gekocht. Hij maakte de laden leeg en zijn bureau en de kast in de hal. Hij nam de helft van de handdoeken en lakens en weigerde de stofzuiger omdat hij een werkster had die haar eigen stofzuiger meebracht. Na een paar uur had hij de meeste laden en kasten doorgenomen. Toen hij klaar was met het doorspitten van zijn persoonlijke bezittingen, keerde hij naar de woonkamer terug.

'Zeg maar niks. Leger des Heils,' zei Annie, met zijn rugzak met metalen frame in de hand.

Hij knikte en legde hem op de stapel die midden in de kamer was gegroeid. 'Wat een hoop troep,' merkte hij op. Dingen die hij niet had willen bewaren. Dingen die ze jaren geleden weg hadden moeten doen. En het was raar, maar al werkend bereikten ze een soort kameraadschap en opnieuw viel het hem in hoe vreemd dat was.

Ze ging weg om haar eigen spullen uit te zoeken en hij stopte de laatste stapel boeken in de opslagcontainer. Hij zag zijn in leer gebonden Bijbel liggen onder op een van de stapels voor het Leger des Heils. Hij pakte hem niet terug.

'Sam, kom eens,' riep ze en hij vond haar in de logeerkamer met zijn ski's en skistokken. Ze grijnsde gemeen. Hij doorstond het met een gelaten glimlach en knikte.

'Wil je die bewaren?' tergde ze.

'Heel grappig.'

'Och, kom,' plaagde ze. 'Gun me de lol. Het was het enige waar ik beter in was dan jij.'

'Dat is zacht uitgedrukt.' Hij glimlachte. 'Ik vermaak ze aan jou.'

'Ik zou ze graag willen hebben, maar... Leger des Heils.'

Hij knikte en ze legde ze opzij, geleidelijk verdween de glimlach van haar gezicht.

'Ik moest maar eens gaan als ik voor sluitingstijd nog een opslagplaats wil hebben,' zei hij.

Ze knikte en keek niet op van de stapel videocassettes die ze uitzocht.

'Wat wil je met Margarets kamer?' vroeg hij zacht.

Ze haalde half haar schouders op.

'Ik kan het wel doen als je wilt.'

Haar ogen werden vochtig, maar ze gaf geen antwoord.

'Laat maar liggen waar je niet mee wilt afrekenen,' zei hij. 'Ik maak het wel af.'

Ze knikte. Ze veegde haar ogen af met de rug van haar hand en snufte. 'Ik heb honger,' zei ze klaaglijk.

Hij aarzelde even. 'Je kunt met me meerijden naar de opslagplaats. Dan halen we iets onderweg terug. Kun je het zo lang nog uithouden?'

'Ja, hoor,' stemde ze in. Ze veegde haar gezicht af met haar handpalmen en op een of andere manier deed hem dat aan Margaret denken. Ze sloten het huis af, Sam met een treurige blik op de chaos, en opnieuw bedacht hij hoe vreemd het was dat je rommel moest maken om op te ruimen.

'Ik kom terug om je te helpen,' zei hij. 'We krijgen het best voor elkaar.'

Ze knikte en op weg naar de truck streken hun handen langs elkaar. Voor een onderdeel van een seconde had hij bijna uit gewoonte haar hand gepakt, want het leek net als vroeger. Heel even maar.

Ze reden in kameraadschappelijke stilte. Hij vond een opslagvoorziening in Silver Falls en zij hielp hem zijn spullen uit te laden. Ze vonden een hamburgerrestaurant aan de rand van de stad. Hij kocht voor ieder een reusachtige hamburger, een kartonnetje vette frites en vers gemaakte aardbeienmilkshakes met echte stukjes aardbei erin. Ze gingen buiten aan een picknicktafel onder de bomen zitten.

Hij keek hoe ze at. Hij hield van een vrouw met een gezonde eetlust. Ze werkte de hamburger weg en begon aan de frites.

'Weet je wat papa me vertelde?' vroeg ze vrolijk.

Hij schudde zijn hoofd, ondanks zichzelf glimlachend.

'Dat je moeder en Elijah Walker vroeger verloofd zijn geweest.'

Hij staarde haar ongelovig aan. 'Je houdt me voor de gek.' Dat was nog eens een nieuwtje.

'Nee, hoor.' Ze schudde haar hoofd. 'Wat zeg je me daarvan?'

'Tja, dat werpt een interessant licht op de zaken, hè?' Hij was verrast, maar niet onaangenaam en hij hoopte dat zijn moeder geluk zou vinden – met of zonder Elijah Walker. 'Hoewel, ik weet het niet,' waarschuwde hij. 'Hij vertelde me dat hij naar het zendingsveld terug hoopt te gaan.'

Ze gaf hem een wijze blik en schudde haar hoofd. 'Dat zullen we nog wel eens zien,' zei ze.

Hij lachte.

'Wat is er zo grappig?'

'Niks. Die koppelarij van je.'

'Nou, vind je het niet een beetje *voorbestemd* dat hij niet eens wist bij wie hij ging logeren en dat zij het bleek te zijn? Zijn oude liefde?'

'Misschien wel, ja.' Maar aan de andere kant hadden een hoop andere dingen die voorbestemd leken niet geleid tot wat hij gehoopt had. Dat zij tweeën op hetzelfde moment hier terug waren, bijvoorbeeld. En zelfs nu, hoe ze hier zaten, ze voelden zich zo op hun gemak bij elkaar en het was zo prettig, maar hij wist hoe het zou aflopen.

Ze praatten nog wat over allerlei onbelangrijke dingen. Toen het eten op was, bleven ze nog zitten terwijl de avond viel. Het was of ze allebei wisten dat dit moment niet voor altijd kon duren, maar toch geen van beiden wilden dat er een eind aan kwam.

Er kwam een busje aanrijden en er stroomde een gezin met een stel peuters en kleuters naar buiten. Annie keek ernaar, glimlachte tegen hem en begon het afval op te ruimen. 'Het ziet ernaar uit dat ze deze tafel nodig zullen hebben.'

Hij knikte en stond op en hoewel hij het niet van plan was geweest, ontsnapten de woorden aan zijn mond. 'Maandagmiddag was het bij mama thuis net Jalta met Stalin, Churchill en Roosevelt.'

Ze grinnikte, wat hem de moed gaf om door te gaan.

'Mama en de generaals maken plannen voor de reünie,' zei hij met een glimlach, de bijnaam gebruikend die ze zijn taakgerichte tantes hadden gegeven.

Ze knikte. 'Het wordt weer tijd, hè?'

Hij knikte. 'Volgend weekend,' zei hij en waagde de sprong. 'Er is om je aanwezigheid verzocht.'

Ze bloosde. Hij kon haar gezichtsuitdrukking niet duiden. Ze antwoordde niet onmiddellijk en hij maakte zich verwijten. Hij had er niet over moeten beginnen.

'Goed,' zei ze. 'Ik kom. Als jij het graag wilt.'

'Natuurlijk,' zei hij luchtig en hij hield het truckportier voor haar open. 'Ik wil niets liever.'

32

Het eerste wat Annie voelde toen ze de volgende vrijdag-
ochtend wakker werd, was het zachte laken tegen haar
wang. De transparante gordijnen bewogen in de lichte bries
en het zonlicht flikkerde door de bladeren van de boom
voor het raam en viel in vlekkerige plekjes, als gouden mun-
ten die op de chenille sprei en de gewreven eiken vloer
gegooid waren.

Ze ging rechtop in bed zitten en keek op haar horloge,
dat bij haar oorringen op het tafeltje naast haar lag. Het was
half acht. Ze hoorde gedempte keukengeluiden en murme-
lende stemmen.

Het was fijn om papa weer thuis te hebben, dacht ze, en
voor het eerst sinds haar aankomst had ze een goed gevoel.
Hij was nu vier dagen thuis en hoewel nog lang niet in zijn
gewone doen, hij *was* er, en dat was het belangrijkste.

'Ik kan de eerste weken nog niet aan het werk,' zei hij
tegen Sam. 'Orders van de dokter.'

Waardoor bij iedereen, dat wist ze zeker, de vraag was
gerezen wanneer volgzaamheid een van papa's eigenschappen was geworden, maar niemand had het gezegd. Zij had
haar eigen theorie. Hij had alle spelers in het spel, iedereen
precies waar hij ze hebben wilde, en hij was niet van plan dat
spel in gevaar te brengen door weer aan het werk te gaan.
Vandaag was de praktijk helemaal gesloten, behalve voor
spoedgevallen uiteraard. Sam en Elijah hadden allebei iets
anders te doen.

Ze nam een douche, kleedde zich aan, pakte haar tas en

trok haar schoenen aan. In de keuken schonk ze zich een kop koffie in. Mary had haar gevraagd te komen helpen met eten klaarmaken voor de reünie en ze voelde een mengeling van plezier bij het vooruitzicht en angst voor de herinneringen die het kon oproepen. Even schoot het door haar heen dat haar wens om pijn bij zich uit de buurt te houden, ook de gelukkige herinneringen opgesloten hield. Ze was evenzeer beroofd van haar vreugde als afgeschermd voor haar verdriet.

Papa was op de veranda. Ze stapte naar buiten en begroette hem.

'Goedemorgen, schat,' zei hij.

'Goedemorgen.' Ze gaf hem een kus op zijn wang.

Diane was in de schuur aan het werk, maar ze zorgde goed voor haar echtgenoot. Hij zat lekker in een schommelstoel genesteld met een wollen deken om zijn benen.

'Ga je weg?'

Ze knikte. 'Weet je zeker dat je niet meegaat?'

'Misschien komen we later even langs.'

Ze knikte. Hij was beter, maar nog steeds gauw moe.

Ze ging naar de schuur om Diane gedag te zeggen en reed naar Mary Truelove.

★

Annie reed naar het huis van de Trueloves en het was bijna of ze het voor het eerst zag. Het huis stond een eind van de weg af, verscholen achter een rij mimosa's, overdekt met roze, vederlichte bloesem. Het gras zag er verdroogd uit, maar het was netjes gemaaid en Mary's bloementuinen stonden in overvloedige bloei. Achter de reusachtige tuin waren aan alle kanten velden, nu al droog en geel, en beboste, zacht omhoog glooiende heuvels. Annie herinnerde zich dit als haar tweede thuis tijdens haar jeugdjaren, en ze had hier inderdaad evenveel tijd doorgebracht als in haar eigen huis. Straks zou de oprit vol auto's staan en de tuin vol met kinderen zijn.

Ze klopte aan de deur en werd opengedaan door Mary, die haar een standje gaf omdat ze klopte.

'Kom gauw binnen,' drong ze aan. Ze straalde Annie toe en Annies hart zwol, want ze had Mary in jaren niet zo gelukkig gezien. Ze was gekleed in een mouwloze katoenen jurk, haar haren in een wrong op haar achterhoofd vast gestoken. Haar handen zaten vol meel en toen Annie haar volgde naar de keuken, rook ze een aangenaam mengsel van geuren: bacon, koffie en het aroma van gebrande suiker van de pecan- en bessentaarten die op een rij op het aanrecht stonden.

Elijah zat aan tafel koffie te drinken in een buitengewoon gezellig huiselijk geheel, maar Annie hield zich onschuldig toen ze hem begroette.

Op dat moment kwam Sam binnen en Annies hart sprong op, want hij leek zo precies op hoe ze zich hem van vroeger herinnerde. Zijn gezicht was de strakke spanning kwijt die het had gehad toen ze net terug was. Zijn huid was gebruind doordat hij de laatste tijd veel buiten was geweest. Hij droeg een T-shirt en een spijkerbroek en ze dacht eraan hoe hij bij elke reünie honkbal had gespeeld en homeruns had gescoord in het veld naast het huis. Ze dacht eraan hoe ze hem hoefijzers had zien gooien met zijn ooms en met de kinderen gezwommen had in de kreek. Daar stopte ze haar herinneringen.

'Goedemorgen.' Sam glimlachte tegen haar.

'Geef Annie eens een kop koffie, Sam,' zei Mary. 'Ik maak ontbijt voor jullie allemaal voordat we aan het werk gaan.'

Sam ging zitten en trok de stoel naast hem bij.

Annie wilde protesteren, maar hij ving haar blik en schudde zijn hoofd. 'Het moet van mama, Annie. Anders krijg ik moeilijkheden.' Hij zette een kop en schotel voor haar neer. Mary had het Desert Rose servies, met een craquelépatroon van fijne lijntjes. Hoeveel maaltijden had ze gegeten van dit servies? Hoe vaak had ze hier aan deze zelfde tafel gezeten?

'Hier zijn suiker en melk.' Hij zette ze voor haar neer en schonk koffie voor haar in.

'Wat wil je eten?' Mary Truelove draaide zich om van haar post voor het fornuis en glimlachte tegen haar.

'O, toast of een kom cornflakes is prima.'

Zo gauw ze het had gezegd, wist ze dat het een fout antwoord was. Mary's wenkbrauwen kwamen samen in een lichte frons.

Sam barstte in lachen uit. 'O, Annie, je hebt te lang in het noorden gewoond.' Hij schudde zijn hoofd en zette de koffiepot weer neer. 'Je bent kennelijk vergeten wat er komt kijken bij een echt ontbijt.'

Mary somde op: 'Ik heb gort op het fornuis en broodjes in de oven en bacon —'

'Ze wilde alleen maar weten hoe je je eieren wilt,' verhelderde Sam.

Annie lachte. Wat had ze dan gedacht? 'Halfzacht, graag,' zei ze.

Mary knikte en glimlachte, draaide zich weer om naar het fornuis, brak het ei met een snelle tik tegen de zijkant van de gietijzeren koekenpan, en liet het sputterend en sissend in het hete baconvet vallen. Het water zou haar vader in de mond lopen.

★

In de loop van de dag verzamelde zich geleidelijk de hele familie. Tegen één uur was de tuin vol auto's en kinderen, en in huis krioelde het van de mensen. De tafel was afgeladen met Tupperware, taartschalen en afgedekte ovenschotels. Er stonden enorme kannen gezoete ijsthee op het aanrecht en koelemmers vol frisdrank voor de menigte kinderen, die elkaar nu achterna zaten in het veld naast het huis. Sam bleef aan haar zijde en introduceerde haar bij al zijn familieleden. In het begin was ze gespannen, maar ze leken zijn hint allemaal op te pakken en zijn gezicht en gedrag toonden niets anders dan goedkeuring en vriendelijkheid jegens haar.

Ze moesten een hele reeks tantes begroeten die langs de muren van de keuken opgesteld stonden, en gaven en ontvingen omhelzingen en kussen.

'Geef me es een dikke kus, Sammy. Knuffel me es lekker,' murmelden ze.

'Annie, kom hier en knuffel die oude dames eens,' drong hij aan. Hij betrok haar erbij, gaf hun toestemming en daarom namen ze haar weer op.

Ze voelde zich nederig en beschaamd, en tussen die twee een onderstroom van zoete vreugde. Het waren bekende gezichten en een voor een fluisterden ze in haar oor: 'We hebben je gemist, liefje. We zijn blij dat je thuis bent.'

'Ik ga maar even naar binnen om te kijken of je moeder hulp nodig heeft,' zei Annie toen ze de ronde hadden gedaan. Ze was geëmotioneerd en voelde behoefte aan een taak die ze moest uitvoeren.

'Tot straks,' zei hij. 'Het wordt tijd dat ik de vis ga bakken.' Hij gebaarde naar de enorme bakpan. Er brandde een gasvuur onder en de vis lag opgestapeld op schalen op de triplex schraagtafel ernaast.

'Tot later,' zei ze, en als de bergen vis een aanwijzing waren, zou het wel veel later worden.

Ze ging naar binnen en was een uurtje bezig met het arrangeren van salades, het vullen van glazen met ijs en het negeren van nieuwsgierige blikken.

Ten slotte verzamelden ze zich om de bakpan buiten en bogen hun hoofd.

'Elijah, zou jij willen voorgaan in gebed?' vroeg Mary met haar zachte, lieve stem en nu gingen de nieuwsgierige blikken zijn kant op.

Even hield iedereen op met praten en klonken alleen de kreten van kraaien en krekels in de verte. De zon brandde op hun gebogen hoofden. Met zijn volle stem en vriendelijke accent dankte Elijah Walker God voor de liefde van de Heiland, voor de zegen van familie en voor het eten. 'In Jezus' geliefde naam,' zei hij en de familie mompelde: 'Amen.'

★

De vis was lekker, krokant van buiten, vlokkig en glad van binnen. Annie zat op een deken op de grond met Laurie en twee van haar kinderen en keek hoe Sam aan het werk was bij de bakpan, heen en weer bewegend tussen de planken tafel en de wachtende borden aan de andere kant. Eindelijk, toen iedereen genoeg gegeten had en er nog een volle schaal gebakken vis op tafel stond, laadde hij een papieren bord vol en kwam bij hen zitten.

'Mama heeft de vijf broden en de twee vissen gebroken en de menigte weer eens gevoed,' zei hij.

Annie lachte. 'Je hebt het prima gedaan. Wat is dit voor vis?'

'Beekforel,' antwoordde Laurie. 'Jim en de kinderen vangen ze het hele jaar door en ik stop ze in de vriezer.'

'Nou, ze zijn heel lekker.'

Sam knikte, maar gaf geen antwoord, hij had zijn mond vol. Toen hij klaar was met eten, ging hij liggen en deed zijn ogen dicht.

'Wil je een toetje?'

'Ik kan me niet meer bewegen.'

'Je hebt hard gewerkt. Neem maar even pauze,' zei ze en

liep naar de tafel die nu vol stond met chocoladetaart, appeltaart, custardtaart, pecantaart, kokoscake, aardbeientaart, chocoladecake en natuurlijk bananenpudding. Ze sloot achter aan in de rij en vulde voor hen samen een bordje met van alles wat.

Ze aten en Annie luisterde naar de lome gesprekken om hen heen, het gegil van de kinderen uit het veld naast het huis. Ze werden één keer onderbroken toen Sam een schop uit de schuur moest halen om een slang te doden die de kinderen in het veld hadden gevonden.

'Het is een ratelslang,' schreeuwden ze.

'Het is een maïsslang.' Sam liet zich weer op de deken vallen en gooide de schop opzij. Ze hoorde de kinderen vechten om de dode slang.

Annie leunde achterover en sloeg het allemaal gade, ze knikte en glimlachte en at tot ze dacht dat ze zou barsten.

'Heb je het naar je zin?' vroeg Sam een keer. Hij grijnsde en scheen te weten dat ze ja zou zeggen.

'Dat weet je wel,' zei ze. Hij zweeg en de glimlach die hij haar gaf, was dit keer bitterzoet. Hij had zijn herinneringen, net als zij.

Ze stond op om hun bordjes bij het afval te gooien, werd betrokken in een gesprek met Sams oom George over de kansen van de partij van de republikeinen bij de volgende verkiezingen, en toen ze terugkwam bij de deken zag ze dat Sam was gaan liggen en in slaap gevallen was. Annie bleef lang naar zijn gezicht kijken, dat rustig en vredig was, en vertrok zonder hem wakker te maken.

De kinderen gingen zwemmen. Zij bleef achter en hielp met rommel opruimen. Mary was in de keuken aan het kletsen en lachen, haar wangen waren rood en Annie hoopte hartstochtelijk dat de blijdschap terug zou komen in dit huis. En niet alleen om af en toe op bezoek te komen, maar om voorgoed te blijven. Ze keek naar buiten naar Elijah die op de schommelbank op de veranda zat en lachte en gebaarde terwijl hij praatte met de mannelijke Trueloves. Hij hoorde hier. Ze hoopte maar dat hij het doorhad.

Ze veegde de kleverige plekken van het aanrecht en dekte de schotels af met plastic folie. Na een tijdje verscheen Sam weer en ze bedacht dat hij misschien in jaren niet zo lang rust had gehad.

'Waarom laat je het ze niet overnemen,' zei hij zacht toen hij naast haar stond, 'ga een eindje met me wandelen.'

Ze overlegde bij zichzelf. Ze aarzelde. 'Goed,' zei ze uiteindelijk.

Ze wandelden, krekels en kikkers sjirpten erop los in de warme schemering en ze werd heen en weer geslingerd tussen gedachten aan verdriet en pijn, en herinneringen aan vreugde en blijdschap. Opnieuw vroeg ze zich af waarom de dingen niet het een of het ander konden zijn. Goed of slecht, zodat je ze kon grijpen of laten liggen.

Ze liepen over het grindpad naar de smalle weg van aangestampte rode aarde en grind.

'Deze rode klei is de beste aarde van de wereld,' zei hij.

'Mij hoef je niet te overtuigen,' zei ze.

Ze liepen tot de splitsing. Sam klom over de greppel en stak zijn hand naar haar uit. Ze pakte hem en klom achter hem aan.

'Het oude huis,' zei Sam zacht.

Annie glimlachte. Ze herinnerde zich zijn overgrootmoeder. Het was een lieve oude vrouw geweest. Ze keek naar de met ranken bedekte schoorsteen, alles wat er over was van haar huis.

'Daar zijn de appelbomen,' wees hij naar het bosje om haar heen. 'En weet je nog? Haar waslijn hing altijd tussen die twee eiken.'

Annie keek naar de twee oeroude bomen achter hen. Er hing nog een steeds een stuk waslijn tussen en er waren een paar houten knijpers vastgeklemd aan het houtachtige deel van een clematis aan de voet van een van de bomen. De rode aarde ertussen was hard aangestampt.

'Ik weet nog dat jullie met z'n allen eikels gooiden,' zei ze glimlachend. 'En ik weet nog dat jij mij spaarde.'

Sam lachte. 'Daar had ik niet over willen beginnen.'

De herinneringen van haar leven waren vervlochten met herinneringen aan Sam. Eén in het bijzonder was een van haar eerste herinneringen. Er was iemand jarig, dus het huis van Sams overgrootmoeder zat vol. Papa had een spoedgeval behandeld zodat John Truelove zijn vrije dag kon hebben. Zij en Theresa hadden hier met de kinderen van Truelove gespeeld en ze had besloten in de eik te klimmen, om de spectaculaire prestatie na te doen die ze Sam een paar dagen eerder had zien leveren. Maar hij was lang en zij, destijds pas vijf jaar oud, niet. Toch was ze erin geklommen, ze had alleen naar de tak voor haar gekeken tot ze op duizelingwekkende hoogte was. Ze had een fout gemaakt toen ze omgekeken had om te zien of hij haar wel zag. En toen ze door die doolhof van takken naar beneden keek, was ze in paniek verstard en naar beneden klimmen leek ineens een veel ingewikkeldere klus dan omhoogklimmen was geweest. Ze had het uitgeschreeuwd, maar helaas was het Sams oudtante Eudora geweest die haar gehoord had en ze had er een drama van gemaakt zoals alleen zij dat kon.

'Allemaal naar buiten komen. Dat kind zit in de boom! O, help! Verroer je niet, Annie Ruth! O, help! Lewis, kom naar buiten!' Dat laatste tegen haar echtgenoot, een vriendelijke, dikke man die niet in een boom had kunnen klimmen al had hij er zijn leven mee kunnen redden.

Terwijl tante Eudora in huis alarm sloeg, zodat alle vrouwen uit de keuken vlogen en de mannen hun sigaretten weggooiden en de veranda op renden, was Sam achter haar aan geklommen. Met zijn tien jaar destijds een hele man, had hij haar voeten in zijn handen genomen en haar naar beneden geleid, stap voor stap, tak voor tak. Toen hij haar veilig afgeleverd had, werd ze uitgefoeterd en omhelsd en op ernstige toon toegesproken over wat kleine meisjes wel en niet mochten doen. Sam kreeg schouderklopjes en werd gefeliciteerd door het geamuseerde manvolk. Toen was ze begonnen van hem te houden. Ze had die dag besloten dat hij haar held was, dat hij alles wat krom was recht kon maken en haar kon beschermen tegen elke pijn en dreiging.

'Dat waren lekkere klimbomen.' Hij keek langs hun donkere vormen en de schoorsteen van het oude huis alsof hij het toneel nog voor zich zag. 'Ik herinner me dat die grote azalea daar de buiten-wc afschermde.' Hij grijnsde en keek de andere kant op. 'En ze had die oude schraagtafel daar op de open plek tussen de seringen en de magnolia's. Soms legde ze er een wit linnen tafelkleed op en aten wij op de grond.' Hij liet zijn ogen over alles heen glijden, hongerig de onzichtbare omtrekken volgend van dingen die sinds lang verdwenen waren.

Hij stopte zijn handen in zijn zakken en staarde weer langs de ruïne heen, toen keek hij haar aan.

'Ik weet dat het onvergeeflijk is wat ik heb gedaan.' Zijn gezicht was vertrokken van pijn.

Ze zweeg geschokt en toen ze niet meteen antwoord gaf, sprak hij weer.

'Dat weet ik,' herhaalde hij met heel zachte stem, 'maar o, wat zou ik er niet voor overhebben als ik de tijd terug kon draaien en het allemaal anders doen.'

33

De eigenlijke reünie werd de volgende dag gehouden, en Annie genoot er nog meer van dan van het visfeest omdat het ijs niet alleen gebroken was, maar zelfs gesmolten. Het werd gehouden op het kampeerterrein van de kerk op Lake Junaluska. De volwassenen kwamen bij elkaar in de ontmoetingshal, de kinderen renden en speelden buiten. Ze praatte met tante Valda en oom Lewis. Ze had een lang gesprek met een neef van Sam, hoogleraar geschiedenis aan de Universiteit van Virginia, en zag meer van zijn verre familieleden, van wie velen uit een andere staat waren gekomen. Ze lachte met Laurie en een paar uur lang leek het alsof er helemaal niets veranderd was.

Sam stelde haar voor aan nog meer familieleden met vaag bekende gezichten, van wie ze zich de naam niet kon herinneren. Na een tijdje ging ze met hem naar buiten naar de oever van het meer. Ze gingen bij een groepje neven en nichten staan en keken hoe de kinderen spetterden en lachten terwijl hun schoudertjes rood werden in de brandende zon. Een paar mensen begonnen in te pakken om te vertrekken en riepen hun kinderen uit het water. Sam en zij keken zwijgend toe.

Het was bijna donker toen ze terug waren bij het huis van Sams ouders en het zingen begon. Dat was het afsluitende deel van de reünie, de gospelserenade op zaterdagavond door Sams familieleden, van wie enkele beroepsmusici waren geweest. Alle Ambassadors waren er. Ze rolden de blikkerig klinkende buffetpiano voor de deur in de woonkamer en Sams tante Valda ging zitten en vibreerde er een vloeiende melodie uit. Oom Eldon speelde contrabas, Arthur gitaar, Mark was leadzanger en speelde mandoline, en James haalde zijn viool tevoorschijn.

De familie verzamelde zich op de veranda. Mary stond erop dat Annie op de voorste rij plaatsnam op de schommelbank en na een korte aarzeling ging Sam naast haar zitten. Ze voelde zich gedreven door een onderstroom en was bang dat ze op weg was naar gevaar en moeilijkheden. Maar ze maakte geen tegenwerpingen, ging zitten in het donker en liet de schommelbank kraken, net uit de maat met de musici.

Terwijl ze luisterde naar het zingen van Sams ooms en tantes, had ze een visioen van wakker worden in het huis van haar oma en de geur ruiken van vetspek of bacon in de pan en het geluid van J.D. Sumner en het Stamps Quartet, de Imperials, of de Blackwood Brothers op de kleine radio.

'We zullen eindigen met *Eastern Gate*,' zei Eldon ten slotte met zijn knarsende basstem.

Valda speelde het intro, regelmatig en met vaste hand, en op dat moment al voelde Annie een gevoelige steek in haar hart.

'*I will meet you in the morning, just inside the Eastern Gate,*'* beloofden ze uit volle borst, dit keer niet alleen het kwartet, maar iedereen met elkaar, alsof ze ondanks de afstand en hun verschillen, het over dit ene allemaal eens waren.

'*Then be ready, faithful pilgrim, lest with you it be too late.*'

---

* Ik ontmoet je in de ochtend, vlak achter de Oostpoort.
Dus wees klaar, trouwe pelgrim, zodat je niet te laat komt.
Ik ontmoet je in de ochtend. Ik ontmoet je in de ochtend, vlak achter de Oostpoort daar.
Als je haastig op weg bent naar de eeuwigheid, blijf dan stilstaan vlak achter de poort.
Want ik kom in de ochtend, dus je hoeft niet lang te wachten.
Ik ontmoet je in de ochtend.

Haar hart sloeg een slag over bij die waarschuwing. Wees niet te laat. Loop je afspraak niet mis, drongen die stemmen aan, en ze bedacht hoe de dingen zich soms maar één keer voordoen. Een beeld is maar een onderdeel van een seconde helder voordat het weer wazig wordt. Een pad is maar kort te zien voordat de bladeren zich eromheen sluiten. Een hand wordt maar een moment uitgestrekt, en daarna teruggetrokken.

'*I will meet you in the morning. I will meet you in the morning, just inside the Eastern Gate over there.*'

Het was een afspraak waar ze zich op verheugden, een belofte die niet weggenomen zou worden, een ontmoetingsplaats die al gereed gemaakt was. Ze voelde de tranen over haar wangen stromen en probeerde ze niet tegen te houden. Ze haalde een paar keer achter elkaar diep adem, hield de lucht steeds even vast en probeerde hem langzaam los te laten. Ze zag een lief gezichtje voor zich en dacht aan de blijdschap die ze zou voelen als ze haar ogen daar maar weer op kon laten rusten.

Valda zong de volgende regel alleen met haar volle, luide stem. '*If you hasten off to glory, linger just inside the gate.*'

En toen ving Annie een glimp op van de dood zoals zij het allemaal schenen te zien – geen droevige, ellendige afgang of een gewelddadig weggrissen, maar een haastige binnenkomst. Een schuldbewust vertrek naar een vreugdevolle bestemming.

'*For I'm coming in the morning,*' beloofde Valda, '*so you'll not have long to wait.*'

Niet lang te wachten? Ze was geschokt, want nu zag ze in dat dat precies was wat ze gedaan had. Wachten. Alleen maar wachten, terwijl de dagen en uren van haar leven zich ondraaglijk lang voor haar uitstrekten. Niet lang te wachten? Voor het eerst vroeg ze zich af of ze soms gelijk hadden. Misschien was het niet lang. Niet als je het vanuit de juiste hoek bekeek en boven de tijd stond, uitkeek over de enorme vlakte van de geschiedenis. Wat was vanuit dat gezichtspunt een paar seconden? Een leven lang?

Ze zongen samen, vielen in delen uiteen en voegden zich weer bij elkaar. De hoge tenorstem klonk klaaglijk, alsof hij vroeg: wanneer? Hoe lang moet ik wachten? Hoort iemand mijn roepen? Er volgden een paar stevige drumslagen, trillingen van de contrabas, en toen beantwoordden de andere stemmen eenstemmig, alsof ze zeiden: spoedig. We weten het. Iedereen zou hetzelfde voelen. Toen begonnen de lage stemmen te troosten. Alles is moeilijk, leken ze in haar oor te prevelen, dood en ziekte en pijn, en mensen van wie je houdt die je afgenomen worden. Maar luister eens, leken ze haar allemaal in koor te herinneren. Hoor eens. Dat is niet alles. Ze zongen als één stem. '*I will meet you in the morning*,' herhaalden ze. Moet je het nog eens horen? Luister maar. We zullen het zo vaak zingen als je nodig hebt. Het is de waarheid, schenen ze te beloven. Dit kan jouw poolster zijn, de afspraak die je doel is.

Annie veegde haar tranen weg, blij dat het donker was. Ze voelde Sam stevig en warm naast zich, alleen zijn benen bewogen, ze bogen licht heen en weer op het ritme van de schommelbank. Hij boog opzij, reikte in zijn achterzak en gaf haar zonder een woord te zeggen een zakdoek.

Het kwartet was bijna klaar, begon weg te zakken. Ze begon de strakke controle te verliezen die haar wereld in de afgelopen jaren bij elkaar had gehouden. Beetje bij beetje verdween die, verdampte in de vochtige nacht, onzichtbare deeltjes ervan stegen op om aan de schitterende sterrenhemel te gaan staan.

Het lied was uit. Annie hoorde Valda's kruk wegschuiven van de piano. De avond werd stil, behalve het regelmatige kraken van de schommelbank en het sjirpen van krekels en cicaden in het veld. Een voor een stonden de zangers op en gingen naar binnen, verzamelden kinderen, vrouwen, mannen, tassen, lege schalen en schotels en namen gedempt afscheid. Toen kwamen de bijgeluiden van een landelijk afscheid: autoportieren sloegen dicht, motors werden gestart, het grind knerpte, en toen het helderrode spoor van achterlichten die over de donkere weg verdwenen.

Een voor een vertrokken ze en algauw zaten alleen nog Annie en Sam op de donkere veranda, en tussen hen en de verlichte keuken lagen meer donkere, lege kamers. Sam liet de oude bank nog steeds schommelen.

Annie veegde nog één keer haar neus af met de zakdoek.

'Hier.' Sam stak zijn hand uit en Annie vouwde de zakdoek op en gaf hem aan hem. Hij stopte hem terug in zijn zak en boog zich voorover, liet zijn ellebogen rustten op zijn knieën en boog zijn hoofd, en voor het eerst wilde ze hem helpen. Wilde ze zijn pijn verlichten, maar als ze eraan dacht, leek het een overweldigende warboel, een puzzel die te ingewikkeld was om op te lossen.

Hij draaide zich naar haar toe en er stond verdriet in zijn ogen. 'Ik weet dat ik die dag niet had moeten blijven, Annie,' zei hij en ze wist welke dag hij bedoelde. Hij gaf antwoord op haar vraag. De vraag die ze hem voor de voeten had geworpen op die eerste dag dat ze elkaar zagen. 'Ik weet niet waarom ik het deed. Er kwam iets over me. Ik weet niet wat het was.'

'Je was geschokt,' zei ze en ze bedacht hoe vreemd het was, wat een ommekeer dat zij nu probeerde hem te overtuigen van zijn onschuld en hij degene was die ontkende.

Hij schudde zijn hoofd. 'Er is geen excuus voor,' zei hij. 'Er. Is. Geen. Excuus. Voor.' Elk woord afzonderlijk benadrukt. 'Er is geen excuus voor alles.' Even was het stil. 'Niet voor wat er met ons gebeurd is. Niet voor wat er met Margaret gebeurd is. Niet voor wat er met Kelly Bright gebeurd is.'

Het was stil, op het schrille geluid van de krekels na.

'Ze zal binnenkort sterven.' Hij zei het zacht, maar met zekerheid. Annie knikte. Zij voelde het ook zo. 'En ik weet niets van haar af,' zei hij met wanhoop in zijn stem. 'Ik zou iets moeten weten, vind ik. Maar ik weet niets. Ik weet nu niets méér van haar af dan toen. Ik zou het wel graag willen.' Hij zei het eenvoudig en keek haar aan.

Annie knikte, haar ogen ontmoetten de zijne en hielden ze vast. Het troostte hem om er met haar over te praten en ze wist waarom. Ze waren nu lotgenoten van de dood, niet zoals vroeger, toen hij zich in dat domein waagde en zij beschut en beschermd bleef.

Annie luisterde naar de kreten van de insecten. Zijn bruine arm lag dicht naast de hare en ze raakte hem aan, liet haar hand op zijn arm liggen, voelde hem warm en sterk onder haar handpalm. 'Dat is iets waar ik je wel mee zou kunnen helpen,' zei ze en ze dacht weer aan die emmer vol feiten, van ziften en uitsorteren op zoek naar de persoon die eronder zat.

34

De volgende ochtend stond Sam vroeg op en zat op de veranda zijn koffie te drinken en naar de vogels te kijken, toen zijn moeder naar buiten kwam om bij hem te zitten. Ze had een roze jurk aan en ze droeg de parelketting en de oorringen die hij haar vorig jaar met Kerst gegeven had. Ze was klaar om naar de kerk te gaan. Het was tenslotte zondagochtend.

'Het kwartet zingt vanmorgen in de kerk,' zei zijn moeder. 'En Elijah houdt de preek. Wil je mee?' Ze keek hoopvol, haar gezicht oplichtend door iets wat hij lang niet gezien had, en hij had de macht om iets te doen of te laten om iets van dat licht in haar ogen te houden.

Hij aarzelde. De reünie, dat was één ding. Een ontmoeting met de kerkelijke familie was een tweede. Maar eerlijk gezegd wist hij niet zeker of hij daar bang voor was, of voor een ontmoeting met de Almachtige. Maar hij kon net zo goed uitzoeken wie er wel van hem hield en wie niet. Hij schudde zijn hoofd om zijn eigen melodramatische gedachten. Hij ging. Het kon geen kwaad en het zou fijn zijn om zijn ooms weer te horen zingen. Al had hij gisteravond op de reünie een provisorische versie van hun repertoire gehoord, hij besefte dat er misschien niet veel gelegenheden meer kwamen. Ze waren goed, vroeger in hun bloeitijd althans, hoewel twee van de oorspronkelijke leden vervangen waren wegens ouderdom en ziekte. De Ambassadors hadden een affiche gedeeld met de Blackwood Brothers, J.D. Sumner en de Stamps, de Happy Goodmans. Hij herinnerde zich dat hij eens naar het huis van zijn oom ging en hem aangetroffen had op de grote veranda waar hij koffie zat te drinken met George Younce, Hovie Lister en Jim Blackwood.

'Ik ga wel mee,' zei hij. Hij stond op en het gezicht van zijn moeder lichtte op van blijdschap en hoop, alsof alleen al het onder één dak zijn met godvrezende mensen hem goed zou doen. Het kon geen kwaad, moest hij toegeven.

Hij douchte, schoor zich en kleedde zich in recordtijd aan. Ze wachtte op de veranda en Elijah kwam na een paar minuten bij hen, opmerkelijk netjes in een kostuum met das.

'Ik wil wel rijden,' bood Elijah aan.

Sam glimlachte. Elijah was stapeldol op die auto. Galant opende hij het portier voor Sams moeder en ze nam plaats. Sam klom achterin en dacht aan wat Annie had gezegd over Elijah en Mary. Hij hechtte er niet veel waarde aan. Hij verwachtte dat Elijah terugging naar Afrika zo gauw hij een aanstelling kreeg van het zendingsbestuur, en hij twijfelde er niet aan dat dat zou gebeuren, ondanks zijn leeftijd. Artsen waren moeilijk te krijgen. Er moest vast ergens een plek voor hem zijn en hij hoopte vurig dat zijn moeder niet teleurgesteld zou zijn. Hij moest bijna lachen toen hij overwoog haar voor Elijah te waarschuwen. Op hun leeftijd waren ze oud en wijs genoeg om hun eigen zaken te regelen. Bovendien, wie was hij om advies te geven in de zaken van het hart?

Het parkeerterrein van de kerk was overvol. Sam hoorde het grind onder de banden wegschieten en op dat moment wist hij dat hij thuis was, als hij het niet al wist. Elijah parkeerde, liep om de auto heen en hielp Sams moeder eruit, en met z'n drieën wandelden ze naar de kerk. Hij was vierkant met een wit torentje en leek uit de vorige eeuw. Ze klommen de betonnen trap op en iedereen die hem zag, begroette hem hartelijk. Ze gingen zitten naast Ricky en Laurie en hun gezinnen, en een voor een stonden de mensen uit alle hoeken van de kerk op, kwamen naar hem toe, begroetten hem ernstig en drukten hem de hand. 'We hebben voor je gebeden,' prevelden ze almaar opnieuw en hij voelde zich wonderlijk geraakt.

Sam keek rond en bedacht dat sommige dingen nooit veranderen. Het gebouw zag er nog hetzelfde uit als toen hij een jongen was. Aan één kant stond de piano, aan de andere kant het orgel. De gezangboeken stonden keurig op de achterkant van de banken naast de collecte-enveloppen en de stompe potloodjes. Het rook zelfs naar kerk, vond hij. Haarlak en muffe gezangboeken. Hij luisterde naar de aankondigingen, de Schriftlezing. Het kwartet kwam overeind en begon te zingen over blije ontmoetingen met geliefden die waren voorgegaan.

'...Gathered on the festive hilltops with hearts all aglow
That will be a glad reunion day.'*

Ze zongen van de gezegende hoop, maar hij dacht aan Kelly Bright en Margaret. Hun stemmen galmden. Zeker. Zegevierend. Hij luisterde. Hij keek naar de keurig geschoren nekken van de mannen die voor hem zaten, met strakke dassen, en de vrouwen met hun gekapte haren en mooie jurken. Het kwartet ging over op het volgende lied, een lied over heimwee naar de hemel en verlangen naar een land zonder verdriet en pijn.

Hij deed zijn ogen dicht en luisterde, en hij dacht aan wat hij eens was geweest. Een gelovige. Hij had geloofd. Jezus

---

* Vergaderd op de feestelijke heuveltoppen met gloeiende harten.
  Wat een blijde dag van hereniging zal dat zijn.

was realiteit voor hem geweest. Hij had elke ochtend met Hem gesproken en Hem horen antwoorden in die stille, kleine stem. Hij had Zijn zegen over zijn leven gevoeld. Over zijn handen. O, ja. Hij had geloofd. Hij herinnerde zich de warmte in zijn borst, het rustige, vredige gevoel dat alles in Zijn hand was. Hij herinnerde zich de vrijheid van niets beschermd te hebben, niets terug te houden, alles over te geven in Zijn zekere macht. Sam knikte en opeens leek de grijze mantel van cynisme en pijn strak en ongemakkelijk in plaats van een bescherming tegen de koude wind van zijn leven. De mantel schuurde en verstikte hem en voor het eerst in vele jaren wilde hij dat hij ervan bevrijd kon zijn. Waarom had hij hem om te beginnen al aangetrokken? Waarom was hij opgehouden met geloven? Hij wist het antwoord meteen. Omdat hij verraden was.

Hij ging rechter zitten en luisterde toen Elijah naar de preekstoel liep en sprak. Hij gaf een eenvoudige, oprechte boodschap doorspekt met verhalen over Gods trouw. Verhalen over wonderen. Over mensen die verlost werden en genazen. Over voorraden die langer meegingen dan mogelijk was. Over mensen die konden doorgaan in ondraaglijke omstandigheden, en Sam begon misschien wel voor het eerst te begrijpen dat hij niet alleen stond in zijn pijn. Het was universeel, dood en verval en verwoesting. O, hij had het wel geweten. Maar nu hij het Elijah hoorde bevestigen en toch hardop getuigen van zegevierend geloof, voelde hij vanbinnen iets roeren wat in jaren niet gewekt was.

'God is Wie Hij zegt dat Hij is,' galmde Elijahs stem triomfantelijk. 'Hij kan doen wat Hij zegt dat Hij kan doen.'

In de gemeente werd instemmend gemompeld en Sam bedacht hoe makkelijk het was om amen te zeggen op die woorden. Totdat je beproefd werd.

Toen zei Elijah precies wat hij had gedacht. 'God beproeft

ons,' zei hij, 'zoals goud wordt beproefd om de echtheid te onthullen en de onzuiverheden te verwijderen. Hij beproeft ons, niet omdat Hij wil dat we falen, maar omdat we kostbaar en waardevol zijn in Zijn ogen. Hij maakt iets moois van ons, of we het zien of niet. Hij wil Zijn evenbeeld in ons zien, ons prachtige meesterwerken maken voor Zijn koninkrijk. Geloven we dat?' tartte hij. 'Geloven we dat wij zijn wie Hij zegt dat we zijn? Of geloven we de leugens van de vijand die ons wil vernietigen? Als de Zoon des Mensen terugkomt, zal Hij dan geloof vinden op de aarde?'

Bij die laatste woorden ging Sam recht zitten. Niet vanwege de terugkomst van de Zoon des Mensen. Maar vanwege de woorden daarvóór. De woorden over de vijand die hem wilde vernietigen. Het gonsde als elektrische stroom door hem heen en plotseling werden de grijze, wazige omtrekken die in zijn visie vorm hadden gekregen helder en scherp. Wat in beeld kwam, trof hem met de kracht van een openbaring. Hij sperde zijn ogen wijdopen. Waarom had hij de gebeurtenissen van zijn leven nooit vanuit deze hoek gezien?

Zijn moeder keek hem bezorgd aan. Hij klopte haar geruststellend op de hand, maar in zijn hoofd buitelden de gedachten over elkaar heen. Stukjes leven – gebeurtenissen, grote, scherpe, lelijke dingen – vielen op hun plaats, en hij besefte dat als hij gelijk had, als wat hij dacht de waarheid was, dan was hij heel verkeerd met de dingen omgegaan.

35

Annie reed de parkeerplaats van de *Asheville Tribune* op en nam even de tijd om haar gedachten te ordenen. Ze had sinds de vorige avond niet veel geslapen. Na de reünie was het in haar hoofd een warrige chaos geweest en zelfs toen ze eindelijk ingedommeld was, was haar bewustzijn tot op zekere hoogte wakker gebleven en in beroering, alsof twee delen van haar oorlog voerden en elk een andere kant op trokken. Uiteindelijk had ze het opgegeven, had koffiegezet en was ermee op de veranda gaan zitten om de zon te zien opgaan. Ze overwoog hoe ze moest handelen om haar woord te houden tegenover Sam, want ze had het immers beloofd? En alleen omdat het in het koele ochtendlicht een misplaatst woord op een emotioneel moment leek, wilde ze het niet terugnemen. Maar ze deed wel iets om haar toekomst veilig te stellen, om te zorgen dat het leven dat ze gearrangeerd had, bleef waar zij het had gestopt. Ze boekte haar retourvlucht naar Seattle. Daarna voelde ze zich zekerder, alsof ze een verzekering had aangeschaft tegen overhaaste beslissingen.

Daarna dacht ze diep na over wat ze zou doen en hoe ze het zou doen om haar belofte aan Sam te houden. Het was hetzelfde als alle andere overlijdensberichten die ze had geschreven, stelde ze zichzelf gerust. Alleen moest ze nu de emmer vol feiten zelf verzamelen, in plaats van dat hij bij haar werd afgeleverd in het mausoleum van het kantoor van de krant. Ze zou het leven van Kelly Bright stukje voor stukje oppikken en als ze klaar was, zou Sam misschien enige vrede krijgen. Misschien zou hij dan weer heel zijn en klaar om door te gaan. Misschien zij allebei wel. Over negen dagen ging ze naar Seattle en dan door naar Los Angeles, net op tijd om haar nieuwe baan te beginnen. Het was niet haar bedoeling geweest de vrije tijd op deze manier door te brengen, maar dit was goed. Dit was juist, hield ze zichzelf voor, en toen werd ze weer heen en weer geslingerd. Ze probeerde zich ertegen te harden. Dit was een tijdelijk respijt, want als Sams associés hem terugriepen, zou hij haar weer verlaten en de geschiedenis zou zich herhalen. Hij zou snel weer in zijn oude gewoonte vervallen. Nou, besloot ze, daar ging ze niet op wachten.

Ze dwong haar gedachten opzettelijk terug naar haar project, en ze dacht diep na hoe ze dit verhaal zou schrijven als ze geen van de hoofdpersonen kende. Ze zou naar allemaal onderzoek doen, besloot ze. Alles te weten komen wat ze kon over Kelly Bright, over haar moeder. Haar vader. En ze zou onderzoek doen naar dokter Samuel Truelove, want hij was de spil, de kaart die gevallen was en het hele kaartenhuis in elkaar had laten storten. Ze kende de man, maar ze kende de dokter niet. Toen hij de baan in Tennessee had aangenomen, had hij dat deel van zichzelf voor haar afgesloten. Er werd niet meer bij een kop koffie gepraat voor en na het werk, geen beslissingen meer met haar besproken. Als ze ooit vroeg naar wat hij het grootste deel van zijn leven deed, keek hij haar vermoeid aan en zei dat hij er niet over wilde praten.

Maar vandaag kon ze die dingen niet doen, en vandaag had ze wanhopig graag iets willen doen. Als ze thuis was gebleven, hadden papa en Diane gewild dat ze meeging naar de kerk, want papa had aangekondigd dat hij ging. En daar was ze niet klaar voor. Sinds Margarets begrafenis had ze geen voet meer in een kerk gezet en ze dacht niet dat ze het vanochtend kon. Ze had haar koffie opgedronken, een douche genomen en zich aangekleed, een briefje voor papa en Diane achtergelaten en was naar Asheville gereden.

Nu stapte ze uit haar auto, ging het kantoor van de krant binnen en sprak de receptioniste aan.

'Ik ben Annie Dalton,' zei ze. 'Werkt Griffin White nog op de redactie?' Haar vroegere baas, de redacteur hoofdartikelen, was tegen de vijfenzestig geweest toen ze vertrok.

'Hij zegt dat hij vertrekt als ze het potlood uit zijn koude, dode handen wringen,' zei de jonge vrouw met een glimlach.

'Is hij er soms toevallig op een zondagmorgen?'

'Kent u hem?'

'Inderdaad.'

'Dus wat denkt u?'

Annie grinnikte. Griffin had sinds 1965 niet meer vrijwillig een dag vrij genomen. 'Ik zou hem graag willen spreken, als hij het niet te druk heeft.'

'Op de tweede verdieping. Zijn kantoor is aan de achterkant.'

'Ik weet de weg,' zei ze.

Ze trof Griffin aan zijn bureau. Hij keek verbaasd op toen ze binnenkwam. Hij schudde zijn hoofd en ze glimlachte. Hij zag er nog hetzelfde uit. Een kalkoenennek, wit haar, nog steeds vol en weelderig. Een huid vol rimpels. Hij droeg een dubbelgebreide pantalon en een overhemd met korte mouwen en een veterdas. Hij was een vriendelijk, goed mens en een heel goed redacteur en schrijver. Zijn stukken waren helder en vol inzicht, geen gehaspel en hij draaide niet om de hete brij heen. Toen ze pas begonnen was, had hij Ernest Hemingway voor haar geciteerd. 'Schrijf helder en hard over wat pijn doet.' Daar had ze haar best voor gedaan.

'Waaraan danken we deze eer?' vroeg hij stralend terwijl hij opstond om haar te begroeten.

Ze omhelsde hem en lachte. 'Ik ben in de stad om wat zaken af te handelen. Ik wilde even langskomen om mijn oude werkterrein te zien.'

'We pompen hier nog steeds het nieuws eruit. En ik hoef niet te vragen wat jij hebt gedaan. Een paar knappe stukjes werk, Annie.'

Ze voelde een kalm genoegen bij zijn lof. 'Dank je.'

'Ga zitten. Wil je een kop koffie?'

Ze knikte. 'Graag, lekker.' Ze nam de kop met de donkere substantie van hem aan – Griffin was berucht om zijn koffie – en nam een donut uit de kartonnen doos die hij haar voorhield. Het was het soort ontbijt waaraan ze gewend was.

'Vertel me eens waar je door de jaren heen beland bent,' zei hij.

'Ik geloof niet dat je dat in geografische zin bedoelt.'

'Daar kun je mee beginnen als je wilt.'

'Ik heb de afgelopen vijf jaar in Seattle gewoond. Over een paar weken ga ik naar Los Angeles.'

'Heeft de *Times* je gestrikt?'

Ze glimlachte. 'Ik heb geluk gehad.'

'Verbaast me niks.'

'Dank je.'

Hij knikte en keek naar haar, schudde zijn hoofd. 'Waar blijft de tijd?' vroeg hij.

De vraag verbaasde haar, want hij leek echt en geen gemeenplaats. Ze dacht na over een antwoord en voelde zich alsof haar leven gestolen was en zij het achtergelaten nastaarde, met open mond van verbazing, en vreemd genoeg herinnerde ze zich een tekst die ze eens had gekend over de dief die alleen komt om te stelen en te slachten en te verdelgen.

'En hoe gaat het met Sam?' Griffin keek haar recht aan en vroeg het op afgemeten toon.

'Goed, hoor,' zei ze en daar had ze het bij kunnen laten. Maar dat deed ze niet. 'We gaan scheiden, Griffin. Ik ben alleen maar thuisgekomen vanwege die toestand met Kelly Bright. Om te kijken of hij het aan kon.'

'Voordat je van hem scheidde.' Hij zei het met een ernstig gezicht, alsof hij probeerde alle feiten op een rijtje te krijgen.

'Ja.' Ze glimlachte niet en hij ook niet.

Hij knikte. 'Oké.'

'Hoe gaat het met jouw leven?' vroeg ze hem, verlangend om van onderwerp te veranderen.

'Je kijkt ernaar,' zei ze en ze wist dat het waar was. Dit was zijn leven, want hij was jaren geleden gescheiden en nooit hertrouwd. Hij had geen kinderen. Hij woonde in een appartement en heel even, een onderdeel van een seconde, was het of ze haar eigen leven, jaren later, zag en ze voelde lichte angst.

'Waar werk je op dit moment aan?' vroeg hij en zijn gezichtsuitdrukking veranderde nauwelijks toen ze antwoord gaf.

'Kelly Bright.'

Ze zag begrip in zijn ogen lichten. Was hij niet degene geweest die haar gevonden had op die vreselijke dag? Was hij niet degene geweest die het haar had verteld, haar in zijn magere armen had gehouden terwijl ze jammerde en huilde?

'Ga je een stuk schrijven?'

'Waarschijnlijk niet. Ik doe dit om persoonlijke redenen.' Haar gezicht gloeide en ze wist zeker dat ze bloosde. Hij was aardig genoeg om te doen of hij het niet merkte.

'Wij hebben dezelfde soort stukken gedaan als iedereen,' bekende hij. 'Niets bijzonder origineels.'

'Heeft iemand met de moeder gepraat?'

'Alleen een citaat hier en daar uit de persberichten. Ze heeft geen interviews gegeven, maar ik zal zien wat ik voor je doen kan.

'Dat zou ik op prijs stellen.'

Griffin draaide een nummer, deed zijn verzoek en schreef iets op een stukje papier dat hij haar overhandigde. 'Hier is het telefoonnummer en huisadres van de moeder en naam en telefoonnummer van het verpleeghuis.'

'Dank je,' zei ze, hoewel ze wist dat er geen sprake van zou zijn dat een gekwetste moeder met een vreemde aan de telefoon zou praten. Ze zou een andere weg moeten zoeken in deze droevige situatie. Ze stond op en stak haar hand uit. 'Niet met pensioen gaan voordat ik je weer zie, hoor.'

'Ik wacht tot jij terugkomt om mijn baan over te nemen. Dan ga ik met pensioen.' Hij drukte haar stevig de hand en ze vertrok.

Ze reed naar huis terug, at het middagmaal met papa en Diane, hielp de boel opruimen en zat op de veranda tot papa moe werd en ging rusten. Ze hielp Diane met een paar werkjes, maakte sandwiches voor het avondmaal en keek met haar vader naar zijn favoriete televisieprogramma's tot het tijd was om naar bed te gaan.

'Vind je het erg als ik je atelier gebruik?' vroeg ze Diane voordat ze naar boven ging.

Haar stiefmoeder schudde haar hoofd. 'Beul je maar af, hoor. Er ligt wat heel mooie sojazijde die ik heb geverfd met gevriesdroogd indigo. Gebruik het gerust als je wilt. Je mag alles pakken wat je nodig hebt,' zei ze en Annie bedacht opnieuw hoe aardig en royaal ze toch was.

Ze bedankte haar, ging naar het atelier en knipte het licht aan. Het was een ruime, luchtige kamer met een houten vloer en hoge, brede ramen. Drie muren waren bedekt met wandtapijten en draperieën, de vloerruimte was gevuld met verscheidene weefgetouwen en spinnewielen. Eén muur was bedekt met vakjes zoals in Essies garenwinkel en uit elk vakje puilden schitterende strengen garen en draad.

Ze ging aan Dianes tekentafel zitten en pakte een vel

papier. Ze nam de gekleurde stiften en begon te tekenen, denkend aan de dingen waar ze hier zo van hield en elk element opnemend in haar tekening. Ze gebruikte het mistige, blauwachtige donkerrood van de berglucht, het donkergroen van de heuvels, het zachte grijs van de rivierrotsen, het blauwachtige zilver van de bronnen, het roze en het zachte wit van de kornoelje, het felle roze van de azalea's, het donkerpaars van de pruimenbloesem. Ze schetste een rand, een ontwerp. Ze ging naar het weefgetouw.

Ze zat uren te weven. Ze had in geen jaren dit soort werk gedaan en ze voelde dat de spanning binnen in haar begon te verminderen. Ten slotte ging ze naar binnen. Ze was moe, maar haar geest was nog druk. Ze startte haar laptop op en zocht naar iets over Kelly Bright. Pagina's en pagina's items verschenen. Resoluties door de Amerikaanse Raad van Kerken, door de Katholieke Diocees, stukken van politieke experts van beide kanten, krantenartikelen die elke fase van het droevige drama documenteerden, honderden websites met geïnformeerde en niet zo goed geïnformeerde meningen. Er was een vraaggesprek met een anonieme werkneemster van het verpleeghuis die zei dat ze niet comateus was. Er was een interview met de gouverneur die had bevolen dat de voedingssonde teruggeplaatst moest worden. Er was een interview met de professor die was benoemd als haar voogd *ad litem*. Er was een verklaring van de dominee van haar kerk. Ze schreef zijn naam op. Er waren artikelen over Sam. Over het andere werk dat hij had gedaan. Er waren uitspraken van Sams advocaat, uitspraken van de ziekenhuisdirecteur. Zijn naam schreef ze ook op. Ze printte een artikel uit met de kop *Ziekenhuis door fout chirurg geconfronteerd met PR ramp*. Ze las over de benarde situatie van het medisch centrum, nu hun kruistocht om een van de meest toonaangevende hartcentra ter wereld te worden in gevaar was gebracht nadat een verknoeide operatie tot landelijke beroering had geleid. Hoe de fout, in plaats van zoals de meeste te worden begraven, had verder geleefd om dokter Samuel Truelove aan te klagen en nu misschien ten slotte een einde had gemaakt aan een schitterende carrière.

Ze zette haar computer af en staarde voor zich uit. Ze wist waar ze moest beginnen en ze zou het morgenochtend doen.

36

Het was vreemd om hier te zijn, waar hij had gewerkt. Ze was hier natuurlijk wel eens geweest toen hij praktijk voerde. Niet vaak, want hij had het altijd druk, maar vaak genoeg om het personeel te kennen en zij kenden haar. Isabella begroette haar met een geschokte blik gevolgd door een voorzichtige glimlach, en vroeg haar na een korte aarzeling of ze Sam had gezien.

'Ja,' antwoordde Annie. 'Ik vind dat het goed met hem gaat.'

Izzy keek hoopvol, maar Annie weidde niet uit. Bovendien was Barney er en opnieuw trof het Annie hoe aardig hij was. En hoe gewoon, ondanks zijn talent en positie.

'Annie!' riep hij uit, en pakte haar hand en schudde hem hartelijk. 'Wat fijn om je weer te zien. Kom mee,' inviteerde hij en ze volgde hem door de gang naar zijn kamer. Ze namen plaats en hij schonk voor hen beiden koffie in.

'Aardig van je om me te ontvangen zonder afspraak,' zei ze.

'Met alle plezier. Hoe gaat het met Sam?' vroeg hij en ze gaf hem weinig meer informatie dan Izzy.

'Mijn vader heeft een hartinfarct gehad,' zei ze. 'Sam heeft zijn praktijk waargenomen.

'O ja?' Barney keek belangstellend en opgewekt. Ze vroeg zich af of hij soms plannen had om Sam terug te roepen naar zijn eigen praktijk, maar ze vroeg het niet. Ze had het recht niet meer om zulke vragen te stellen.

'Is dat wat je terug heeft gebracht?' vroeg hij. 'De ziekte van je vader?'

Ze schudde haar hoofd. 'Ik ben gekomen vanwege Kelly Bright.'

Hij knikte begrijpend, zijn ogen duister van pijn. 'Ik ben wel blij dat ze uitstel heeft gekregen,' zei hij zacht, 'maar meer is het niet.'

'Ik vraag me af hoe lang ze het nog zal maken,' zei Annie.

Hij schudde zijn hoofd. 'Dat weet niemand.'

'Kun je me iets over haar vertellen?' vroeg ze. 'Over de operatie?'

Barney scheen even na te denken. 'Ik wil het liever niet in de krant hebben.'

'Goed.'

'Wat wil je weten?'

'Wat is er gebeurd, Barney?'

'Wil je de technische details?'

Ze nam even de tijd om te bedenken wat het eerlijke antwoord op die vraag was. 'Nee,' zei ze ten slotte zacht. 'Niet echt. Wat ik wil, is hem begrijpen. Ik wil weten wat hem geleid heeft tot de keuzes die hij maakte.'

Hij zweeg even, toen stond hij op. 'Kom, we gaan een eindje lopen.'

★

Ze had het natuurlijk allemaal gezien, maar alleen in korte glimpen. Om een of andere reden was Sam onwillig om haar hier te laten komen. Haar enige rondleiding had ze van Izzy gekregen en was weinig meer geweest dan een vluchtige blik om de hoek van de deur.

'Dit is de intensive care kindercardiologie,' zei Barney.

Ze knikte. Sam had het er vaak over gehad. Barney leidde haar naar de eerste ruimte vol instrumenten en apparatuur. In het midden van de ruimte stond een doorzichtige plastic couveuse. Er lag een klein kindje in, verbonden aan allerlei soorten slangen en machines. Zijn mondje was open. Hij huilde, zag ze, maar er kwam geen geluid uit vanwege de beademingssonde in zijn mond. Haar borst deed pijn. Een man en een vrouw in witte pakken prutsten aan zijn machines, maar er was niemand bij hem die op een vader of moeder leek en ze vroeg zich af waar ze waren.

'Dit is kleine Jeffrey O'Brien,' zei Barney. 'Nog geen vierentwintig uur oud. Hij is geboren met een transpositie van de grote vaten. Weet je wat dat is?'

Ze knikte. Sam had het haar uitgelegd. 'Alles is omgekeerd,' zei ze. 'Het zuurstofrijke bloed gaat terug naar de longen in plaats van naar het lichaam.'

'Precies,' zei hij. 'Hij wordt nu gestabiliseerd. We zijn begonnen met grote doses prostaglandines om de ductus, het gat dat een pasgeborene in zijn hart heeft, open te houden tot we de operatie kunnen uitvoeren. Dat is alles wat hem op dit moment in leven houdt.'

'Wie doet de operatie?'

'Normaal gesproken zou Sam het doen,' zei Barney met een glimlach. 'Hij is onze ster voor die procedure. Weet je wat zijn sterftecijfer is voor die operatie?'

Ze schudde haar hoofd.

'Nul komma vier procent.'

'Is dat goed?' vroeg ze.

Hij keek haar even aan en lachte. 'Ja,' zei hij. 'Dat is goed. De volgende komt niet eens in de buurt. Hij heeft een nieuwe variatie bedacht op een gevestigde reparatiemethode. Toen we voor het eerst zijn resultaten publiceerden, dachten de mensen dat we ze verzonnen. Hij is ongelooflijk getalenteerd.' Er stond eerbied op zijn gezicht vermengd met andere emoties die haar bekend waren. Een spoor van droefheid en spijt.

'Maar goed, ik zal Jeffrey opereren en ik zal proberen bekwaam, zo niet briljant te zijn.'

Annie boog zich over de couveuse. Het was een prachtig kindje. Zijn haar was pluizig blond. Hij deed zijn mondje open en begon weer geluidloos te huilen. Ze stapte opzij en een van de verpleegsters nam haar plaats in en begon een infuus aan te leggen. Barney ging haar voor naar buiten en ze volgde hem, onzeker of ze wel meer wilde zien.

Barney bracht haar naar de tweede ruimte en stond even stil voor de deur. Ze keek naar binnen en zag deze keer een moeder, en ze voelde zich tegelijkertijd gekalmeerd en meer in beroering. De vrouw prutste met de couveuse, legde het dekentje over het donkere kind dat te stil lag.

'Geen energie om te huilen,' zei Barney, veilig buiten gehoorafstand van de moeder. 'De ejectiefractie van deze baby is rond de negen procent. Dat betekent dat haar hart maar negen procent uitpompt van het bloed dat het ontvangt.'

'Waar is de rest?'

'In de longen. Perifere circulatie. Stilstaande poelen.'

'Wat ga je eraan doen?'

'Een operatie. Frank Kelson doet het vanmiddag. Misschien helpt het. Waarschijnlijk niet.'

Ze gingen naar de volgende ruimte en naar de volgende. Het was overal hetzelfde. Piepkleine kindertjes in trieste omstandigheden. Sommigen waren spoedgevallen en de drukte in die ruimtes was een soort van bedwongen paniek. Er waren akelige, nooit eindigende verhalen van langzame aftakeling en verdriet, en het kon haar verbeelding zijn, maar het was te zien aan de gezichten en de bewegingen van het personeel in die ruimtes. Ze zag in totaal elf kleine patiëntjes en tegen het einde van de rondleiding deed haar eigen hart pijn. Ze eindigden op de afdeling chirurgie. Hij gaf haar een jas en laarzen en nam haar mee naar de kijkruimte. Ze keek toe terwijl het team, geleid door iemand die ze niet herkende, een operatie uitvoerde op een twee dagen oud kindje met een onderontwikkelde linkerharthelft.

'Dit is een heel ernstig defect,' zei Barney. 'Hij is geboren zonder pompkamer. Ze voeren nu een Norwood-operatie uit.'

'Zal dat helpen?'

'De landelijke statistiek geeft tachtig procent kans op succes.'

'Wat was Sams mislukkingspercentage voor deze operatie?'

'Nul komma achtenvijftig.'

Ze schudde haar hoofd. Ze begon te begrijpen wat hem ertoe had gedreven hier nooit weg te gaan. Ze probeerde zich voor te stellen hoe het was om te weten dat jij voor een mens het verschil kon maken tussen leven en dood. Dat het kind als jij de operatie deed een ongelooflijk veel grotere kans had om af te studeren, te trouwen en op een dag zelf kinderen te hebben, dan als je collega dezelfde operatie uitvoerde. Dat kon een krachtige drijfveer zijn tot waanzin en ze kon nu begrijpen wat hem uur na uur, nacht na nacht, hier had gehouden, want na deze kwam altijd weer een andere, een nooit eindigende stroom van gebroken kinderen die hem nodig hadden.

Ze staarde naar het team in hun operatieschorten en met handschoenen aan, dat zich zo geconcentreerd bewoog met rustige intensiteit. Ze zag de chirurg zijn precieze bewegingen uitvoeren, naar instrumenten reiken en ze weer teruggeven, nauwelijks sprekend, volkomen gericht op het kleine patiëntje voor hem.

'Hoeveel van dit soort operaties deed Sam per dag?' vroeg ze.

'Twee. Soms drie.'

Ze herinnerde zich hoe uitgeput hij was geweest als hij thuiskwam. Hoe gekwetst ze was geweest dat hij niets meer overhad voor haar. Tja, het mocht misschien geen excuus zijn, maar ze kon het wel begrijpen.

'Praat jij wel eens met Emma?' vroeg ze. 'Over dit alles?' Barney en zijn vrouw waren vijfentwintig jaar getrouwd. Kennelijk was het succesvol hoe zij het hadden opgelost.

Barney keek haar begrijpend aan. 'Nee,' zei hij. 'Nooit.'

'Waarom niet?' De hunkering naar een antwoord klonk door in haar stem. Het was eerder een protest dan een vraag.

'Ik zie hier verschrikkelijke dingen,' zei hij zacht. 'En het neemt nooit af en het houdt nooit op. Soms kan ik er iets aan veranderen en soms niet. Er heerst hier altijd tragedie, want hoevelen je er ook helpt, er zijn er altijd meer. Wat je ook doet, het is nooit genoeg.'

Ze begreep het. Dit was een plaats waar het gordijn was gescheurd, en wie deze plaats bevolkten, staarden erdoor naar de andere kant als onderdeel van het dagelijks leven.

'Misschien was het egoïstisch,' zei hij. 'Maar ik besloot dat ik wilde dat ons huis een plek was waar ik heen kon om weg te zijn van hier. Ik heb een muur gebouwd tussen hier en daar, Annie. Ik moest wel, om niet krankzinnig te worden.'

'Sam bewaarde niets voor iemand anders.'

Hij knikte met een ernstig gezicht. 'Maar het was liefde die hem daartoe bracht, Annie. Liefde voor hen.' Hij knikte naar het kleine kindje op de enorme tafel en ze herinnerde zich ook de trieste, zieke kinderen in de ruimtes boven.

Ze knikte. Ze ging weer met hem mee terug naar boven en bleef even staan kijken toen hij een stapel telefonische boodschappen in zijn handen gestopt kreeg, door de gang werd nagezeten door een arts-assistent die antwoord moest hebben op een vraag, een stapel dossiers kreeg en werd opgeroepen door het katheterisatielab.

'Ik vind het wel,' zei ze en schudde hem de hand. 'Dank je wel, Barney.'

'Graag gedaan. Doe Sam de groeten van mij.'

Ze beloofde het. Op weg naar buiten stond ze even stil bij

de spreekkamer die van Sam was geweest. Ze stapte naar binnen, zich een indringer voelend.

De kamer was ruim en mooi ingericht. Op zijn planken was alles netjes geschikt. Zijn diploma's en certificaten hingen nog steeds aan de muur en ze las ze allemaal langzaam en dacht aan wat ze hem gekost hadden, zowel in jaren van zijn leven als in stukken van zijn hart. Ze keek neer op zijn bureau. Het was van gewreven mahoniehout en leeg, op één kleine ovale foto in de hoek na. Van hen tweeën.

Ze ging zitten en staarde ernaar, zag zijn levendige blauwe ogen die haar met vreugde en liefde aankeken en op dat moment besefte ze wat ze allemaal kwijt waren geraakt. Ze pakte hem op en stopte hem in haar tas.

★

De ziekenhuisdirecteur was aanwezig en stemde erin toe Annie Dalton van de *Los Angeles Times* te ontvangen. Ze ging naar binnen en schudde hem de hand. Meteen had ze een hekel aan hem. Hij was glad en koud en hij gaf een slap handje. Ze nam plaats op de stoel die hij haar aanbood en aanvaardde een kop koffie, hoewel ze er geen zin in had.

'Wat kan ik voor u doen?' vroeg Tom Bradley met een beminnelijke blik die haar koude rillingen gaf.

'Ik heb belangstelling voor het geval Kelly Bright,' zei ze, 'en voor dokter Samuel Truelove.'

'Wat kan ik voor u doen?' herhaalde hij en ze wist meteen dat ze niets uit hem zou krijgen. Althans niets wat niet de bedoeling was.

'Om te beginnen zou ik graag willen weten wat de positie van het ziekenhuis is in deze kwestie,' zei ze en voordat ze uitgesproken was, was hij opgestaan en had hij een papier uit lage dressoir achter hem gepakt.

'Dit is onze officiële verklaring,' zei hij.

Ze las het persbericht vluchtig door. *Dokter Truelove ... tijdelijk met verlof ... tot de zaak is opgelost. Bla, bla, bla.* Ze gaf het terug en glimlachte tegen hem.

Kirby vond het altijd leuk om te zeggen dat het haar zachte zuidelijke schoonheid en haar innemende accent waren die haar slachtoffers verlokte om hun verweer op te geven. Hij had de neiging cynisch te zijn.

Toch school er wel iets van waarheid in zijn bewering. Ze had ontdekt dat als waarheid het doel is, de zijdelingse benadering gewoonlijk de beste was. Als je onder de huid moet kijken, laat het mes dan in ieder geval zachtjes naar binnen glijden en pel hem millimeter voor millimeter af om het kloppende leven eronder te zien.

'Ik probeer dit verhaal vanuit een andere invalshoek te belichten,' bekende ze. 'Alles wat ik heb gezien, is zo voorspelbaar en vervelend.'

Hij knikte licht. 'De mediaverslaggeving is niet bepaald briljant geweest.'

Ze zweeg even en keek de directeur aan. Nee. Hij had toch een naam? Ze keek naar Tom Bradley en ze probeerde zijn fatterige uiterlijk en de gekunsteldheid waardoor ze hem als een stereotype had afgedaan, opzij te zetten. Hij was geen stereotype. Hij was een persoon. Met doelen en ambities, met verdriet en behoeftes. Ze wilde zien hoe die aan het werk waren in deze situatie. Ze merkte dat hij haar gadesloeg, licht voorovergebogen. Hij wachtte tot ze iets zou zeggen.

'Is Sam Truelove een goede arts?' vroeg ze. De vraag leek hem te verbazen. Niet wat hij verwacht had, dat was duidelijk.

Hij kneep zijn ogen tot spleetjes en ze stelde zich voor dat hij probeerde te ontdekken, wat haar invalshoek was, zodat hij kon zien hoe hij zichzelf en het ziekenhuis het beste kon beschermen. Beschermen wat je lief is, het was haar niet onbekend.

'Ik ben er niet op uit om iemand in een slecht daglicht te stellen,' zei ze. 'Mijn grootste interesse gaat uit naar Kelly Bright. Maar ik ben ook geïnteresseerd in dokter Truelove, en ik vroeg me alleen maar af hoe u hem beschreven zou hebben voordat dit alles gebeurde?'

Hij keek haar een ogenblik aan en stelde toen kennelijk vast dat het beantwoorden van haar vraag weinig kwaad kon. 'Dan had ik gezegd dat hij briljant was,' zei hij rustig. 'Een zeldzame combinatie van compassie en vaardigheid en nog iets anders.'

Ze wachtte tot hij verder sprak.

'Een talent, een gave. Je kunt er geen etiket op plakken. Wat het ook was, het zette hem apart van de rest.' En toen zag ze dezelfde uitdrukking die ze op Barney's gezicht had gezien – die spijt en droefheid, en wat er nog over was van haar weerzin tegen Tom Bradley verdween op hetzelfde moment.

'Wat is gebeurd?' vroeg ze.

Hij schudde zijn hoofd. Hij zette zijn professionele gezicht weer op. 'Daar kan ik niet over praten,' zei hij eenvoudig, en ze moest bijna lachen omdat het haar eigen geheimen waren waarin ze rondsnuffelde, en hij degene was die ze beschermde.

'Als ik u vraag hoe hij veranderd is, dan antwoordt u niet omdat u niets wilt zeggen wat het ziekenhuis in een kwaad daglicht stelt of een rechtszaak kan uitlokken.'

Hij wierp haar een respectvolle blik toe. 'Dat klopt. Dat wil ik niet. In feite komt de aanname dat hij veranderd is voor uw rekening. Ik heb dat niet gezegd, noch erken ik de waarheid van uw stelling.'

Ze veegde al zijn ontkenningen opzij met een rukje van haar hoofd en probeerde te formuleren wat ze werkelijk wilde weten. Hij leunde weer naar voren.

'Wat wilt u?' vroeg ze ten slotte. 'Wat verlangt u het meest voor dit ziekenhuis?'

Hij keek haar aandachtig aan en toen hij antwoord gaf, had zijn gezicht het gladde plastic uiterlijk verloren. 'Ik wil dat dit ziekenhuis het meest vooraanstaande hartchirurgisch centrum voor pasgeborenen ter wereld is. Ik wil dat mensen hiernaartoe komen uit Azië, uit Europa, uit Afrika en Australië. Ik wil dat onze artsen de legendes zijn, degenen die de weg banen voor toekomstige generaties.'

'Waarom?' Ze vroeg het vriendelijk, zonder hem uit te dagen.

Hij antwoordde snel en vastberaden. 'Omdat we het kunnen. En als we het kunnen, moeten we het doen.'

Ze keek hem aan en begreep dat dat de cultuur hier was, de onuitgesproken aanname achter elke beslissing. Ze stond op en stak hem haar hand toe. 'Dank u wel, meneer Bradley. U bent erg behulpzaam geweest.'

Hij was verbaasd en daardoor achterdochtig. 'Is dat alles?'

'Ik denk van wel.' Ze zocht haar spullen bij elkaar en voelde haar ogen in zijn rug toen ze wegliep.

★

Ze nam niet de tijd om na te denken, te eten of te rusten. Ze reed recht naar het verpleeghuis Rosewood Manor. Ze parkeerde haar auto, zonder precies te weten wat ze ging doen nu ze er was. Ze stapte uit, sloot het portier af en keek een ogenblik om zich heen. Het was niet wat ze verwacht had en ze voelde een steek van pijn. Op een of andere manier was het draaglijker geweest als ze het meisje voor zich zag in een prachtig ziekenhuis, omringd door een mooi landschap en bloemen, niet deze vervallen massa van beton en steen. *Wat maakt het uit?* vroeg ze zichzelf. Kelly Bright wist niet waar ze was en bekommerde zich er niet om.

Ze liep naar de ingang. De automatische deuren gingen open en ze stapte naar binnen, maar binnen was het niet veel vrolijker. Het rook er naar urine en luchtverfrisser. In de hal reden bewoners rond in rolstoelen en een zwaar beproefde receptioniste beantwoordde de telefoon. Er hing een mededeling dat alle gasten zich moesten melden en dat alle journalisten met de directeur moesten spreken, en even was Annie besluiteloos. Moest ze verklaren dat ze van de pers was, of gewoon doorlopen?

'Hoe heet u?' Het was niet de receptioniste zoals ze had verwacht, maar een gerimpelde oude vrouw in een rolstoel die recht op haar afreed en glimlachte.

'Mijn naam is Annie,' zei ze, teruglachend. 'En u?'

'Eugenia Marie Whelty,' zei de vrouw met uitgestoken hand. Annie schudde hem. Bij de volgende zin zou ze weten of de vrouw samenhangend was of dat ze iedereen die door de deur naar binnen kwam, begroette met een handdruk en een introductie.

'Ik was op weg naar de activiteitenruimte om bingo te spelen,' zei Eugenia hoofdschuddend. 'Maar de bingo is vandaag afgezegd. Delaphine heeft griep.'

'Delaphine?'

'De activiteitenbegeleidster. Ze hebben te weinig personeel hier. Als er eentje ziek wordt, kunnen ze de hele tent wel sluiten.'

Annie grinnikte en alle twijfels over Eugenia's mentale competentie verdwenen.

'Komt u iemand opzoeken?' vroeg Eugenia.

'Niet precies,' zei ze.

'Wilt u een kop koffie? De dames van de kerk schenken koffie in de Grassy Meadow zaal.'

'Klinkt goed,' zei Annie en ze liep naast de rolstoel mee. Er werd inderdaad koffie geserveerd in de Grassy Meadow zaal, die ondanks het plastic meubilair een aangename ruimte was. Er hingen veel hangplanten en ongelooflijk genoeg lag er naast de bank een golden retriever te luieren. Er werd

378

zachtjes gospelmuziek gedraaid op een draagbare cd-speler en in de hoek leidde een vrouw een Bijbelstudie.

'Dat is Elmo,' zei Eugenia, naar de hond wijzend, en hij sloeg één keer met zijn staart en tilde zijn kop op toen hij zijn naam hoorde.

Een aardige vrouw serveerde hun koffie en Annie nam voorzichtig een slokje terwijl de vrouw een schaal koekjes ging halen.

'Lekker,' zei ze verbaasd.

'De baptisten zetten lekkere koffie,' beaamde Eugenia. 'En de methodisten? Vreselijk. Waterig. Als je er melk in doet, is het net thee. Maar ik zal u vertellen wie de beste koffie zetten. De lutheranen. Ik kom uit North Dakota en als je een goede kop koffie wilt, geef je gewoon de leiding aan een lutheraan.'

Annie grinnikte en dronk en ze nam een chocoladecakeje toen de dame van de baptistenkerk de schaal doorgaf. Dat was ook lekker, de baptisten hadden kennelijk evenveel verstand van chocolade als van koffie.

Hoe bent u van North Dakota in North Carolina beland?' vroeg ze.

'Ik ben hier in drieënzestig gekomen om voor mijn broer te zorgen. Hij stierf, en er was niet veel om voor terug te gaan. Ik bleef in zijn huis wonen tot ik een beroerte kreeg en toen ben ik hier beland.'

Niet veel om voor terug te gaan, en ineens zag Annie een gelijksoortig beeld van zichzelf op dat punt in haar leven. Wat had zij, vroeg ze zich af, om voor terug te gaan?

'Hoe lang zit u hier al?'

'Komende herfst zes jaar.'

Annie knikte.

'En wat brengt u hier?' vroeg Eugenia. 'Tijdverdrijf?'

Ze schudde haar hoofd en besloot eerlijk te zijn. 'Ik ben gekomen omdat ik geïnteresseerd ben ik Kelly Bright.'

'Daarin staat u niet alleen,' zei Eugenia schouderophalend. 'Bent u verslaggeefster?'

'Zoiets ja,' gaf ze eerlijk toe.

'Dacht ik al. Had ik al door toen u binnenkwam. Wilt u weten wat u verraadt?'

'Ja.' Ze wilde het graag weten.

'Die grote tas. Die hebben alle verslaggeefsters bij zich.'

'Is dat zo?' Daar moest ze aan denken voor het geval ze ergens incognito heen wilde gaan.

'Dat is zo. Ik merk dingen op,' zei ze. 'Er valt hier niks anders te doen. Ik weiger naar een soapserie te kijken en ik heb een gruwelijke hekel aan spelletjesprogramma's, en, zoals ik al zei, Delaphine ligt in bed met griep.'

Annie grinnikte. Ze mocht Eugenia wel. Heel erg. Maar ze was hier met een doel. Met een zucht zette ze haar lege koffiekopje neer.

Eugenia zette haar kopje ook neer. 'Wilt u haar kamer zien?' vroeg ze. Ze had zich er kennelijk bij neergelegd dat ze haar gezelschap kwijt ging raken.

'Als u het niet erg vindt om me erheen te brengen.' Ze had geen idee wat ze zou doen als ze er eenmaal was.

'Volg mij maar,' zei Eugenia en Annie liep naast haar mee nog drie gangen door tot ze stilstonden voor een halfdichte deur. 'Hier is het,' zei ze. 'Zorg dat zuster Ratchet u niet ziet.' Ze knikte in de richting van de zusterpost waar een magere vrouw met koolzwart geverfd haar praatte door de telefoon.

'Dank u wel,' zei Annie en Eugenia zwaaide en vertrok.

Annie aarzelde een ogenblik voordat ze zachtjes aan de deur klopte. Er was niemand anders in de kamer dan de patiënte, een stille gestalte in het bed. Annie keek, maar ging niet naar binnen. Ze mocht Kelly's privacy niet schenden. Er waren bepaalde plaatsen waar ze niet heen ging om een verhaal te maken. Bepaalde normen waar ze zich aan wilde houden. Ze zag het bleke gezicht, de ogen die open waren zonder iets te zien. Zachtjes deed ze de deur dicht. Ze schudde haar hoofd en liep achteruit weg van de deur, en dat was maar goed ook, want de zwartharige zuster kwam haar kant op. Ze dook de dichtstbijzijnde deur uit en kwam op een binnenplaats. Er was geen uitgang zonder het gebouw weer binnen te gaan en ze wilde nog geen treffen met de leiding. Ze ging zitten op de betonnen bank en stelde zichzelf de voor de hand liggende vraag. Waarom was ze hier achteraf bezien gekomen?

Een vrouw die tegenover haar zat, keek kort op en gaf Annie een licht knikje. Ze rookte, nam lange trekken van de sigaret en tipte met geoefende bewegingen de as af op de grond. Annie schatte haar op een jaar of vijfenveertig. Ze had blond haar met bruine wortels. Eens was ze knap geweest.

'Hoi,' zei ze tegen Annie met een opwaarts rukje van haar kin.

'Hallo,' antwoordde Annie. Ze haalde diep adem en probeerde geen last te hebben van de sigarettenrook. Zij was hier tenslotte de indringer.

Geen van beiden sprak en dat vond Annie best. Ze liet haar hoofd tegen de harde rug van de bank rusten. Het was al een lange dag geweest. Ze had het gevoel of ze te veel informatie had opgenomen, veel meer dan ze verwerken kon. Ze was uitgeput en ze kon zich niet herinneren dat ze die dag iets had gegeten, afgezien van de koffie en het chocoladecakeje. Het was bijna vier uur.

'Is hier een goede barbecuetent in de buurt?' vroeg ze de vrouw. 'Ik heb reuze trek in een broodje geroosterd vlees met sla en frietjes.'

'Er is een Burger King langs de weg en een Hardees. Maar geen barbecue.'

Annie haalde haar schouders op. Het was maar een idee.

'Ik heb u hier nog nooit gezien,' zei de vrouw. 'Dat haar zou ik me herinneren.'

Annie glimlachte. 'Het is onvergetelijk. Inderdaad. Ik heb net koffie gedronken met Eugenia,' zei ze. Geen leugen, maar ook niet echt de waarheid.

'Wat een type.' Weer een wolk sigarettenrook.

'En u?' vroeg Annie. 'Bent u bij iemand op bezoek of werkt u hier?'

'Ik ben op bezoek. Dat kun je wel zeggen, ja.' Ze vertrok haar mond tot een ironische glimlach. 'Ik heb hier de afgelopen vijf jaar zo ongeveer gewoond.'

En ineens wist Annie wie ze was.

'Mijn dochter ligt hier,' zei ze, over haar schouder knikkend naar de kamer waar Annie zojuist naar binnen had gekeken.

Annie zweeg. Nu ze de gelegenheid had om een vraag te stellen, leken ze allemaal lomp en zinloos.

'Ik blijf hier niet de hele dag vanwege mijn andere kinderen,' vertelde de vrouw ongevraagd. 'Ik heb een zoon en nog een dochter. Allebei jonger.' Haar blik vroeg Annie te zeggen dat ze het begreep. 'Maar ik kom elke middag een poosje.'

'Ze zullen wel eens ergens heen willen en dingen doen. Leven,' zei Annie. 'U moet ook voor hen zorgen.'

'Dat is het *precies*,' zei de vrouw en iets in haar gezicht leek innig tevredengesteld door Annies antwoord. 'Mijn naam is Rosalie,' zei ze. 'Rosalie Cubbins.'

'Ik heet Annie,' antwoordde ze. 'Annie Dalton.'

'En u?' vroeg Rosalie. 'Heeft u kinderen?'

'Ja,' zei ze. Ze voelde dat Rosalie Cubbins een waarheidsgetrouw antwoord van haar verdiende. 'Ik heb een klein meisje gehad, maar ze is gestorven. Vijf jaar geleden.'

'Zo lang is Kelly al ziek,' zei Rosalie, en het trof Annie als vreemd dat ze zo'n verzachtende zin gebruikte. Een afkorting voor de pijn en de beschadiging, en begrijpelijk, veronderstelde ze.

Ze knikte. Ze wist hoe lang Kelly Bright hier al lag. Ze wist het precies.

'Wat is er gebeurd met uw dochter?' vroeg Rosalie zonder zichtbare verlegenheid.

Annie nam aan dat het natuurlijk was, in aanmerking genomen wat ze zelf had meegemaakt. Ondraaglijke feiten maakten deel uit van haar dagelijks leven. 'Ze is verdronken. Ze was vier jaar oud. Ze heette Margaret.'

'Sorry.' Ogen die begrepen, al was het antwoord kortaf.

Annie knikte. 'Het was een lief kind. Ze kon soms een beetje eigenzinnig zijn. Mijn vader zei dat ze dat van haar moeder had.' Ze gaf Rosalie een treurige glimlach. 'Ze speelde graag buiten, wat voor weer het ook was, en ik houd mezelf steeds voor dat ik tegen mijn schoonmoeder had moeten zeggen dat ze haar in de gaten moest houden. Ze is opgestaan na haar middagslaapje en weggeglipt om te spelen, en ik had moeten weten dat ze dat zou doen. En dan met die kreek zo vlakbij. Maar ik wist niet dat mijn man haar naar zijn moeder zou brengen, anders had ik haar gewaarschuwd.'

'Wat gebeurde er?' Rosalie trapte haar sigaret uit en stak een nieuwe op.

'Hij werd naar zijn werk geroepen,' zei Annie. 'Hij heeft haar bij zijn moeder afgezet.'

Rosalie knikte. 'Bij mij was het ook de schuld van mijn man,' zei ze.

Haar woorden gaven Annie een verdovende schok. Zij zou het nooit zo platweg gezegd hebben, maar het was toch wat ze dacht? Deze vrouw had alleen gehoord wat zij niet had gezegd en het voor haar onder woorden gebracht.

'Ze zaten in de auto en hij reed door rood. Ze zijn platgereden door een stadsbus. Kelly's borst was helemaal opengescheurd.' Ze sloeg op haar eigen borst. 'Toen heeft de dokter het verziekt toen hij het probeerde te repareren. Helemaal verziekt.' Ze nam nog lange trek.

'En wat doet u hier?' vroeg Annie. 'Als u haar komt op-zoeken?'

Rosalie haalde haar schouders op. 'Ik praat met haar. Ik vertel haar hoe het met haar broer en zus gaat. Vroeger vlocht ik haar haren voordat we het hebben afgeknipt. Haar vader komt niet meer. Hij kan het niet aan. Maar ik moet voor haar zorgen. Ik bedoel, ze is mijn dochter. Wat moet ik anders?'

'U moet voor haar zorgen. Natuurlijk,' zei Annie eenvoudig.

Ze zaten een paar minuten zwijgend bij elkaar. Toen, hoewel ze betwijfelde of het ooit op papier zou komen, deed ze waarvoor ze hier gekomen was. 'Hoe was ze?' vroeg ze Rosalie, met een halve glimlach naar haar toe gewend, en Rosalies ogen lichtten op, wat Annie verwacht had. 'Wat waren haar dromen en ambities? Wat deed ze het allerliefste?'

'Ik zal u vertellen, het is heel raar,' zei Rosalie en haar gezicht straalde bij de herinnering, 'maar dat kind hield meer van watermeloenschillen dan van ijs.' En terwijl Annie luisterde, praatte Rosalie Cubbins over haar dochter.

37

Het was dinsdagnacht twee uur en Sam zat te lezen. Zondag was hij rechtstreeks uit de kerk teruggegaan naar het huis van Annie en hem en had zijn Bijbel gevonden waar hij hem had achtergelaten, onder op de stapel spullen die naar het Leger des Heils moesten. Die avond, nadat zijn moeder was gaan slapen en het licht in Elijahs cottage uit was gegaan, was hij gaan zitten om te lezen, hij had de woorden verslonden, aandachtig onderzocht, als een wetenschapper die erop gebrand is te bewijzen of een hypothese al dan niet waar is.

Maandag had hij de hele dag gewerkt, was thuisgekomen en nu deed hij weer hetzelfde. Hij las en dacht na, en geleidelijk aan begon de waarheid duidelijk te worden, als een gedaante die op hem toe kwam in de mist. Hij was goed begonnen. Dat zag hij nu, want zijn geloof was echt geweest. Hij had zich begaafd gevoeld – nee, de waarheid was meer dan dat. Hij was begaafd *geweest*, en hij had zijn gave gebruikt voor God. Maar toen was hij God vergeten en het gewicht van die verantwoordelijkheid op zijn eigen schouders gaan voelen. Was hij gaan denken dat het *zijn* taak was om het lijden van de wereld te verlichten.

En hij was iets anders vergeten. Hij was vergeten dat hij een vijand had die hem wilde vernietigen. Dat was het reusachtige besef dat die zondagochtend in de kerk tot hem doorgedrongen was terwijl Elijah sprak. Hij begon de gebeurtenissen van zijn leven te zien als strategische bewegingen van een vijandelijke bevelhebber, en hij zag hoe hij volkomen argeloos in elke val gelopen was.

De grootste fout was natuurlijk dat hij was vergeten wie de soevereine God was en wie niet. Hij was zich gaan inbeelden dat hij, hijzelf, de dingen kon beheersen. Toen had hij de fouten gemaakt. Die misstappen die hem uit de droom geholpen hadden. Het was heel duidelijk geworden dat hij niet was wie hij had gedacht dat hij was, want zijn fouten waren zo enorm dat ze niet bedekt konden worden of hersteld. En toen was hij zich gaan inbeelden dat ze vergeldingen waren, straffen voor onbekende en onzichtbare missers. Toen was hij bitter geworden en had hij zijn hart afgekeerd. Hij wilde geen God dienen die Zijn kinderen zo behandelde. Maar hij was helemaal de bederver vergeten, de vernietiger, die alles verknoeit en pijn doet. Hij liet zijn gedachten teruggaan naar het verleden en probeerde te zien waar ongeluk en trots ophielden en het kwaad begon, probeerde zonde te scheiden van vergissing, menselijkheid van aanmatiging. Hij schudde gefrustreerd zijn hoofd, want al was hij daartoe in staat geweest, stond God niet nog steeds boven alles? Had hij niet kunnen overheersen? Waarom had hij dat niet gedaan?

Er werd licht aan de deur geklopt en Sam schrok. Hij keek naar zijn moeders pendule. Het was half drie in de nacht.

'Is alles in orde? Ik zag licht branden, ik maakte me zorgen.'

'Kom binnen,' zei Sam tegen Elijah.

Hij schudde zijn hoofd. 'Ik dacht wel dat jij het was,' zei hij wijs. 'Kom even naar mijn huis als je wilt. Ik heb koffiegezet.'

Sam knikte, stapte op de veranda en deed zacht de voordeur dicht. Hij volgde Elijah over het grasveld en ging het gastenverblijf binnen. De geur van koffie begroette hem. De lampen brandden vrolijk en Elijah wenkte hem naar de bank. Hij ging zitten en zijn gastheer overhandigde hem een dampende kop koffie. 'Melk?' vroeg hij.

'Zwart is goed,' zei Sam. Hij wilde voornamelijk iets warms. 'Waarom was je op?' vroeg hij Elijah nieuwsgierig.

'Ik was aan het bidden,' zei hij. 'Voor jou.' Een openhartige blik.

Sam knikte. 'Dank je,' zei hij en even dacht hij aan alle mensen die dat tegen hem hadden gezegd, te beginnen met de oude vrouw in het restaurant. Steeds maar opnieuw hadden ze tegen hem gepreveld: 'We bidden voor je.' Nu kon hij langs die banale woorden heen kijken en hij stelde zich de realiteit erachter voor. Hij zag de hemel haast vibreren als die gebeden werden opgezonden en resoneerden met georkestreerde bewegingen. Voor het eerst zag hij ze als bovenaardse brandstof die uitgegoten wordt op een kleine vlam, als luchtstromen waarop machtige engelenstrijders zich voortbewogen. Stegen ze samen omhoog om hun krachten te bundelen? Voelde hij daarom die beweging, van dingen die lang mistig geweest waren en nu helder werden? Van vragen die gesteld werden en niet meer begraven onder woede en verdriet?

'Waarom, Elijah?' vroeg hij onomwonden. 'Waarom is het allemaal gebeurd? Haat God me?'

Elijah schudde zijn hoofd en nam een slok van zijn koffie. 'Hij haat je niet. Ik heb eens iets gelezen in een boek en dat ben ik nooit vergeten. Dat God de kwestie van Zijn liefde voor jou voor altijd geregeld heeft aan het Kruis. De waaroms kan ik niet beantwoorden. De rest weet ik niet. Maar dat is één ding waar ik zeker van ben. Hij houdt van je met eeuwigdurende liefde.'

Elijah keek hem recht in de ogen. 'Hier heb ik nog een *waarom* voor je,' zei hij. 'Denk daar maar eens over na. Jezus heeft nooit iets fout gedaan. *Nooit*. Hij was het volmaakte, zondeloze Lam van God. Hij heeft nooit iemand kwaad gedaan, nooit een verkeerde beslissing genomen, nooit driftig uitgevallen of uitgehaald in onbeheerste woede. Hij was de kostbare, geliefde Zoon van God en de Vader keek toe terwijl ze spijkers in Zijn handen en voeten dreven. *Waarom? Geef daar eens antwoord op.*'

Sam dacht erover na, zijn gevoelens waren verward en hij werd heen en weer geslingerd tussen nederige emotie en opstandigheid. Zijn lijden aan de ene kant. Het lijden van de Zoon van God aan de andere kant.

'Wat zou jij zeggen dat ik moet doen?' vroeg hij ten slotte, en hij wachtte tot Elijah zou zeggen dat hij Gods liefde moest aannemen, Gods genezing, en dat hij moest huilen en Hem zijn gebroken hart laten repareren, maar toen Elijah sprak, waren de woorden die hij uitte het laatste wat Sam uit zijn mond verwacht had.

'Schuld belijden,' zei Elijah plompverloren.

Sam sloot zijn mond van verbazing. Hij staarde recht voor zich uit, niet wetend of hij woede voelde of iets anders, maar zijn binnenste was hevig in beroering.

'Bitterheid jegens God is een zonde,' zei Elijah, 'en zolang je die blijft koesteren, zul je geen vrede hebben.'

Sam ging terug naar het huis van zijn moeder en zat te lezen tot de ochtend kwam, grijs en droog. Hij las Job. Van begin tot eind. Langzaam. Hij las Jobs klacht en Gods antwoord. *Waar waart gij,* vroeg de Almachtige Zijn schepsel, *toen Ik de aarde grondvestte? Vertel het, indien gij inzicht hebt! Wie heeft haar afmetingen bepaald? Gij weet het immers! Of wie heeft over haar een meetsnoer gespannen? Waarop zijn haar pijlers neergelaten, of wie heeft haar hoeksteen gelegd, terwijl de morgensterren tezamen juichten, en al de zonen Gods jubelden?* Toen zag hij het. Hij zag hoe beledigd en koud hij was geweest, en nog was.

Wil de bediller twisten met de Almachtige?

De aanklager van God antwoorde daarop!

Hij las Jobs antwoord aan God. *Ik leg de hand op mijn mond... ik verkondigde, zonder inzicht, dingen, mij te wonderbaar*

*en die ik niet begreep... Slechts van horen zeggen had ik van U
vernomen, maar nu heeft mijn oog U aanschouwd. Daarom herroep
ik en doe boete, in stof en as.*

Hij staarde naar de woorden voor hem en hij dacht na
over wat ze betekenden. Maar hij bad niet.

38

De week ging voorbij. Haar vertrekdatum naderde. Ze voltooide het leegruimen van het huis, behalve Margarets kamer, want al wist ze dat ze het moest doen, ze bewaarde hem voor het laatst. Lauries man Jim zette het bord met *Te koop* neer en zei dat hij het op de lijst zou zetten zo gauw ze vertrok. Ze zag Sam twee keer. Kort, dat hield ze opzettelijk zo, ze ontliep hem als ze wist dat hij in de buurt was. Ze was haar belofte aan hem over Kelly Bright niet vergeten, maar ze begon het een gevaarlijke onderneming te vinden. Ze had het opzijgezet.

Ze werkte een poosje aan het tapijt. Ze liep door de heuvels en vulde haar hart met de schoonheid en de geluiden en geuren van deze plaats, want ze wist dat ze er heel, heel lang geen deel aan zou hebben. Ze sprak Jason Niles een keer. Hij had haar gebeld. Ze had hem ervan verzekerd dat de plannen nog steeds stonden, maar had met een troosteloos gevoel opgehangen, dus ze had besloten haar belofte aan Sam te houden. Dat zou haar het gevoel van afsluiting geven dat ze wilde hebben.

Ze stond vanmorgen vroeg op om het af te maken. Op internet zocht ze het adres op van de dominee van Kelly Bright en vond het adres van zijn kerk. Ze reed naar Tennessee, langs Knoxville, en arriveerde rond tien uur in Varner's Grove. Ze reed naar de kerk en vroeg zich af of haar actie zin had en hoopte half van niet.

Het Gebedshuis van Varner's Grove was een groot vierkant gebouw van metalen golfplaten. Het stond langs de snelweg. Annie parkeerde op het grindachtige parkeerterrein. Ze stapte uit, maar in plaats van naar binnen te gaan, bleef ze even tegen de auto geleund staan rondkijken. De kerk stond, ondanks zijn soberheid, midden in een prachtig bos van bloeiende bomen onder torenhoge dennen. Ze ademde hun geur in. Ze liet de spanning wegvloeien uit haar nek en liet de spiertjes rond haar ogen los die uit gewoonte aangespannen waren. Een koor van boomkrekels zong in haar oren en zelfs dat kalmeerde haar. Het was een vriendelijk, melodieus geluid en het hoorde bij deze plaats. Ze keek rond, maar zag ze niet. Haar vader zou ze kunnen zien. Hij kende alle diersoorten in deze bergen en wat voor geluid elke soort maakte, vooral de vogels. Juist toen ze dit dacht, landde er eentje op de takken van de kornoelje voor haar. Het was een grappig gevalletje. Een effen bruin lijfje met een helderrood kopje. Hij richtte zijn kraaloogjes op haar en zong, een lief, scherp fluitje gevolgd door twee trillers, een lied dat hij enkele malen herhaalde. Ze glimlachte en stond heel stil, maar na een tijdje hield hij ineens zijn kopje schuin en vloog weg. Ze zuchtte, voegde haar eigen elektronische piepje toe aan de soep van geluiden toen ze haar auto afsloot en ging de kerk binnen.

Het was er koel. De airconditioning stond aan. Er was niemand en ze keek even rond. De hal was klein. Er hing een kapstok langs één muur en een smalle houten tafel langs de andere. Aan de muur was een handgemaakt spandoek bevestigd. *Waar verfrissing komt door de aanwezigheid van god* stond erop en ineens werd ze overspoeld door verlangen. Ze besefte dat het diep in haar ziel droog en vermoeid was en even maar deed de gedachte aan verfrissend water haar hart smachten naar... naar wat? Ze las het spandoek nog eens, zag waar de verfrissing vandaan kwam en wist waarom ze zich zo dor en droog voelde.

'Ik dacht al dat ik iemand hoorde.'

Ze draaide zich om en stond tegenover een lange Afro-Amerikaanse man. Er verscheen een schitterende glimlach op zijn brede gezicht. 'Ik wist dat God vandaag iemand naar me toe zou sturen,' zei hij zakelijk en onwillekeurig lachte ze terug.

'Mijn naam is Jordan Abrams,' zei hij met uitgestoken hand.

'Annie Dalton,' antwoordde ze.

'Wat kan ik voor u doen, mevrouw Dalton?'

Ze haalde diep adem en vertelde de waarheid. 'Ik wil iets weten over Kelly Bright.'

'Bent u verslaggeefster?'

De tas had haar alweer verraden. Ze knikte. 'Maar ik ben hier niet met een opdracht.'

Hij dacht even na. Hij keek haar in de ogen en het leek of hij een vraag ging stellen, maar hij deed het niet. 'Ik heb koffie in mijn kantoor. We kunnen praten als u wilt.'

Ze volgde hem door de schemerige ruimte die ze als kerkzaal gebruikten. De vloer was van beton en aan weerskanten hingen baskets, maar de vouwstoelen hadden kussentjes en stonden in nette rijen, een liedboek op elke tweede stoel. Vooraan stonden een drumstel en muziekstandaarden. Daar hing nog een spandoek. *De Christus van Golgotha verandert levens, ook nu nog.* Met een schok herinnerde ze zich de vraag die ze had gesteld in de antiekwinkel in Santa Monica. Waar is Hij? had ze zich afgevraagd, die Christus van Golgotha Die levens verandert. Hier, kennelijk. Ze dacht het zonder een spoor van sarcasme. In plaats daarvan nam een hevige blijdschap bezit van haar en ze hoopte dat het waar was. Ze keek op en zag dat de man haar gadesloeg. Ze lachte naar hem. 'U bent al helemaal klaar voor de zondag, zie ik.'

'Alleen de preek nog,' antwoordde hij. 'Ik had hem al in gedachten, maar God vertelt me dat Hij van gedachten veranderd is.'

Hoe werkt dat? wilde ze vragen. Tikte Hij u op de schouder en fluisterde Hij iets in uw oor? Maar ze zei niets. Omdat haar eigen geloof kapot was, hoefde ze niet aan dat van iemand anders te tornen.

Het kantoor van dominee Abrams was een kleine vierkante ruimte aan het eind van het gebouw. Het bevatte drie muren vol boeken, een stalen bureau en twee gestoffeerde stoelen.

'Gaat u zitten,' bood hij aan. Hij schonk twee kopjes koffie in uit de pot op de plank. 'Wilt u suiker en melk?'

'Allebei, graag,' zei ze.

Hij voegde er suiker en melkpoeder aan toe en ze dronk, nadenkend over wat ze zou zeggen. Ze zette haar kopje neer en keek hem aan.

'Ik wil weten wie Kelly Bright was,' zei ze. 'Ik wil een glimp opvangen van de persoon achter de kwestie.'

'Waarom?' Hij vroeg het effen en ze staarde hem aan. Ze had gehoopt dat hij ervan uitging dat hij het antwoord wist en meteen zou beginnen te praten. Er zat iemand tegenover haar die even scherpzinnig was als vriendelijk, en ze wist dat alleen eerlijkheid afdoende zou zijn.

'Mijn echtgenoot was de arts die haar opereerde,' zei ze. 'Degene die de fout heeft gemaakt.'

Zijn ogen gingen wijdopen en hij knikte, maar hij bleef zwijgen.

'Hij wilde weten wie ze was. Is. Ik dacht dat ik hem misschien kon helpen.'

Dominee Abrams keek haar geruime tijd aan. 'Ik wil niet dat u iets publiceert van wat ik u vertel, tenzij Kelly's moeder toestemming geeft. Ik heb met haar gesproken. Ik zou niet willen dat ze zich verraden voelde.'

'Ik zal niets publiceren zonder haar toestemming,' zei ze. 'U heeft mijn woord.'

Hij keek haar nogmaals aan, scheen even bij zichzelf te

overleggen, en knikte toen. Er verscheen een lichte glimlach op zijn gezicht. 'Kelly was een fantastisch kind. Onze wegen kruisten elkaar door ons buspastoraat. Ze wonen in de projecten, weet u. Openbare huisvesting aan de oostkant. Als haar moeder er een rechtszaak van gemaakt had, had ze het geld kunnen incasseren en een huis voor zichzelf kunnen kopen, maar ze zei dat ze dat niet deed zolang haar kind nog leefde. Dan was het net of ze haar opgegeven had. Ze zei dat dat de reden was dat Kelly's vader de sonde eruit wilde laten halen. Zodat hij het smartengeld kon incasseren.'

Annie knikte. Ze schreef niets op. Ze verwachtte niet dat ze zijn woorden zou vergeten.

'Kelly was vijf jaar toen ze hier naar de kerk kwam. Op de vakantiebijbelschool had ze Jezus gevraagd in haar hart te komen en ik heb nog nooit een kind ontmoet met zo'n diep geloof. Ze hield van Jezus.' Zijn gezicht lichtte op bij de herinnering.

'Ze bad vurig en ze kende meer Bijbelteksten dan ik.' Hij lachte. 'Ze kwam in totaal zes jaar bij ons naar de kerk en ten tijde van het ongeluk had ze haar broer en zus zo ver gekregen dat ze ook kwamen, en haar moeder was ook bijna overgehaald.'

Annie dacht aan Rosalie Cubbins, met haar treurige gezicht.

'Weet u wat ze me vlak voor het ongeluk vertelde?' vroeg hij Annie.

Ze schudde haar hoofd.

'Ze zei: "Dominee, het zou me alles waard zijn als mijn papa en mama Jezus zouden leren kennen. Ik zou zelfs willen sterven als dat zou helpen." Dat kind wist het,' zei hij met zekerheid. 'Ze wist het.'

'En, zijn ze tot geloof gekomen?' vroeg Annie, en ze hoorde zelf dat het eisend klonk. Boos. Bitter en grof.

'Nog niet,' zei hij. 'Maar ik heb het nog niet opgegeven.'

Even was het stil. 'Helpt dat?' vroeg hij haar.

Ze schudde haar hoofd en tot haar verlegenheid schoten haar ogen vol tranen.

Hij wachtte tot ze zich weer in bedwang had en gaf haar een doos tissues van het tafeltje naast hem. Het was niet haar bedoeling geweest, maar ze vertelde hem het verhaal. Alles. Ze liet niets achterwege en toen ze klaar was en opkeek, zag ze pijn in zijn ogen.

'Het is veranderd tussen mijn man en mij,' zei ze zacht. 'Al voordat Margaret stierf. Hij kwam vast te zitten in zijn werk en ik... kwam alleen maar vast te zitten. Toen Margaret stierf, zou het al moeilijk genoeg geweest zijn als alles goed was. Maar dat was het niet. Hij bleef almaar weg en ik kon daar niet meer zijn. Ik kon daar niet alleen zijn. Het was te veel.'

'Ik begrijp het,' zei hij zacht.

Ze keek hem vragend aan.

'Mijn vrouw en ik hebben een dochtertje van vijf verloren aan leukemie.'

'Wat erg,' zei ze.

Hij knikte. 'Toen Missy stierf, dacht ik dat ik gek zou worden,' zei hij. 'En Caroline werd dat ook bijna. Maar ik denk dat het verschil was, dat we ons aan elkaar vasthielden. En we hielden ons vast aan God.'

'Hoe deed u dat?' vroeg ze. 'Als Hij toch degene was Die haar van u afgenomen had?'

Hij schudde zijn hoofd. 'Er is geen antwoord op de vraag die u stelt. De vraag naar het waarom. In dit leven zullen we daar nooit antwoord op krijgen. Maar ik weet wie ik heb geloofd.' Zijn stem trilde van hartstocht en leven, en haar ogen vulden zich weer met tranen.

'Zo eenvoudig is het voor mij niet,' zei ze. 'Waar was God toen mijn dochter verdronk?'

Ze keek hem uitdagend aan en was verrast toen hij antwoord gaf, want ze had gedacht dat dit nog een vraag was waarop geen antwoord was. Maar hij sprak, met vaste en zekere stem.

'Op dezelfde plaats waar Hij was toen Zijn Zoon aan het kruis genageld werd.'

Ze zaten even zwijgend bij elkaar voordat dominee Abrams weer sprak.

'Een hoop dingen zijn nu onbegrijpelijk,' zei hij, 'maar op een dag zal onze Verlosser weer op deze aarde staan en dan zal alles goed zijn.'

'Ik wil dat het nu goed is.' Er klonk radeloze hoop door in haar stem.

'Ik weet het.' Hij fluisterde terug, met ogen die net als de hare glansden van tranen. 'Maar houdt nog even vol, zuster. Houdt u aan Hem vast. Op een dag zult u het begrijpen.'

Ze pakte nog een tissue van de tafel naast haar en bette haar ogen. Even zwegen ze.

Hij dronk zijn koffie en zij droogde haar ogen af en schraapte haar keel. Ze wilde er niet meer over praten.

'Bedankt voor uw hulp.' Ze stond op en pakte haar tas.

'Als ik nog iets voor u doen kan, hoeft u maar te bellen.'

'Dank u,' zei ze nog eens.

Hij schreef zijn adres en telefoonnummer op de achterkant van een brochure van de kerk en gaf hem aan haar. Ze stopte hem in haar tas en ging naar haar auto. Ze reed naar huis. Ze was moe en hongerig. Ze ging eten en rusten en morgen zou ze Sam vertellen wat ze te weten was gekomen. Dan zou ze afscheid van hem nemen en vertrekken.

Deel III

39

Mary goot het restje afwaswater over haar stoffige, verfom-faaide petunia's. Het was alweer een droge, troosteloze, schroeiend hete julimiddag met de donder en bliksem waar ze bang voor was geworden omdat er geen druppel regen aan te pas kwam. Alleen de roerige, dreigende wolken en de kolkende hitte. Het stuwmeer was gezakt. Het meer achter de Fontana Dam stond lager dan ooit en de provincies Buncombe en Haywood hadden een ernstige waternood aangekondigd. Mijten en kevers waren sterker geworden, omdat hun natuurlijke vijanden uitgestorven waren. Binnenkort zouden de appels aangetast worden als het niet ging regenen, en dat zou een ramp betekenen voor velen die voor hun inkomen afhankelijk waren van de oogst. De den-nenzaailingen stierven in de heuvels, de bladeren van de wilde kornoeljes en rododendrons waren geel en knispe-rend. De stad had nog maar voor zestig dagen water. De her-ten dwaalden dichter naar de steden toe en ze had vanoch-tend op het nieuws gezien dat iemand binnen de stadsgren-zen van Asheville een beer had gezien. De president sprak over noodleningen voor boeren. De vijvers stonden laag. Kreken waren droog. De grasvelden begonnen uit te drogen en de bloemen en het gras zouden geen water meer krijgen, althans niet bij haar thuis, want vanmorgen was de bron opgedroogd. De pomp had één, twee keer gekreund en het toen eindelijk opgegeven. Ze zou er een brongraver bij moeten halen en voorlopig zouden ze flessenwater drinken en bij Laurie gaan douchen, maar die toestand kon niet te lang duren. Iedereen was vol zorg. En eerlijk gezegd was ze niet alleen vanwege de droogte van streek.

Ze had hem vanochtend aan Elijah overhandigd, de lange, dunne, witte envelop die vast en zeker een einde zou maken aan dit blije intermezzo, deze fantasie die ze had gekoesterd dat ze met z'n allen nog lang en gelukkig zouden leven. Hij had hem aangenomen en haar bedankt, hem in zijn zak gestopt en toen had ze hem in zijn auto zien stappen en wegrijden. Ze wist het. Haar hart had gebonsd toen ze de afzender had gezien: *Internationaal Zendingsbestuur, Baptistenconventie van het Zuiden.* Dat was de brief geweest waarop hij had gezegd dat hij wachtte, en ze wist wat er nu ging gebeuren. Hij zou haar verlaten. Voor de tweede keer.

Mary veegde haar ogen af en probeerde blij te zijn voor hem, want ze wist hoe veel dit voor hem betekende, maar toen ze hem en Sam elke dag had zien vertrekken om door de heuvels rond te dwalen om patiënten te bezoeken, toen ze voor hem had gekookt en met hem had gewandeld en met hem had gepraat en herinneringen boven waren gekomen, toen had ze het gewaagd te hopen. Maar ze wist de waarheid. Ook hieraan kwam, net als aan alle andere dingen, een einde.

Annie vertrok morgen. En Mary verwachtte dat Sam ook zou vertrekken, want hij had gistermorgen telefoontjes ontvangen van Barney en de ziekenhuisdirecteur, Tom Bradley, en was voor de rest van de dag verdwenen. Ze zou vanavond voor iedereen eten koken, hier in huis. Het zou een droevige toestand worden, vreesde ze, en ze overwoog het af te zeggen. Ze kon de bron gebruiken als excuus, maar de ware reden was dat ze de pijn niet wilde voelen bij het nog één keer zien van hun verdrietige gezichten, niet nog een smartelijke herinnering op alle andere stapelen.

Ze zuchtte en nam het afwasteiltje weer mee naar binnen.

Ze pakte de varkenskarbonaadjes die ze zou braden en begon de ingrediënten klaar te zetten voor het dessert. Ze zou moedig zijn en deze laatste klus klaren.

40

Annie werd later wakker dan anders, ze was verhit en suffig. Ze luisterde en besefte wat haar gewekt had. Het was Diane die zong, een ijl, toonloos geluid, want Diane was niet muzikaal. Ze gooide het hete dekbed opzij en stond op, ging naar de badkamer. Onderweg stond ze stil bij de deur van de studeerkamer die op een kier stond en gluurde naar binnen. Diane zat op de bank met een koptelefoon op, ogen dicht, handen opgeheven. Ze deed haar ogen open en zag Annie bij de deur staan.

'Ik verheerlijk God,' zei ze eenvoudig. Geen verdere uitleg of verontschuldiging en Annie benijdde Diane, met haar gezicht in verrukking omhooggeheven, muziek horend die zij niet hoorde.

'Dit zijn de dagen van Ezechiël,' zong Diane verder terwijl Annie de deur dichtdeed, 'hij verkondigt het Woord van God.'

Diane had altijd het Woord van God verkondigd, bedacht Annie met een wrange glimlach. Voluit en zeker alsof er even weinig twijfel aan Zijn woord bestond als aan het feit dat elke ochtend de zon opkwam. Annie waste haar gezicht, kamde haar haar en kuierde naar haar slaapkamer terug terwijl Diane in het volgende couplet uitbarstte, triomfantelijk, zij het enigszins vlak.

De volgende regel ging over dorre beenderen die vlees werden, en Annie voelde plotseling een bepaalde verwantschap met die woorden, met de profeet die had uitgekeken over het dal van dorre beenderen en de vraag van God in zijn oren hoorde echoën. *Kunnen deze beenderen herleven?* En ze kende de radeloze hoop, vermengd met wanhoop van zijn antwoord. *Alleen Gij weet het.*

Ze kleedde zich aan, verzamelde haar pas gewassen kleren en stopte ze in haar koffer. Ze pakte automatisch en efficiënt in.

Ze ging naar beneden en at een snel ontbijt, daarna ging ze naar Dianes atelier. Ze maakte de draad vast aan de spoel. Ze was bijna klaar. Het patroon dat ze voor zich had gezien, had geleidelijk vorm gekregen. Het tapijt was lang en smal. Het centrum was groen met goud geaderd en aan weerskanten verwerkte ze een simpel patroon van roze en groen en blauwgroen, een ontwerp dat haar deed denken aan de bloesem van de kornoelje, de groene kreken en de nevelige bergen van deze omgeving. Ze werkte stevig door. Ze hoorde het niet toen Diane binnenkwam, merkte haar aanwezigheid pas op toen ze sprak.

'Wat prachtig.'

Annie schrok. 'Dank je.'

Diane leunde tegen de deurpost. 'Jij heb altijd meer talent in je pink gehad dan ik in mijn hele lijf. Het deed me verdriet toen je wegging zonder je weefgetouw.'

Annie stopte met werken en keek haar verbaasd aan. Ze herinnerde zich niet dat Diane ooit zoiets tegen haar gezegd had.

Ze schudde ontkennend haar hoofd. 'Je werk is prachtig, Diane.'

Haar stiefmoeder haalde haar schouders op. 'Ik heb allang vrede met de feiten,' zei ze glimlachend. 'Neem je hem deze keer mee?' vroeg ze, knikkend naar het weefgetouw.

'Nee. Houd jij hem maar. Hij hoort hier,' zei Annie, en ze kreeg een brok in haar keel bij de gedachte aan wat ze morgen zou doen. Ze zou hier weggaan en al was dat wat ze al die tijd van plan was geweest, ze voelde zich er niet klaar voor. Wat ze hier was komen doen, voelde onafgemaakt, ondanks het leeggeruimde huis en de ingepakte en opgeruimde bezittingen. Er was alleen nog dat ene over. Margarets kamer, en die zou ze vanavond doen, beloofde ze zichzelf. Na het eten bij Mary.

Ze had het grootste deel van de meubels laten staan. Jim had gezegd dat het huis goed gemeubileerd beter verkoopbaar was. Naderhand liet hij ze wel door iemand weghalen. Ze snufte en ging weer aan het werk.

'Herinner je je dat oude gedicht?' vroeg Diane. 'Over de wever?'

Annie haalde haar schouders op, maar ze wist nog dat oma Mamie er dol op was geweest.

'Het ligt er een beetje dik bovenop, maar ik denk er altijd aan als ik de inslagdraad vastmaak aan de spoel,' zei Diane en ze begon het op te zeggen:

'My life is but a weaving between my Lord and me.
I cannot choose the colors He works so steadily.
Oft times He weaves in sorrow, and I, in foolish pride
forget He sees the upper, and I the underside.
The dark threads are as needed in the Weaver's skillful hand
as the threads of gold and silver in the pattern He has planned.
Not till the loom is silent and the shuttles case to fly
will God unroll the canvas and explain the reason why.'*

---

* Mijn leven is een weefgetouw tussen mijn God en mij.
Ik mag de kleuren niet kiezen die Hij zo onwankelbaar verwerkt.
Vaak weeft Hij in verdriet en ik vergeet in mijn dwaze trots
dat Hij de bovenkant ziet, en ik de onderkant.
De donkere draden zijn net zo nodig in de vaardige hand van de Wever
als de draden van goud en zilver in het patroon dat Hij heeft gekozen.
Pas als het weefgetouw zwijgt en de spoelen leeg zijn
zal God het doek ontrollen en het waarom verklaren.

Annie draaide zich naar haar stiefmoeder om. Ze liet haar handen langs haar lichaam vallen en keek Diane verward en gepijnigd aan.

'O, Annie, begrijp je het niet?' zei Diane fel, haar gezicht straalde van hartstocht. 'Het is tijd om het los te laten. Vergeef nou eindelijk eens. Misschien krijg je geen tweede kans.'

Annie staarde haar aan, talloze tegenwerpingen streden om voorrang. 'Dat kan een ander makkelijk zeggen,' antwoordde ze uiteindelijk.

Diane knikte en glimlachte. 'Dus jij denkt dat ik nooit verdriet heb gehad. Weet je wat er met mijn eerste man gebeurd is?'

Annie schudde haar hoofd. Ze had altijd aangenomen dat hij aan een natuurlijke oorzaak was overleden. Het klonk nu bot, zelfs in haar gedachten. Alsof dat zijn dood makkelijker te dragen had gemaakt.

'Hij is verpletterd bij een ongeluk in de bouw,' zei Diane. 'Ik was zwanger en ik verloor onze baby.'

'Wat erg,' zei ze zacht.

'Wist je dat je vader en ik twee baby's van onszelf verloren hebben?'

Annie fronste en schudde haar hoofd, ze kon het haast niet geloven, maar je kon veel van Diane zeggen, eerlijkheid was haar beste eigenschap.

'Miskramen. Allebei rond de vierde maand. Ach, wat had ik graag moeder willen worden,' zei ze.

Annie zag de pijn in haar ogen en herinnerde zich hoe vreselijk ze tegen Diane had gedaan. Nog steeds deed. Ze voelde een schroeiende schaamte. Ze had Diane nooit echt een kans gegeven en nu zag ze in hoe grievend dat geweest moest zijn. Toch had haar stiefmoeder haar altijd geaccepteerd en nooit een wrok tegen haar gekoesterd. Ze had vergeven, besefte Annie nu.

'Het spijt me, Diane,' zei ze. 'Ik wist het niet.'

Diane glimlachte. 'Ik vergeef het je. Zie je hoe makkelijk het is? Gewoon loslaten. Open je hand en,' ze blies tegen haar handpalm, 'weg is het.'

Daar werd Annie boos om. Ze bagatelliseerde haar worsteling. 'Nou, en als ik hem vergeef?' beet ze terug. 'Hij gaat weg. En ik ook. Er is geen reden om nog langer te blijven.' Haar borst deed pijn bij die woorden.

'Maar je bent wel op zoek naar een reden, hè?' vroeg Diane. Ze wachtte niet op antwoord, maar vervolgde: 'Weet je, Annie, hoe ouder ik word, hoe meer het schijnt dat het gordijn dunner en dunner wordt. Ik kan er nu bijna doorheen kijken naar de hemel.'

Annie voelde een schok door zich heen gaan. Ze had nooit iemand anders over de sluier horen praten. 'Dat heb ik ook wel eens gedacht,' zei ze haast ademloos. 'Over het gordijn. Maar ik heb het nooit iemand anders horen zeggen.'

'O, hij bestaat,' zei Diane. 'Maar de meeste mensen kijken er nooit langs. Jij bent een van de uitverkorenen.'

Annie keek haar geschokt aan. Haar woorden waren weerzinwekkend. 'Ik heb er nooit langs willen kijken,' zei ze verhit. 'Het enige wat ik wilde, was hem weer aan elkaar flansen, maar ik wist niet hoe. Ik wilde hem alleen maar repareren.'

Diane keek haar aan of ze gek geworden was. 'Je kunt hem niet repareren!' zei ze hoofdschuddend.

Annie voelde verlies bij haar woorden, voelde het laatste stukje hoop losscheuren van de ragfijne naad. 'Wat moet je dan doen?' vroeg ze na een ogenblik.

Diane keek haar medelijdend aan, maar er zat iets onder wat Annie in elkaar deed krimpen.

'Je trekt hem gewoon naar beneden,' zei ze. 'Helemaal. Dan kun je het hele spel zien uitspelen, niet alleen het ene kleine stukje kwaad in jouw hoekje van de wereld. Dan kun je de Koning zien rijden op zijn witte paard en Zijn vijanden zien verslaan.'

Even vergat Annie dat Diane Dalton haar stiefmoeder was, want ze leek wel een profetes met haar stralende gezicht en blauwe ogen die naar een onzichtbare realiteit staarden.

'Trouwens,' zei Diane na een ogenblik. 'Het is niet alleen het kwaad dat het gordijn scheurt.'

'Wat?' vroeg Annie suf.

'Soms trekt God het opzij.'

'Ik weet niet waar je het over hebt.' Ze zei het plompverloren, wetend dat ze grof was, maar ze was in de war en haar hoofd deed pijn. Het was een stomme analogie en ze wenste dat ze zich niet in dit gesprek had laten betrekken.

'Weet je nog hoe je je voelde toen Margaret was geboren?'

De vraag voelde als een brute slag. Alsof dit keer iemand anders een mes onder haar huid had laten glijden en hem afpelde. De lucht raakte blootliggende zenuwen. 'Natuurlijk.'

'Was dat geen glimp achter het gordijn?' vroeg ze zacht.

Annie herinnerde het zich. Nee. Meer dan dat. Ze was daar in het kleine ziekenhuis, en daar was Ricky Truelove, die breed grijnzend haar dochter omhooghield, zijn nichtje, overdekt met het lotion van de geboorte. Hij pakte een handdoek en veegde haar af, kuste haar stevig op haar kruin en overhandigde haar rood en schreeuwend aan Sam, die haar bij Annie bracht.

Mary was erbij geweest en had gehuild en gelachen. Laurie en Diane hadden naast haar gestaan, papa buiten in de gang. Theresa had haar rug gewreven en slokjes water laten drinken. Dov zat in de wachtkamer te lezen en thee te drinken. En Sam. Arme Sam. Ze wist het nu weer en moest er tot haar eigen schrik om lachen. Maar heus, het was zo absurd geweest. Sam de chirurg, die routineus borstholtes opende en goochelde met piepkleine hartjes, was er beroerd aan toe geweest, veel erger dan zijzelf. Hij had haar begeleid met een intensiteit die haar uitputte en haar ongerust om hem maakte.

'Misschien moet je proberen even te gaan slapen,' had ze tussen de weeën door tegen hem gezegd.

Sam had onwrikbaar geweigerd zijn post aan haar zij te verlaten. Elke keer als er een wee kwam opzetten, vertrok zijn gezicht van pijn. Als ze over waren, was zijn opluchting tastbaar.

'Broer, je moet je kalm houden,' had Ricky grinnikend gezegd. 'Dit is een natuurlijk proces. Vrouwen doen het al sinds God Adam en Eva geschapen heeft. Ga even naar buiten. Neem even rust.'

'Weet je nog hoe je je voelde toen je dat kleine meisje zag?' Diane vroeg het vriendelijk, kennelijk bewust van het gevoelige gebied dat ze betrad, maar vastbesloten door te zetten.

O ja. Of ze het nog wist. Ze had naar dat kleine lijfje gekeken, het rode krulhaar dat pluisde op het hoofdje, in de heldere ogen die blauw zouden worden zoals die van haar vader, en ze had geweten dat God het had gedaan.

'Jij had het voorrecht dat je een onsterfelijke ziel ter wereld mocht brengen,' zei Diane. Haar stem was nauwelijks meer dan een fluistering. 'Niets kan dat wegnemen. Zelfs de dood niet.'

Daarna zeiden ze geen van beiden veel meer. De wind deed de bladeren van de eik buiten ritselen.

'Je vaders wedloop is bijna gelopen en de mijne ook,' zei Diane ten slotte. 'Maar de jouwe ligt nog voor je. Je kunt wensen dat het anders was, maar je bent nog steeds hier.' Ze zei het met de praktische beslistheid die haar eigen was. 'Je kunt je armen over elkaar slaan en je hart afsluiten. Je kunt stampvoeten en woedend zijn, of je kunt je openstellen en opnieuw liefhebben.'

Annie veegde haar gezicht af. Snufte.

'Ben je boos op me?' vroeg Diane.

'Nee.' Annie zweeg even, toen waagde ze de sprong in het diepe. 'Ik houd van je.'

Diane glimlachte lief. 'Ik houd ook van jou, meisje. Dat heb ik altijd gedaan.' Diane kwam naar haar toe en omhelsde haar stevig, toen hield ze haar op een armlengte van zich af en zei nog één ding, een intense fluistering, een hartstochtelijke aansporing. 'Je moet je weg gaan, Annie. Ga je weg. Pieker niet langer over dingen die je verstand te boven gaan. Krijg je baby's. Houd van je man. Leef je leven. Al te vlug zal het voorbij zijn.'

Toen draaide ze zich om en vertrok.

41

Sam, Carl en Elijah ontbeten in de Cracker Barrel in plaats van het Waffle House, op bevel van Diane, omdat Carl in de Cracker Barrel gezond kon eten. In theorie, althans. Ze was er in hoogsteigen persoon heen gegaan toen hij had gezegd dat hij weer halve dagen ging werken en had het keukenpersoneel streng opgedragen hem niets anders te serveren dan eiwitomeletten, droge tarwetoast en cafeïnevrije koffie.

'Ik heb tegen haar gezegd dat ze me maar liever moest doodschieten, dan hadden we het gehad, want wat is het nut van het leven als het zo droog en smakeloos is?' Carl zuchtte diep en pikte een vork van Sams gebakken aardappels, wat Sam veinsde niet te merken. Elijah glimlachte om zijn melodramatische gedoe.

Carl nam een slok cafeïnevrije koffie en trok een gezicht, toen zei hij ernstig tegen hen beiden: 'Ik wil jullie nogmaals bedanken voor alles wat jullie voor me hebben gedaan.'

Sam en Elijah verzekerden hem dat het helemaal geen moeite was geweest. En Sam meende het inderdaad. Al keerde hij morgen naar zijn eigen praktijk terug, hij zou dit missen. Dit alles, en hij kreeg een hol gevoel bij de gedachte aan alles wat dat inhield. Hij had vreemde gevoelens. Opgejaagde gevoelens die hij niet kon kwijtraken. Hij hield zich voor dat terugkeren naar het werk het geneesmiddel was voor wat hem mankeerde, maar hij geloofde het niet echt, en de gedachte aan het werk dat hem wachtte, gaf hem opnieuw een gespannen gevoel, net zoals toen hij vertrokken was. Maar hij zou gaan. Hij deed het. Wat voor keus had hij anders?

Terwijl ze verder ontbeten, praatte Sam Carl bij over de vooruitgang en de toestand van elke patiënt. Ze gingen naar het ziekenhuis, maakten de ochtendronde en gingen bij alle patiënten langs die Sam in Carls afwezigheid had bezocht. Het oog van de door de muilezel geschopte boer was goed genezen. Lewis Wilson was nog niet gestorven, maar deze keer bad Carl en Sam zag vrede lichten in de ogen van de gezinsleden. Ze kregen zelfs thee met scones bij Eliza Goddard, die giechelig was van opluchting dat ze haar vriend terug had en niet eens deed alsof ze ziek was.

Dit waren Carls mensen, besefte Sam. Zijn vrienden, en al zou dat de enige vrucht van zijn leven zijn, dan was het nog genoeg. Hij voelde de zwaarte weer bij de gedachte aan zijn terugkeer naar Knoxville. Naar zijn appartement. Naar zijn leven. Hij verwierp de gedachte dat er eigenlijk niets veranderd was.

★

Annie zag ertegen op om naar Mary te gaan voor het avondeten. Ze legde de laatste hand aan het inpakken en wierp een blik op het prentje van de goede herder terwijl ze zich voorbereidde op een andere boodschap die ze nog te doen had. Ze nam het tapijt dat ze had gemaakt, rolde het op en bond het dicht met een stuk lint. Toen reed ze naar Silver Falls om afscheid te nemen van mevrouw Rogers.

Het bordje *Open* hing in de etalage en de voordeur stond wijdopen. Mevrouw Rogers lag op haar knieën in haar groentetuin. Ze droeg een opzichtig rode ensemble en een reusachtige strohoed. Annie glimlachte en was opgelucht. Ze was bang geweest dat de oude dame verdwenen was, in haar afwezigheid was weggegaan, en dat had haar pijn gedaan. Al was ze zelf van plan om te vertrekken, ze wilde weten dat deze plek hier nog steeds zou zijn, dat deze persoon zou blijven. Ze parkeerde haar auto en stapte uit, stopte het tapijt onder haar arm. Mevrouw Rogers kwam langzaam overeind en begroette haar zoals gewoonlijk lachend.

'Wist u dat ik vandaag zou komen?' vroeg Annie.

'Ik geloof dat mijn radar vandaag niet aanstond,' bekende de oude vrouw. 'Ik heb vanochtend zitten tobben en me zenuwachtig gemaakt over Imagene, en als dat gebeurt, wordt de stem van God overstemd.' Ze schudde haar hoofd. 'Maar ik ben wel blij je te zien.'

'Wat is er met Imagene?' vroeg Annie terwijl ze mevrouw Rogers volgde naar binnen.

'O, hetzelfde als anders,' zei mevrouw Rogers. Ze hing haar hoed op een spijker achter de deur en veegde haar voeten. Ze legde haar hand op haar heup, vertrok haar gezicht en imiteerde haar dochter met een hoog, lijzig stemmetje. '*Mama*, je moet toch heus naar *Charleston* komen, dan kan ik een *oogje* op je houden.'

Annie lachte hardop en mevrouw Rogers glimlachte tevreden.

'Het is niet echt een vervelend kind,' zei mevrouw Rogers en haar gezicht verzachtte. 'Ik weet dat ze zich echt om me bekommert, maar bij Imagene betekent dat soms dat ze over je heen loopt. Zo was ze als kind al. Tegendraads. Gooi haar in de rivier en ze drijft stroomopwaarts.'

Annie grinnikte.

'Ga zitten,' inviteerde mevrouw Rogers. 'Ik zet even koffie.' Annie ging zitten, zette haar tas op tafel en legde het tapijt neer. Haar gastvrouw verdween weer in de winkel en kwam terug met een in cellofaan verpakte kokoscake, die ze openmaakte en in plakken sneed.

'Die kocht mijn oma ook altijd,' zei Annie. 'Ze was er gek op.'

'Het is niet goed voor me, maar ik vind het zo lekker,' zei mevrouw Rogers.

Ze dronken koffie en aten cake.

'Had je een goede band met je oma?' vroeg mevrouw Rogers.

Annie knikte. 'Zij heeft me tot God geleid.' Even verzonk ze in herinneringen. Ze dacht aan de kerkgang met haar oma en het zingen van oude liederen en de zondagsschool, waar ze Bijbelteksten uit haar hoofd leerde.

'Ik was negen jaar,' zei ze. 'Ik zat bij haar op de veranda in de schommelbank en ze vertelde me over het geloof. Neem Jezus Christus aan in je hart. Geloof dat Hij de Zoon van God is en dat Hij voor je gestorven is. Belijd Hem met je mond en je zult behouden worden.' Ze wist nog hoe ze haar nagebeden had, de woorden herhalend, en hoe ze aan haar keukentafel had gezeten en het tafelzeil onder haar handen voelde en in haar Bijbel las.

Ze keek rond en ontdekte dat Mamies keuken niet zoveel verschilde van deze. Dat was waarschijnlijk de reden dat ze zich hier zo op haar gemak voelde. Ze herinnerde zich die keuken goed, vol van het zachte gepraat van vrouwenstemmen. Ze herinnerde zich hoe ze zich had gevoeld als ze daar was – veilig, geborgen, genoeg geliefd om op haar kop te kunnen krijgen. Ze herinnerde zich de brede boezems en de hemdjurken en de stijve kapsels en de eau de cologne van haar oudtantes. Ze herinnerde zich papieren waaiers met plaatjes van Jezus knielend in de hof of aan het Laatste Avondmaal, waarmee indrukwekkend werd gewuifd als de laatste vaat was afgewassen. Ze herinnerde zich het witte linnen tafelkleed en het geschilderde servies.

Ze herinnerde zich de baby's, want het leek wel of er altijd een of twee waren op hun familiebijeenkomsten, en hoe graag zij ze altijd had vastgehouden. Ze herinnerde zich hun dikke wangetjes en hun spekbuikjes en hoe ze roken in de hete zomer van Carolina – een mengeling van poeder en melk en babypoeder.

'Ik heb iets voor u meegebracht,' zei Annie. Ze gaf mevrouw Rogers het opgerolde tapijt.

Het gezicht van mevrouw Rogers straalde van genoegen en Annie was blij dat ze geen tijd verdeed met protesteren tegen het geschenk. Ze maakte het lint los en ontrolde het tapijt. Ze snakte naar adem van verbazing.

'Ach, lieve help.' Ze ontvouwde het en draaide het verbijsterd om, streelde het met haar hand. 'Heb jij dat gemaakt?'

'Ja,' zei Annie.

'Ach, wat is dat prachtig.' Ze schonk Annie een glimlach die ook prachtig was.

'Het bevat alle dingen waar ik in deze omgeving zo van houd,' zei Annie, en ze wees op de kleuren en het dessin en vertelde wat ze voor haar betekenden.

'Ik zal het altijd koesteren,' beloofde mevrouw Rogers. 'En elke keer als mijn oog erop valt, zal ik eraan denken voor je te bidden. Maar ik wil er liever niet op trappen. Ik hang het denk ik maar aan de muur,' zei ze stralend.

Ze zaten even zwijgend bij elkaar, toen zei mevrouw Rogers: 'Je praat alsof je klaar bent om te vertrekken.'

Opnieuw werd Annie getroffen door de scherpzinnigheid van de oude vrouw. Ze knikte.

Mevrouw Rogers keek niet sip en maakte geen tegenwerpingen. Ze leunde achterover en begon te praten. 'Ik heb nooit mijn verhaal afgemaakt,' zei ze. 'Ik ben blij dat je teruggekomen bent.'

'Ik wil het graag horen,' zei Annie. Dat was ook een reden geweest om te komen, naast gedag zeggen.

Mevrouw Rogers ging naar de slaapkamer en kwam terug met de inmiddels bekende doos. Ze haalde er een ander dagboek uit, nam drie bruin getinte foto's van de voorkant en gaf ze aan Annie.

'Dit was de dominee,' zei ze.

Annie bekeek de foto. Het eerste wat haar opviel, was dat hij lachte, ongewoon voor die tijd toen poseren voor een portret uren kon duren in plaats van seconden. Hij had aardige ogen en een glimlach die haar hart een slag deed overslaan, maar dat kon ook komen door het andere deel van het toneeltje, want op zijn schoot zat een klein meisje van een jaar of vier met haar arm om zijn hals geslagen. Ze was duidelijk dol op hem.

'Dat is Sarah met hem,' zei mevrouw Rogers. 'Annies kind. Mijn moeder,' voegde ze er met een zachte glimlach aan toe.

Annie schrok. Natuurlijk, het sprak vanzelf dat een van de kinderen de moeder van mevrouw Rogers was, en op een of andere manier leek de band tussen haarzelf en de andere Annie en de oude vrouw voor haar nu nog echter.

'Hebben ze nog kinderen met elkaar gekregen?' vroeg Annie.

Mevrouw Rogers gaf haar de tweede foto.

Het waren Annie en Lucas en Sarah, nu als jonge vrouw. Nog lachend en netjes opgesteld voor de foto waren drie jongens in ongemakkelijk uitziende pakjes, maar ondanks hun formele kleding straalden hun vrolijke gezichten kattenkwaad uit. Ze herinnerde zich wat Annie over haar eerste jongens had gezegd, dat ze sterk en blij waren geweest, en ze bedacht dat Margaret dat ook was geweest. Ze bekeek Annie goed. Ze zat naast haar man met een kleintje op schoot. Haar gezicht stond kalm en vol rustige vreugde.

'Dat waren Clarence en Frederick en Douglas, en de baby was Minnie. Dominee Johnson heeft overal in de Smokies kerken gesticht. Een in Grassy Creek, een in Hopper's Gap, een bij Pigeon River en een bij Dillon's Cove.'

'Reisde Annie met hem mee?'

'Soms. Tot de kinderen kwamen.'

'Was ze gelukkig?' vroeg Annie. Ze wist het antwoord, dacht ze, maar ze wilde het haar horen zeggen.

'Hier,' zei mevrouw Rogers, haar het dagboek overhandigend. 'Lees zelf maar.'

Ze bladerde even. Er stonden details in over de opvoeding van de kinderen, huishoudlijstjes, en toen een alinea. Ze las hem.

Vanmiddag hebben we de laatste aardappels gerooid. De kelder is vol, net als het rookhok. Lucas zegt dat God ons gezegend heeft en als ik naar onze kinderen kijk die om de tafel zitten, dan weet ik dat het waar is. God heeft me mijn deel en mijn erfdeel gegeven.

Annie schrok en voelde een rilling over haar rug, want eens had zij die tekst op haar eigen leven betrokken.

Mijn deel heeft verdriet bevat zowel als vreugde, maar bij wie niet? Ik kan nu zeggen, achteraf, dat de grenslijnen voor mij op aangename plaatsen gevallen zijn. God is goed. En ik ben dankbaar.

Ze gaf het dagboek terug. 'Hoe is haar leven geëindigd?' vroeg ze.

Mevrouw Rogers glimlachte. 'Haar kinderen werden volwassen en gingen verschillende kanten uit. Lucas en zij bleven hier in Silver Falls wonen. Lucas stierf toen hij achtenvijftig was, maar Annie leefde nog tien jaar en gaf zondagsschool tot op de dag dat ze stierf.'

Annie zuchtte en keek op haar horloge. 'Ik moest maar eens gaan.'

Mevrouw Rogers maakte geen tegenwerpingen, maar stond samen met haar op.

'Ik zal u nooit vergeten,' zei Annie en ze omhelsde de smalle schouders.

'Ik jou ook niet,' antwoordde mevrouw Rogers. Ze klopte met een dooraderde hand tegen haar gezicht. 'Ik zal elke dag voor je bidden,' beloofde ze en Annie knipperde tranen weg toen ze wegreed.

★

Zoals Annie gevreesd had, was de avondmaaltijd bij Mary een gespannen toestand. Papa's aanwezigheid bracht nog wat leven in de brouwerij, maar iedereen was stilletjes en verzonken in eigen gedachten. Annie was bedrukt en Sam ook, merkte ze. Na het eten vond ze hem in de tuin bij het beeldje van Margaret. Hij gaf haar een envelop. Ze staarde erop neer, niet wetend wat er in zat.

'De echtscheidingspapieren,' zei hij. 'Ik heb ze getekend zoals je wilde. De eigendomsregeling ziet er goed uit. Ik zal je met plezier de helft van alles geven.'

Ze had zich niet beroerder kunnen voelen als hij haar geslagen had. Ze knikte en gaf hem het pakje dat ze bij zich had.

'Dit zijn foto's van Margaret,' zei ze. 'Ik heb ze bij laten maken. Nu hebben we elk een stel.'

'Dank je,' zei hij somber. Hij keek naar zijn schoenen.

'Ik ga vanavond naar het huis om de boel af te maken,' zei ze.

'Zoals ik al zei, ik zorg wel voor wat je achterlaat.'

'Is er nog iets anders wat je wilt hebben?' vroeg ze en diep vanbinnen hoopte ze dat hij antwoord zou geven op de echte vraag achter die woorden.

Hij schudde zijn hoofd.

Ze knikte en voelde haar keel dichtschroeven, want dit was haar bedoeling niet geweest. Dit was helemaal verkeerd, maar ze kon niets doen om het tegen te houden. Het was net een op hol geslagen trein, een auto zonder remmen. Hij reed door en ze kon niets doen om zijn koers te veranderen.

Sams mobiele telefoon rinkelde. Hij nam op zoals ze zich dat herinnerde. 'Truelove,' zei hij afgebeten, weer helemaal de drukke chirurg, de man die geen tijd had en het gewicht van kleine levens op zijn schouders droeg. Ze keek naar hem terwijl hij zwijgend luisterde en zag de schrik op zijn gezicht en daarna het verdriet. 'Dank je,' zei hij en beëindigde het gesprek.

'Wat is er?' vroeg ze.

'Dat was Melvin,' zei hij.

Na een ogenblik kon ze de naam thuisbrengen. Sams advocaat.

'Kelly Bright is net overleden.'

42

Kort daarna vertrok Annie van Mary's huis en reed terug naar haar vader. Ze probeerde uit te maken wat deze nieuwe gebeurtenis betekende, zowel in het abstracte strijdperk van het hart als op het praktische gebied van reisarrangementen. Ze stelde elke beslissing uit behalve die ene die haar was ingevallen toen ze het nieuws hoorde. Ze zou een laatste taak uitvoeren, een gunst voor Sam. Ze zou hem dit afscheidsgeschenk nalaten dat misschien iets van zijn pijn kon verzachten. En het zou ook een geschenk zijn aan Rosalie Cubbins. Misschien zou het haar hart verzachten, haar het verzoek doen toestaan dat Annie haar vanavond zou doen. Het duurde niet lang om op te schrijven wat ze verzameld had. Een paar aantekeningen, maar het meeste zat in haar geheugen. Ze schreef snel en gemakkelijk, de woorden vlogen van haar hart door haar vingertoppen op het computerscherm. Toen ze klaar was, printte ze het stuk uit en ging op weg naar Knoxville. Naar Varner's Grove. Naar het gekrabbelde adres op de kaart die Griffin White haar had gegeven, het adres van Rosalie Cubbins, de moeder van Kelly Bright.

Er was weinig verkeer. Ze draaide het raampje naar beneden en liet de droge, hete wind naar binnen blazen. Het was lekker tegen de kou die zich in haar botten had genesteld. Nadat ze één keer de weg had gevraagd, vond ze het adres. Kelly Bright had in een bouwvallig, doosachtig huis gewoond, in een straat tussen andere die precies hetzelfde waren. De projecten, zoals Jordan Abrams had gezegd.

Annie klopte aan en wachtte. Ze hoorde een televisie, het geluid van voeten en daar was Rosalie. Ze staarde haar verbaasd aan, maar een ogenblik later deed ze de deur open. Misschien aanvaardde ze de ongerijmdheid als normaal in een leven dat meer neigde naar absurditeit dan naar normaliteit. 'Kom binnen,' zei ze en liep weg voordat ze iets kon zeggen, wuifde met haar sigaret naar de bank.

'Het spijt me dat ik u stoor in uw verdriet,' zei Annie. Wat een banale woorden. En zo zonder betekenis, want dat was precies wat ze van plan was geweest.

Rosalie trok één schouder op en liet hem weer vallen. Haar ogen waren leeg en moe, en Annie wist niet of het door het verlies van het kind kwam, of dat het al sinds haar kindertijd zo was geweest. Haar haar hing in twee sluike pieken aan weerskanten langs haar gezicht. Ze wreef met een hand over haar ogen en Annie zag haar vingernagels. Ze waren rauw en rood afgebeten.

'Wat doet u hier?' vroeg ze oneindig vermoeid.

Annies mond werd ineens droog, want ze besefte wie ze was en wat ze hier deed. Ze pakte de twee dingen die ze had meegebracht uit haar tas. Ze overhandigde Rosalie eerst de bundel papieren.

'Ik heb u niet alles verteld toen ik u de eerste keer ontmoette,' zei ze. 'Ik ben verslaggeefster.'

Rosalies ogen werden donker van cynisme. De uitgebluste reactie van iemand die eerder verraden was.

Annie schudde haar hoofd. 'Ik geef dit alleen aan u,' zei ze. 'Het komt in geen enkele krant.'

Rosalie keek op de papieren neer en de hand waarmee ze ze vasthield, beefde. Ze begon te lezen, haar lippen bewogen licht. Ze legde de sigaret neer en pakte een verfrommelde tissue van de tafel. Ze las nog een stukje. Ze sloeg de eerste bladzijde om. Na een tijdje de tweede. Toen de laatste. Tegen de tijd dat ze klaar was, was haar gezicht nat van tranen.

419

'Gaat u dit niet laten drukken?' vroeg ze zacht toen ze klaar was.

'Dat was niet mijn bedoeling toen ik het schreef,' zei Annie.

Rosalie gaf geen antwoord, maar boog zich over het bijzettafeltje en pakte een foto die ze Annie toestak. 'Dit is ze. Mijn kind.' Ze snufte.

Annie pakte de foto in het kartonnen lijstje. Kelly was een jaar of negen. Ze had sproeten. Schoon bruin haar, gescheiden in het midden, warrige golven. Haar ogen stonden helder, haar huid was fris. Ze droeg een goedkoop kettinkje met een kruisje, een roze T-shirt en ze had een beugel.

'Hoe lang had ze die beugel gehad?' vroeg Annie.

Rosalie schudde haar hoofd en blies weer een straal rook uit, snoot haar neus onhandig in de gerafelde tissue. 'Dat ding. Hij zou er zes maanden voor het ongeluk uitgaan, maar ze droeg dat buitenboordding nooit. Toen moest ze nog een tijd. Ik moest elke week een extra dienst draaien om hem te betalen.' Ze versmolt weer in tranen en Annie wist wat ze dacht. *O, kon ik dat nog maar doen. Wat zou ik graag een dienst, een dag, een week, mijn leven geven om het jouwe terug te krijgen.*

'O, God,' jammerde ze. 'O, o, God.' Ze vouwde dubbel, drukte haar arm tegen haar maag alsof ze verschrikkelijke pijn had. Ze wiegde heen en weer en haar kreten vulden het kleine huisje.

Annie schoof naar haar toe en sloeg haar armen om de schokkende schouders. Ze hield haar vast tot ze ophield met huilen.

'Ik had haar nooit door hem moeten laten ophalen. Ik had beter moeten weten.' Ze boog haar hoofd en huilde weer en Annie wist wat ze voelde. Ze wist het, omdat zij het ook had gevoeld. Nog steeds voelde, dat eigenaardige, kwellende gevoel van voorkennis, die overtuiging dat als ze maar had opgelet, als ze maar had gezien wat iedereen gezien zou hebben, als ze niet alleen maar aan haarzelf had gedacht, dan zou ze gedaan hebben wat noodzakelijk was om haar dochter te beschermen. Te redden.

'Het was een ongeluk,' zei ze tegen Rosalie. 'Gewoon een ongeluk. Soms zie je niet hoe iets gaat aflopen. Soms kun je er niets tegen doen.

Rosalie huiverde en maakte zich los uit Annies armen. Ze ging naar de andere kamer en kwam terug met een rol toiletpapier. Ze snoot haar neus. Ze pakte de papieren weer op en keek ze langzaam door. Ze glimlachte een paar keer terwijl ze de woorden las, en toen ze klaar was, legde ze ze neer en sprak vastbesloten.

'Ik wil dat de mensen mijn dochter kennen zoals ze was,' zei ze. 'Ik wil dat u dit in de krant zet.'

Annie knikte. 'Ik denk dat ik dat wel kan regelen.'

'Mag ik dit houden?'

'Natuurlijk,' zei Annie en haalde diep adem voor wat ze nu moest gaan zeggen. 'Ik ben niet alleen verslaggeefster,' zei ze ten slotte zacht en aarzelend. Ze had naar de vloer gestaard, naar een slijtplek in het verschoten bruine kleed. Ze sloeg haar ogen op naar Rosalies verbijsterde gezicht.

'Ik ben de vrouw van Sam Truelove.' De op handen zijnde scheiding was een irrelevant detail.

Rosalie staarde haar niet begrijpend aan, en ineens trof het Annie als buitengewoon ironisch dat Rosalie de naam niet herkende.

'Mijn man,' zei ze, en daar had je dat woord weer, het gleed zo makkelijk uit haar mond alsof het waar was, 'mijn man was de dienstdoende chirurg op de dag dat uw dochter gewond raakte.'

Rosalie schoof naar achteren op de bank, haar gezicht had een uitdrukking die Annie niet kon duiden en omdat ze niets anders wist te doen, begon Annie te praten. Willekeurige woorden, maar dingen die ze de laatste dagen en weken in gedachten had om- en omgedraaid.

'Mijn man staat elke ochtend om half vijf op,' zei ze zacht, alsof ze vanmorgen nog haar hand had uitgestoken en de warme plek naast zich in bed had gevoeld, alsof ze kon opstaan en naar de andere kamer lopen om hem daar te zien, zijn koffie afmetend, zijn dossiers nog één keer doornemend voor de lange rit naar Knoxville. 'Hij gaat naar het ziekenhuis, waar hij het grootste deel van zijn tijd doorbrengt. Hij slaapt niet veel, vooral de nacht voordat hij een operatie doet, omdat hij in gedachten de procedure almaar opnieuw doorneemt.

Hij was vroeger een heel ander mens. Hij ging altijd 's avonds naar het ziekenhuis, omdat dan de ouders er waren. "Ze moeten me spreken, Annie," zei hij dan. "Ze moeten me in de ogen kunnen kijken en mijn hand kunnen aanraken en mijn hoop kunnen voelen. Dat is de enige manier waarop ze het kunnen doorstaan." Hij ging naar het ziekenhuis en hij las alle statussen, dan ging hij naar zijn spreekkamer en ontving hen. O, het breekt je hart als je ziet wat hij ziet,' zei ze. 'Al die gebroken kleine kindertjes. Ik weet niet hoe hij het kon verdragen. Hij zei dat God hem daarbij hielp, maar hij wilde er niet met me over praten. Ik denk dat hij een hoek in zijn leven nodig had die onaangeraakt was door verdriet.'

Rosalie zat haar nu met open mond aan te staren.

'Hij ging naar zijn spreekkamer en ontving zijn patiënten, en op sommige dagen stond hij de hele dag te opereren. Hij vertelde me dat hij nooit veel voelde als hij daar was. Geen pijn. Geen vermoeidheid. De tijd stond voor hem zo'n beetje stil. Er was niets anders dan hij en het kleine ding dat hij probeerde te repareren. Het was net een wedstrijd, zei hij. Tussen hem en de dood. Alsof hij in de ring gestapt was en maar één van hen kon winnen. Hij bleef soms zes, acht, tien uur in die operatiekamer voordat hij stopte. Op zulke avonden kwam hij zo leeg thuis, en dan kookte ik voor hem en hij at en ik zag hoe hij weer opgeladen werd, maar hij vertelde me er nooit veel over.

Maar de ergste dagen waren die van de begrafenissen. Hij ging naar de begrafenissen. Naar bijna allemaal. Hij zei dat het zijn plicht was om de weg met hen te gaan. Het was de last die God hem had opgelegd.

Hij moet naar de begrafenis van jouw dochter, Rosalie.'

En ze zag hem ineens voor zich in zijn zwarte pak, zijn gesteven witte overhemd, zijn vierkante, bekwame handen gevouwen, zijn gezicht afgemat en ernstig. Zijn schouders afgezakt, de lijnen van neus naar mond diep zoals altijd wanneer hij zorgelijk of bedroefd was. 'Hij moet erbij zijn. Ik weet dat hij graag zou willen komen. Als jij het hem toestaat.'

Even was het stil. Ze was klaar. De stilte klonk luid in de kleine woonkamer. Het gonzen van de televisie accentueerde het nog.

Uit haar tas pakte ze het laatste wat ze bij zich had. Ze overhandigde het aan Rosalie en zag hoe ze het uitpakte, zag haar blik op het gezicht van Jezus de goede Herder, zag haar het prentje omdraaien en de achterkant lezen. Haar ogen vulden zich weer met tranen.

Annie stond op, ineens wilde ze weg uit dit huis van droefheid. Rosalie volgde haar niet naar de deur. Ze bleef op de verzakte bank zitten, maar na een ogenblik sprak ze.

'Oké,' zei ze en dat was alles.

Annie knikte en voelde een plotselinge verwantschap met haar. De verwantschap van een liefde die niet ver genoeg was gegaan. Ze wierp nog één laatste blik op het stralende gezicht op de foto, alles wat er over was van Kelly's warme vlees, haar lach, haar radslag en haar gebabbel. 'Ik vind het heel erg van uw dochter,' zei ze.

43

Het was een ontroerend, liefdevol stuk en het schilderde het beeld van het leven van een jong meisje beter dan enig stuk dat ze ooit had geschreven. Het einde was haar favoriete gedeelte.

De moeder van Kelly Bright wilde dat de mensen wisten van haar leven, niet alleen van haar dood. Hoeveel ze hield van een goede grap en dat ze een verzameling rode clownsneuzen en windkussens had. Dat ze eens met een oom van haar verstopt onder de achterbank was meegegaan naar een afspraakje, en op een teder ogenblik tevoorschijn was gesprongen.

Ze hield van vlechten in haar haar en ze verzamelde mooie steentjes. 'Ze had een steentje uit elke plaats waar we geweest zijn,' zei haar moeder.

Ze had een andere smaak van muziek dan de meeste kinderen van haar leeftijd. Ze hield van Frank Sinatra en Tony Bennett, maar op het gebied van film neigde ze voornamelijk naar tekenfilms.

Ze hield van koken. Haar zus zei dat ze de lekkerste pannenkoeken bakte die ze ooit had gegeten. Ze naaide een keer een jurk, maar ze wilde hem niet dragen omdat de kraag scheef was.

Ze ging naar de kerk. Ze nam haar broer en zus mee en bleef hopen voor haar vader en moeder. Dominee Jordan Abrams herinnert zich haar als een kind met een zacht hart. 'Ze vertelde me dat God tegen haar gesproken had,' zei hij, 'en haar had verteld dat haar hele familie tot geloof zou komen.' Hij hoopt nog steeds dat het gebed wordt verhoord en put er moed uit dat Kelly's moe-

der hem vlak voor het einde bij haar dochter heeft geroepen.
Die laatste uren waren mooi. Haar voorhoofd was door haar
dominee gezalfd met olie en een kleine verzameling familieleden
en vrienden bad om haar genezing. In de loop van die avond
werd hun gebed verhoord toen Kelly's geest zich vrijmaakte van
het lichaam dat hem zo lang gehinderd had.
'We zullen haar weerzien,' zei dominee Abrams.
'Ze is nu thuis,' zei Kelly's moeder. 'Ze kan eindelijk vrede heb-
ben.'

Annie was formeel zonder werkgever, maar ze bood het verhaal aan bij de *Los Angeles Times*, en zij gaven toestemming voor plaatsing in de *Knoxville Statesman Review* en de *Varner's Grove Gazette*. Uiteindelijk pakte Associated Press het op. Het kwam op de telex en het grootste deel van Amerika las bij het zondagse ontbijt over het korte leven van Kelly Bright.

Ze stelde haar terugkeer naar Seattle uit tot na de begrafenis. Ze belde Jason Niles, die vol begrip was. Zou ze aan een extra week voldoende hebben om haar zaken te regelen? Natuurlijk, verzekerde ze hem en zichzelf. Ze voelde een spanning die natuurlijk zou verdwijnen als ze weg was, als alles voorbij was.

Bij de begrafenis stond Annie naast Sam achterin. Jordan Abrams bad en preekte, vertelde de mensen over Jezus, zoals Kelly gewild zou hebben. Toen het voorbij was, was ze getuige van het moedigste wat ze ooit had gezien, want Sam verliet zijn plaats naast haar en liep langs de menigte mensen naar Rosalie, bleef voor haar staan en boog zijn hoofd. Ze kon niet horen wat er gezegd werd, maar ze zag dat Rosalie haar hand uitstak en de zijne pakte. Ze stond op, hij bukte en ze grepen elkaar vast in een knellende omhelzing. Camera's flitsten en die foto verscheen samen met Kelly's persoonsbeschrijving.

425

Vergiffenis regeert op begrafenis van meisje uit Tennessee kopte
de *Los Angeles Times.*

Ze reden van de begraafplaats naar huis in volkomen stil-
zwijgen. Zij ging naar het huis van haar vader en viel uitgeput op bed.

★

Sam wist niet hoe lang hij die avond na de begrafenis op de
bergtop was gebleven om te bidden. Het was heet en droog
en stil terwijl de zon onderging. Het donderde om de paar
minuten, een grote trom als achtergrond bij zijn kreten. En
hij schreeuwde het uit. Zijn stem echode door de kleine vallei, jammerend en klagend van verdriet.

De wind trok langzaam aan, de warme bries speelde met
zijn haar en met de bladeren aan de bomen, maar algauw
begon het harder te waaien en af te koelen, en tegen de tijd
dat hij zijn ogen opendeed, stond er een zwiepende storm.
Hij keek onderzoekend naar de donkere lucht terwijl de
wind zijn blote armen striemde.

Hij voelde een koude rilling toen de bekende woorden
hem invielen en de gedachte aan de profeet Elia die om
regen bad. 'Ik zie een wolkje als eens mans hand,' mompelde hij hardop, want daar was het, dat wolkje, en hij zag de
lucht kolken om hem heen en de sterren verdwenen onder
een deken. Er kwamen haastig meer wolken aandrijven, tot
de lucht vol doorweekte sponzen was.

Hij keek vol eerbied, met ingehouden adem toe, en één
grote spetter landde op zijn gezicht, en toen een op de rotsen onder zijn voeten, en toen nog een en nog een en toen
te veel om te tellen.

De regen was gekomen.

Hij boog zijn hoofd en boog zijn wil voor de God Die
hem gemaakt had, Die hem nog steeds maakte. De God Die

had gegeven en genomen. Hij bad nogmaals en haalde de woorden van Job aan. Hij vroeg om vergeving voor zijn aanmatiging en zijn bitterheid. 'U doet alle dingen goed,' zei hij ten slotte, zijn stem schor en hees maar vol van het geloof dat hij gedacht had nooit meer te zullen voelen. 'Dank U, God,' zei hij zacht. Zijn handen vielen langs zijn zijden en hij hief zijn gezicht op en het werd nat door de neerplenzende, genadige regen en van zijn zoute tranen.

Het regende vier dagen en vijf nachten. Niet een boosaardig beukende plensbui, maar een gestage, zware stortregen die roffelde op de zinken daken van de boerderijen, en het verdorde gras en de stoffige, gebarsten grond doorweekte en beekjes vormde. De rivieren en kreken bruisten weer en schuimden over hun rotsbedden. Planten en bloemen en bomen werden groen en de stoffige nevel werd uit de lucht gespoeld. De bronnen gaven weer hun reine, zoete water.

★

Annie droomde nooit. Ze had in geen jaren gedroomd, althans nooit iets wat ze 's morgens nog wist. Maar in de laatste nacht van de regen droomde ze, een levendig kleurendrama van licht en geluid. Ze was aan het wandelen en ineens stond er een klein huisje. Het leek een beetje op het huisje van oma Mamie, en eromheen en binnen waren de dingen waar Margaret van gehouden had. De tonelen veranderden snel na elkaar.

De glijbaan uit het park stond er. De glijbaan waar Margaret beslist in haar eentje af had willen glijden. 'Net haar moeder,' zei Sam dan hoofdschuddend terwijl hij aan de zijkant meeliep, nooit meer dan een armlengte van haar af. Daar was de zandbak met haar emmertje en bakvormpjes en lepels. Toen zag ze het keukenkrukje waar Margaret op stond als ze hielp met koken. De boomschommel. Het speelhuis. Haar roze bed. Haar poppen en haar speelgoed. Al haar spullen waren op deze plek. Alles waarvan ze hield. Alles wat ze nodig had om zich thuis te voelen.

En toen veranderde het toneel zoals dat in dromen gebeurt, en het was of Annie buiten stond en door een raam naar binnen keek, en daar was ze, haar eigen Margaret, haar pluizige rode haar als een wolk om haar gezicht. Ze zat aan een bekende eiken tafel met knopen te spelen. Oma Mamie had een grote bus met knopen en die lagen op de tafel uitgespreid. Ze zag oma Mamie zelf, ze stond achter Margaret aan het fornuis, en ze zag haar eigen moeder bij hen. Ze praatten en lachten en hoewel ze het geluid van hun stemmen kon horen, kon ze geen woorden onderscheiden.

Toen verschoof het lieflijke toneel weer en ze was binnen. Oma en mama waren weg, maar er was Iemand anders gekomen. Er waren nu alleen zij tweeën en Margaret. Annie zag Zijn gezicht niet. Alleen Zijn handen terwijl Hij naar Margaret wees. 'Geef haar aan Mij,' zei Hij vriendelijk tegen Annie en ze keek toe terwijl ze zelf bukte. Ze pakte haar dochter op, knuffelde haar en kuste het lieve halsje, voelde die zachte lipjes langs haar wang strijken. Ze hield haar een ogenblik stevig vast, ze voelde haar ademhaling, de warmte van haar huid. Ze drukte haar gezicht tegen Margarets zachte wangetje en nam het afscheid dat ze nooit had mogen nemen. En toen overhandigde ze haar dochter aan Hem. Margaret glimlachte tegen Hem en stak haar armpjes uit en toen Hij Zijn handen uitstak om haar aan te pakken, zag Annie de littekens in Zijn handpalmen.

Toen was ze weer buiten en keek naar binnen, en ze huilde omdat ze niet langer bij Margaret kon zijn. Want ze wist dat ze niet meer mocht dan kijken en dat dit de allerlaatste blik was die ze op haar dochtertje wierp. Ze drukte haar handen tegen het glas en huilde, maar toen fluisterde een stem tegen haar, en ze moest ophouden met snikken om Hem te kunnen horen.

'Ze is veilig bij Mij,' zei Hij.

Ze werd langzaam wakker. En dit ontwaken was anders dan anders. Ze ontwaakte zonder de gewone zwaarte, zonder de half herinnerde duisternis die bezit nam van haar geest. Ze huiverde van het huilen in haar droom. Het was nu gebeurd, besefte ze, terwijl de tranen weer begonnen te stromen. Haar dochter was weg. Margaret kwam niet terug. Natuurlijk had ze dat geweten, maar nu was het of die waarheid zich een weg had gebaand van haar hoofd naar haar hart, alsof er een grote barrière tussen die twee was neergehaald, alsof voor het eerst in vele jaren haar gedachten en haar hart met elkaar konden praten.

Ze huilde nog een poosje, maar het waren helende tranen, die haar een gevoel van opluchting gaven. Toen ze klaar was, stond ze op en waste haar gezicht. Vlug kleedde ze zich aan, alsof ze zich klaarmaakte voor een plechtige gelegenheid.

Ze stapte naar buiten en deed de deur achter zich dicht. De regen was opgehouden, maar had zijn werk gedaan. Het was een prachtige ochtend en o, wat had ze die ochtenden in Carolina gemist. Ze had het vocht in het hoge gras gemist. Het lied van de vogels in de stilte van de bossen. Het ritselen van de bries door de dennen. De hoge, ruisende stengels maïs en de dikke, krullende ranken van de palmkool. Ze liep een eindje, knerpend over het grind, en nam het landschap van haar jeugd in zich op. De schapenweide, de tuin, het maïsveld, de kreek. Ze liep een stukje langs de weg en de rode aarde was vochtig onder haar voeten. Dat had al die lange jaren vastgezeten in haar keel – het stof van thuis. Ze was weggebleven, maar Hij was haar achterna gekomen, en ineens speelde er muziek in haar hoofd, een zoete, nodigende stem.

Softly and tenderly Jesus is calling, calling for you and for me. See, on the portals He's waiting and watching, watching for you and for me.*

Ze stond stil om te luisteren en voor haar geestesoog zag ze Iemand zo ver weg staan dat ze nauwelijks Zijn gestalte kon onderscheiden. Wie weet hoe lang Hij daar geduldig had staan wachten? Maar in plaats van de strenge, norse figuur die ze zich had ingebeeld, ving ze nu een glimp op van Zijn gezicht en het was verlangend, liefdevol, smachtend naar haar terugkeer tot Hem.

Come home, come home. Ye who are weary come home.

En ze besefte nu dat ze vermoeid was geweest. O, zo vermoeid. Ze was moe van het proberen spijt en verdriet een stap vooruit te blijven, en ze had eindelijk de waarheid ontdekt – de enige manier om er vrij van te zijn was zich erdoor te laten vangen.

Earnestly, tenderly, Jesus is calling – calling: 'O, sinner, come home.'

Ach, wat had Hij liefdevol haar naam genoemd. Hij had niet gedaan of Hij haar zonde niet zag, haar haat en haar vergeefse bitterheid, maar Hij had haar gedrongen het allemaal thuis te brengen. Om het Hem te laten wegnemen.

Ze liep naar de rand van het bos en stond stil. Ze voelde de koele wind door haar haren spelen. Regendruppels lagen nog op de bladeren en de wilde bloemen, schitterend als diamanten in de heldere ochtendzon. Een Vlaamse gaai dook door de lucht en ze dacht aan wat Hij had gezegd. *Ik zal de vermoeide rust geven.* En ze besefte dat, hoewel ze omringd was door stukken die nog aan elkaar geweven moesten worden,

---

* Zachtjes en liefdevol roept Jezus, Hij roept om u en om mij.
Zie, aan de poorten staat Hij te wachten, op de uitkijk naar u en naar mij.
Kom thuis, kom thuis. U die vermoeit bent, kom thuis.
Ernstig en teder roept Jezus – Hij roept: 'O, zondaar, kom thuis.'

het Waarheid was. Zij was vermoeid geweest, maar ze had rust gekregen en ze leefde. Deze dag was haar geschonken, deze prachtige, hoopvolle ochtend. Ze was verkwikt en ze hoorde Zijn belofte in haar oor. *Ik zal de zwakke verzadigen.*

Ze bad zoals ze in geen jaren had gebeden en toen ze klaar was, stapte ze in haar auto en reed hard, met een gevoel of iets wat haar gebonden had, geknapt was. Ze arriveerde. Ze parkeerde de auto.

Ze liep langs de bloeiende boom, klom het trapje op, draaide de knop om en duwde de deur open. Het rook er muf en afgesloten vergeleken met de frisse buitenlucht. Ze liep rechtstreeks naar Margarets kamer. Ze deed de deur open, stapte naar binnen en keek rond, en terwijl ze daar stond, omringd door haar dochters speelgoed, haar dekens, haar kleren, alle parafernalia van haar korte leven, werd ze dit keer niet overvallen door hopeloosheid en verdriet, maar voelde ze een rustige vrede, een aanvaarding van wat was.

Ze vergoot nog meer tranen om het kind dat ze liefhad. Ze zou toch altijd van haar blijven houden? Want welke moeder vergat ooit haar kind? Maar ze voelde diep vanbinnen iets roeren, een sterke, krullende rank van hoop die opschoot door de barsten in haar hart.

Ze liet de deur openstaan toen ze naar buiten ging en terwijl ze nog eens door de gangen en kamers van het huis liep, leek het ineens klein, veel kleiner dan ze zich herinnerde, en ze besefte dat het kwam doordat het huis leeg was, alleen gevuld met voorwerpen, en warme, levende, ademende mensen maken een ruimte groter.

Ze stapte de veranda op en daar was hij, hij stond er rustig alsof hij op haar had staan wachten. Ze liep op hem toe, pakte zijn handen in de hare en ze sprak de woorden die al die lange jaren hun weg naar buiten hadden gezocht.

'Ik houd van je,' zei ze tegen deze man, haar echtgenoot. 'Ik wil weer thuis komen.'

44

Elijah schraapte zijn keel en stak Mary's grasveld over. Het gras was groen en vochtig. De bloemen en struiken waren in de afgelopen dagen een centimeter of vijf gegroeid. Alles bloeide op en dronk de verfrissende regen in. Hij klopte licht aan de voordeur, maar er kwam niemand. Hij deed hem zachtjes open en stapte naar binnen. Hij hoorde stemmen en riep.

'We zijn hier,' riep Mary uit de keuken. 'Kom maar binnen!'

Hij ging naar binnen en keek rond. Mary en Annie en Sam zaten om de keukentafel en ondanks de proppen gebruikte tissues die voor hen lagen, wist hij meteen dat er iets veranderd was. Hun gezichten straalden, van alledrie en hij voelde blijdschap in zijn hart. Hij verzon een smoes dat hij op zoek was naar een koffiefilter, pakte er een en vertrok. Het duurde nog uren voordat hij de kans kreeg om alleen te zijn met Mary.

Hij vond haar nog in de keuken toen Annie en Sam vertrokken waren en ze zag er gelukkig uit, hoewel enigszins verbluft.

'God heeft hier vandaag een machtig werk gedaan,' merkte hij rustig op.

'We hebben over alles gepraat,' zei Mary met een stem vol eerbied. 'We hebben gehuild en gebeden en we hebben elkaar allemaal vergeven,' zei ze en haar gezicht, dat eens gekweld was geweest, drukte nu vrede uit.

'Ik ben zo blij,' zei hij eenvoudig.

Ze knikte, nog steeds verbijsterd. 'Sorry,' zei ze ten slotte, 'wilde je me ergens over spreken?'

'Misschien is dit niet het juiste moment,' zei hij. Hij boog zijn hoofd en keek naar de grond, en toen hij opkeek, zag hij een lichte spanning op haar gezicht en hij vroeg zich af of het kwam doordat ze wist wat hij ging zeggen. Of ze niet wilde dat hij het zei.

'Nee. Ga alsjeblieft je gang,' zei ze, en haar stem was kalm en rustig.

Hij haalde diep adem. 'Mary, ik ben tot een besluit gekomen,' zei hij en hij dacht aan de uren die hij wachtend in gebed had doorgebracht. 'God heeft heel duidelijk tot me gesproken over wat Hij wil, door omstandigheden, Zijn Woord, en mijn eigen verlangens.'

Ze knikte, maar zei niets. Hij schudde zijn hoofd. Hij praatte alsof hij een zondagsschoolklasje voor zich had. Dit was niet wat hij had willen zeggen.

'De baptisten hebben me een positie aangeboden in hun zendingsziekenhuis in Oeganda.'

Ze werd spierwit.

'Ik neem het niet aan,' zei hij vlug.

Ze staarde hem aan.

'Ik blijf hier in Gilead Springs. Carl heeft me gevraagd hem te helpen met zijn praktijk. Ik heb een medische vergunning voor North Carolina aangevraagd. We willen een programma opstarten met de medische faculteit in Asheville om arts-assistenten om beurten stage te laten lopen in een landelijke praktijk, om te leren huisbezoeken te doen en ouderwetse patiëntenzorg te leveren. Ik ben naar Asheville geweest om ervoor te zorgen. Het levert een klein inkomen op en is voor alles het beste.'

Haar mond viel een stukje open. Ze deed hem dicht.

Hij schudde zijn hoofd en schraapte zijn keel. Hij wilde helemaal niet over werk en artsen praten. Hij stak zijn hand in zijn zak. Hij zette het kleine, fluwelen doosje op tafel. 'Ken je die nog?' vroeg hij, terwijl hij het openklapte. Hij durfde haast niet naar haar gezicht te kijken, maar hij deed het toch.

Ze knikte en tranen sprongen in haar ogen, want ze had hem de ring teruggegeven op die avond zo lang geleden, toen hij God was gevolgd naar Afrika. Maar nu volgde hij God op een nieuw avontuur, en hij wist net zo zeker dat hij op de goede weg was als toen. Er was maar één ding waar hij niet zeker van was.

'Mary Ellen,' zei hij hevig ontroerd en angstiger dan ooit in zijn leven. 'Wil je met me trouwen?' vroeg hij voor de tweede keer in zijn leven.

Hij hield zijn adem in en wachtte. En voor de tweede keer in zijn leven kreeg hij hetzelfde antwoord.

★

Annie zat met Sam in de auto voor het huis van haar vader en Diane, en ze voelde zich weer achttien. Ze twijfelde er niet aan dat papa daarbinnen door het gordijn gluurde en dat Diane, die zat te breien, hem glimlachend opdroeg te gaan zitten.

'Ik denk dat we wat plannen moeten maken,' zei Sam. Ze keek voorzichtig naar zijn gezicht, maar ze zag geen spoor van trots of arrogantie, geen aanwijzing dat de agenda al ingevuld was. Zijn gezicht stond rustig en kalm. Hij wachtte op haar antwoord.

Ze knikte. 'Ja, inderdaad.'

'Melvin heeft vandaag met de advocaten van Kelly's ouders gepraat,' zei Sam. 'Ze zijn het eens geworden over het smartengeld. De verzekering zal ze een cheque sturen.'

'Wat heeft dat voor jou voor gevolgen?' vroeg ze. Ze dacht aan al die kleine patiëntjes en voelde ineens het sterke verlangen dat Sam zijn werk zou kunnen doen. Het was zijn roeping en de hartstocht die ze ervoor voelde, verraste haar.

Sam haalde zijn schouders op. 'Barney zei dat de cardiologen hebben gevraagd wanneer ik terugkom. Als zij bereid zijn patiënten door te verwijzen, ben ik bereid om ze aan te nemen. Ik zal mijn werk doen en God voor de rest laten zorgen.'

Wat een lieve woorden, en ze dacht aan de man die hij vroeger was en zag hem weer voor zich.

'Barney heeft me een voorstel gedaan,' zei hij.

Ze verstijfde. Ze wist dat hij een paar keer naar Knoxville was geweest, dat hij Barney gesproken had. Wat ze niet had geweten, was dat de angst zou terugkomen, de vrees dat ze hem weer kwijtraakte. Het raakte haar diep, de gedachte dat alles wat had plaatsgevonden een luchtspiegeling was geweest en in het koude daglicht kon verdwijnen.

'Wat heb je besloten?' vroeg ze kleintjes.

Hij keek haar oprecht verbaasd aan, toen daagde het begrijpen in zijn ogen. Hij pakte haar hand. 'Ik heb niets besloten,' zei hij zacht. 'Ik heb hem verteld dat jij erover mee moet praten. Hij stelde voor dat we morgen met z'n drieën zouden eten.'

Ze knipperde geschokt met haar ogen, maar voordat ze antwoord kon geven, werd ze opnieuw verrast.

'Ik heb hem verteld dat ik niet zeker wist of je nog van plan was de baan in Los Angeles aan te nemen.'

Ze fronste waakzaam, alsof ze in een val kon lopen. 'En als ik ja zeg?'

Sam keek haar recht in de ogen. 'Daar zijn ook ziekenhuizen, Annie.' Hij glimlachte, oprecht vermaakt. 'Ik denk wel dat ik werk kan vinden.'

'Zou je dat voor mij doen?'

Hij knikte ernstig. 'Ik zal alles doen wat nodig is,' zei hij en ze zag de vastberadenheid die vroeger voor zijn werk en zijn patiënten bedoeld was, alleen was hij nu voor haar bestemd. Haar bange voorgevoelens verloren hun greep en ze kon weer vrijuit ademen.

Ze schudde haar hoofd. 'Ik wil hier blijven. Dit is ons thuis. Ik denk ook wel dat ik hier werk kan vinden.' Ze dacht aan wat Griffin White had gezegd over met pensioen gaan als zij zijn baan wilde overnemen. Ze had geweten dat er waarheid school in zijn grapje. Maar ze wist niet of ze het wel wilde. 'Maar ik weet eigenlijk niet of ik wil werken,' zei ze. 'Misschien wil ik wel graag een poosje voor de dingen thuis zorgen.' Ze dacht aan haar tuin en haar huis. De lege kamers moesten gevuld worden met geluid en leven en rommel.

'Ik ga niet terug naar Knoxville,' zei Sam plompverloren. '*Dat* weet ik wel. Het is te ver om elke dag te rijden. Ik wil elke avond naar huis. Ik wil een leven.'

'We kunnen erheen verhuizen,' zei ze dapper.

Sam schudde zijn hoofd. 'Nee. Je hebt gelijk. Ons thuis is hier.'

'Wat ga je dan doen?' vroeg ze, zowel verwarmd als verward door zijn woorden.

'Barney en ik hebben de directeur van het Baptisten-ziekenhuis in Asheville gesproken. Daar willen ze een programma opstarten voor kinderhartchirurgie. Twee van onze associés willen zich bij ons aansluiten, en we hebben gepraat met Nathan Epstein in Cleveland en Harry Winslow in Boston. Het ziekenhuis was erg ingenomen met de kandidaten.'

'Dat mag ook wel,' zei Annie droog. Het was net zoiets als Tiger Woods die vrijwillig golfles ging geven bij de plaatselijke YMCA.

'Izzy zegt dat ze meedoet,' zei Sam met een grijns. 'En de patiënten komen vanzelf naar de artsen toe.'

Ze zag het vertrouwen in zijn ogen. Niet de arrogante trots, maar de warme zekerheid dat hij op zijn plaats was en deed wat hij moest doen. 'En ik kan elke dag ontbijten met mijn vrouw en 's avonds thuiskomen om met haar te eten.' Hij pakte haar hand en ze voelde zijn warme, sterke vingers om de hare.

'Ik zal vanavond Jason Niles bellen,' zei ze. 'Ik heb zijn privé-nummer.' Als ze dacht aan de plannen die ze had gemaakt, leken ze goedkoop en armzalig in elkaar gezet naast dit solide, echte leven.

★

Ze voerde nog één telefoongesprek voordat ze Jason Niles belde. Ze belde naar het kantoor van haar advocaat en sprak een boodschap in dat ze de aanvraag tot echtscheiding introk en gaf haar huidige adres op om de rekening te sturen. Maar er bleef iets aan haar knagen. De gedachte dat ze wegliep uit een ander leven, en ze dacht aan de dozen in de truck op Shirley's oprit. Daar zou ze later voor zorgen, besloot ze.

Nu draaide ze het nummer van Jason Niles, nadat ze het tijdverschil had uitgerekend om te zorgen dat het niet te laat was. Het was daar zeven uur. Delia nam op bij de tweede bel en ze klonk een beetje ademloos. Annie glimlachte, ze was zeker aan het basketballen geweest of misschien had ze achter het dikke konijn aangezeten.

'Delia, met Annie Dalton,' zei ze.

Er viel een lange stilte. 'Met wie?' vroeg Delia.

'Annie Dalton,' herhaalde ze. 'Ik ben een paar weken geleden bij jullie thuis geweest. Je hebt me je konijn laten zien.'

'O.' Het was duidelijk onbelangrijk in Delia's echte leven. 'O ja,' zei Delia. 'Nu weet ik het weer.'

'Ik wil je vader graag spreken,' zei Annie. Ze wachtte terwijl Delia haar vader ging halen. Ze glimlachte toen ze bedacht hoe vaak ze aan Delia had gedacht en hoe weinig Delia kennelijk aan haar had gedacht. Het drukte haar met de neus op de feiten en blies de laatste resten van haar illusies weg.

Ze gaf Jason Niles de korte versie van de gebeurtenissen. 'Ik ben bang dat ik de baan moet laten zitten. Het spijt me heel erg dat ik geen woord heb gehouden.'

'Doe wat je moet doen,' zei hij eenvoudig. 'Ik ben blij dat je je weg naar huis gevonden hebt.'

En het heldere, stralende leven dat ze zich met hem had voorgesteld, verdween. Realiteit nam zijn plaats in. Niet de vlekkeloze realiteit van de fantasie, maar het echte, weerbarstige, beschadigde, prachtige, ademende, warme leven dat voor haar bedoeld was.

★

Ze gingen uit eten met Barney en op weg naar huis vanuit Knoxville zette Sam de auto aan de kant bij het uitkijkpunt naast The Inn in Smoky Hollow. De lucht was diepblauw, de beboste bergtoppen fluweelgroen, de heuvelhellingen vol roze en rode wilde bloemen. De rivier bruiste weer, de watervallen stroomden van de rotstreden en sproeiden een nevel van water voordat ze over het rotsbed naar beneden daverden.

Ze stonden zij aan zij en staarden neer op wat eens een droge, gebarsten vallei was geweest.

'Wanneer trekken we weer in ons huis?' vroeg Annie doortastend.

Sam keek haar ernstig aan. 'Ik dacht dat je misschien eerst het bewijs wilde dat het deze keer anders wordt.'

'Ik heb al het bewijs dat ik nodig heb,' zei ze.

'In dat geval heb ik hier iets wat van jou is.' Hij stak zijn hand in zijn zak en haalde hun ringen tevoorschijn. Hij liet de hare om haar vinger glijden en zij nam de zijne en stopte hem terug waar hij hoorde.

'In voor- en tegenspoed,' zei ze glimlachend.

'Ik hoop dat we de tegenspoed al gehad hebben,' zei Sam gloedvol en ze moest lachen.

Hij kuste haar en ze leunde tegen hem aan. Ze voelde zijn stevige borst en zijn ruige wang onder haar hand, en ze proefde zijn mond, zacht en warm.

'Ik heb een idee voor een tweede huwelijksreis,' zei hij terwijl ze naar de auto liepen. Zijn arm gleed natuurlijk en vertrouwd om haar middel.

'Wat dan?' vroeg ze.

'Laten we naar Seattle gaan.'

Ze was verrast en na een ogenblik bloosde ze van blijdschap. De oude Sam zou nooit overwogen hebben een reis te maken. De oude Sam zou gedreven zijn om naar zijn werk te gaan, zou de mogelijkheid van een vakantie niet eens opengehouden hebben. Ze wilde hem voorstellen aan de mensen die haar zo dierbaar waren geworden. Aan Kirby en Suzanne, aan gekke Shirley. Ze wilde met hem naar Theresa en Dov. Wat zouden ze blij zijn met dit nieuws.

'Klinkt goed,' zei ze grinnikend, 'maar vanwaar dat plotselinge enthousiasme om een reis te maken?'

'Ik laat je niet alleen je zaken afhandelen,' zei hij met een vastberaden uitdrukking op zijn gezicht die versmolt tot een grijns. 'Bovendien wil ik mijn truck terug.'

45

Alles was fris en groen op de trouwdag van Mary en Elijah. Op het moment dat Annie en Sam bij Mary arriveerden, stroomde de reusachtige tuin al vol met familie en vrienden. Elijahs zus was overgekomen uit Pennsylvania en Mary was haar campagne al begonnen om haar als permanente bewoner in de cottage te laten trekken. Dov en Theresa waren uit Los Angeles gekomen en de hereniging met Sam en Annie was plezierig. Haar zwager was in vervoering geweest toen ze hadden opgebeld met het nieuws van de verzoening van Sam en haar en van Mary's bruiloft, en na aankomst had hij haar opgetild en was met haar door de kamer gedanst. Daarna had hij Sam op beide wangen gekust. De muur die hen gescheiden had, was in een ogenblik met de grond gelijk gemaakt. Nu hoorde Annie Dov met zijn luide, bulderende stem de familie vermaken. Hij logeerde met Theresa en de kinderen bij papa en Diane. Sam en zij waren weer in hun eigen huis getrokken.

'Het is tenminste eens lekker opgeruimd,' zei Sam. 'Al die troep zijn we kwijt.'

Het enige verdrietige was gekomen toen ze op bezoek was gegaan bij mevrouw Rogers, om de oude vrouw te bedanken die een eindje met haar meegetrokken was door het dal van duisternis. Zo gauw ze stilhield voor de winkel had Annie geweten dat ze weg was. Het huis zag er leeg uit, de deur was stevig gesloten, de etalage staarde haar met lege ogen aan. De veranda was kaal en er was een bord van een makelaar midden in het tuintje geplant. Verbijsterd stond ze ernaar te staren.

'Bent u een vriendin van mevrouw Rogers? Ik ben haar buurvrouw, Betty Franklin.'

Geschrokken had ze zich omgedraaid. Het was een jonge vrouw met donker haar en een vriendelijk gezicht.

'Ja, maar we hebben de laatste tijd geen contact gehad, ben ik bang. Wat is er gebeurd?' Ze was bang voor het antwoord.

'Ze heeft een beroerte gehad,' zei de vrouw. 'Een kleintje, maar haar dochter is gekomen en heeft haar meegekomen naar South Carolina om bij haar te wonen. Ik vond het vreselijk dat ze wegging. Wij allemaal. Het is het einde van een tijdperk.'

Annie was thuisgekomen met een bezwaard hart, maar met het adres van de dochter van mevrouw Rogers in haar zak. Het was niet zo ver weg. Op een dag zou ze bij haar op een bezoek gaan, beloofde ze zichzelf. Ze zou in ieder geval schrijven.

★

Sam ging even bij de bruidegom kijken, die rustig en ontspannen was, en ging daarna op zoek naar Annie, maar kennelijk waren Diane en zij moeder aan het helpen met haar jurk en haar haar. Hij was wel zo wijs om uit de buurt te blijven, en als hij nog twijfels had gehad, zou Laurie hem uit de droom hebben geholpen toen ze als een wervelstorm langs hem heen rende op weg naar de keuken.

'Heb je niks anders te doen dan een beetje ronddrentelen?' vroeg ze.

'Ik geef de bruid weg,' zei hij.

'Ga naar buiten en kijk bij die kinderen. Ze schoppen herrie en dit hoort een *waardige* gebeurtenis te zijn.'

Sam grinnikte en liep door de keuken, die in een staat van vrolijke chaos was. De koelkast was vol en Laurie had elk beschikbaar oppervlak in de keuken en de eetkamer bedekt met taartschalen en cakeschalen, bergen gebraden kip, rosbief en ham, sandwiches met pimentkaas, verse broodjes en maïsbrood, aardappelsalade, macaroni met kaas, boterbonen, koolsla, zoete aardappelsoufflé, gekookte maïs met limabonen en room, bijenbrood, gelatinepudding met marshmallows, gelatinepudding met appels en noten, gelatinepudding met roomkaas en slagroom, bananenpudding en overal reusachtige beslagen kannen met ijsthee. Laurie en Theresa begonnen een geanimeerde discussie of de aardappelsalade soms tijdelijk in de koelkast gehuisvest moest worden. Hij dook langs hen heen naar buiten.

De bende kinderen waar Laurie zo bezorgd over was, waren inderdaad aan het spelen – met Ricky, die de bron van het meeste lawaai bleek te zijn. Ze gedroegen zich zo keurig als verwacht kon worden, uitzinnig geschrobd en glimmend, knopen dichtgeknoopt, schoenen gepoetst, haarspeldjes op hun plaats, haren aan hun hoofd geplakt. Ze snakten naar het begin van de ceremonie, zodat het maar achter de rug was. Dan zouden ze hun dasjes af rukken en wild gaan spelen zoals ze zo graag deden, en Sam wist dat op een dag zijn eigen kinderen op deze zelfde plek zouden rennen en schreeuwen en spelen. Hij liep langs de kinderen heen zonder ze lastig te vallen. Waardigheid werd sterk overschat.

Zijn ooms waren aan het stemmen. Hij hoorde ze, en hij liep om naar de achterkant van het huis langs de wilgen, langs de schragentafels die gedekt waren met schoon wit linnen en boeketten van zijn moeders rozen.

Hij voelde een uitbarsting van vreugde, meer bedwelmend en lichter dan champagne. Hij liep door het prieel de kleine tuin met groenblijvende planten in. De kamperfoelie waarmee het prieel begroeid was, bloeide en hij ademde de bedwelmende geur in. Hij nam plaats op het bankje. Hij leunde naar voren en keek naar het ernstige gezichtje van het kleine bronzen meisje, en opnieuw kwamen de tranen. Hij had vaak gehuild de laatste dagen. Tranen van vreugde zowel als van verdriet. Hij voelde het alsof de dam was doorgebroken, dat de pijn naar buiten was gevloeid en nu heling en herstel naar binnen konden vloeien.

Hij probeerde zich voor te stellen hoe het zou zijn als hij op een dag Margaret weer zag. Zou ze ouder zijn? Zou ze een vrouw zijn? Of zou ze nog steeds het kind zijn dat hij gekend had, en zouden Annie en hij de kans krijgen haar te zien opgroeien? Hij wist het niet, maar het was nu niet belangrijk meer om alle antwoorden te weten. Zijn dochter was in goede handen. Daar vertrouwde hij op. Hij veegde zijn ogen af met zijn zakdoek en schraapte zijn keel.

'Ik zal je terugzien, mijn kleine meisje,' zei hij.

De muziek begon te spelen. Hij stond op en ging naar de anderen toe.

Epiloog

Het volgende jaar

Ginny's hart zonk van teleurstelling, want eerlijk gezegd was de man aan de hoektafel de enige reden dat ze dit jaar de reis had gemaakt voor haar verjaardag. Ze had geweten dat dit het eind van het verhaal zou zijn. Hoe het ook zij. En daarom had ze net zo lang gezeurd tot haar dochter zwichtte, haar in het minibusje laadde en haar helemaal naar North Carolina bracht, naar The Inn in Smoky Hollow. Ze had de hele weg geklaagd dat het vreselijk veel moeite was voor een paar oude dames die zo nodig hun verjaardag moesten vieren. Imagene had haar uit de auto geholpen, maar Ginny was op eigen kracht het restaurant binnen gewandeld met haar rollator. Ze was aan de linkerkant een beetje zwak, maar ze kon nog praten en denken. Wat Imagene er ook van dacht.

Ze had hoge verwachtingen van deze avond, want ze had het hele jaar lang elke dag gebeden voor de donkerharige man, en ze had het geruste, vreugdevolle gevoel dat haar gebeden verhoord waren. Toen ze hier vanavond aankwam, was echter meteen duidelijk dat ze teleurgesteld zou worden, want zo gauw ze naar binnen liep, had ze gezien dat hij er niet was en dat er zelfs iemand anders aan zijn tafeltje zat. Ze voelde een scherp verdriet, maar ze probeerde het opzij te zetten en te genieten van het samenzijn met haar vriendinnen. Nu waren ze klaar met eten en het werd tijd om de bekende verjaardagsrituelen uit te voeren.

Om haar heen werd druk gepraat, zij zat er stilletjes bij.

444

Op een of andere manier maakte de afwezigheid van de donkerharige man haar verdrietig en mismoedig. Ze begonnen allemaal wat te mankeren, besefte ze. Cora's gezondheid was slecht. Ze was het hele jaar ziekenhuis in, ziekenhuis uit geweest. Marie was er dit jaar niet wegens ziekte. Susan en Laura zagen er allebei zwak en broos uit. Hetzelfde kon van haar gezegd worden en even, voordat het geloof haar redde, voelde ze zich verdrietig en verslagen. Maar ze schudde haar hoofd en bood weerstand aan die gedachten. Ze vertelde zichzelf de waarheid. Hij was haar God toen ze jong en sterk was en Hij zou haar trouw zijn nu ze oud en grijs was. Hij zou haar onderhouden en haar vreugde schenken, tot het einde toe. Waar ze ook woonde. Of ze de verhoring van haar gebeden nu wel of niet zag. Er tikte iemand op haar schouder. Ze draaide zich om. De kelner stond naast haar en hield haar iets voor.

'Mevrouw? Dit is voor u gebracht door een koerier.'

Ze nam het van hem aan. Het was een brief. De envelop van zwaar crèmekleurig briefpapier was geadresseerd met één eenvoudig zinnetje dat een blijde glimlach op haar gezicht deed doorbreken. *Voor de dame die bad.* Ze prutste met het zegel, pakte haar mes en sneed het open. Cora klakte met haar tong. Ginny negeerde haar.

Geliefde Zuster,

Zoals u heeft gezien, ben ik dit jaar niet in The Inn. Mijn vrouw en ik vieren de geboorte van onze dochter. Sarah Eloise weegt zeven pond en vierhonderd gram en heeft rood haar, net als haar moeder. Moeder en dochter maken het goed. Met mijzelf gaat het echter wat minder. Ze heeft vanochtend haar entree gemaakt, dus van nu af aan zal ik aan u denken wanneer we haar verjaardag vieren.

Ik zal nooit vergeten wat u voor mij heeft gedaan. God heeft u ingeschakeld om hoop te bieden toen ik geen hoop meer had, om te bidden toen ik geen geloof meer had. En hoe heeft Hij uw gebed verhoord! Onze overvloedig schenkende God heeft meer gegeven dat we vroegen – Hij heeft zegeningen over ons uitgestort.

Hoe kan ik u bedanken? Maar nee, Hij is het Die ik moet bedanken. We dienen een ontzagwekkende God, nietwaar?

Tot we elkaar weerzien, blijft u in mijn hart en in mijn gebeden, De man aan de hoektafel.

P.S. Het diner is voor mijn rekening. Een fijne verjaardag gewenst en draag dit jaar de rode hoed met de zwarte veren. Die staat u beter dan die andere.

'Wat is het? Wie stuurt jou nou een boodschap hier?' vroeg Laura.

'Heeft Ginny een aanbidder?' Dat was Cora natuurlijk. Altijd de romantische. Ginny hief haar kin en gaf geen antwoord. Ze stopte de brief in haar tas en glimlachte toen de kelners een taart naar binnen reden – een echte taart, zo groot als een wieldop en niet zo'n gek klein gevalletje als anders. Deze was prachtig – drie lagen hoog en vol brandende kaarsjes. Een kelner legde een boeket rozen op tafel – zacht crèmewit in koningsblauw vloeipapier.

'O, lieve help!' Cora zag eruit of ze flauw ging vallen. De kelner wenkte de jonge serveerster. Ze kwam en haalde een chique rode hoed uit een doos met de naam van een van de exclusiefste winkels van Asheville. Ginny zette hem op haar hoofd en bekommerde zich er niet om dat ze er misschien raar uitzag. Maar aan hun gezichten te zien, zag ze er helemaal niet raar uit. Een warm vuur verlichtte haar hart en tranen welden op in haar ogen. Ze voelde zich jong en sterk en mooi toen ze begonnen te zingen.

Dankwoord

Ik ben iedereen innig dankbaar die me geholpen heeft bij het schrijven van dit boek. Als er fouten in staan, komen ze natuurlijk voor mijn rekening. Dank aan:

Roxi Willoughby van mijn favoriete wolwinkel Lamb's Ear, (www.lambsearfarm.com) en Judy Huth, die me buitengewoon behulpzaam hebben geadviseerd over alles wat te maken heeft met schapen, spinnen, weven, breien en garen. Bedankt Roxi, voor het leren breien en voor het uithalen van mijn fouten.

Fletcher Taylor en Ron en Laurel Pentecost, die me over medische zaken hebben geadviseerd.

Sharon Lotin en het baliepersoneel van het Renaissance Hotel in Asheville, die me uitstekende aanwijzingen gaven bij al mijn excursies en talloze vragen hebben beantwoord.

Dominee Chuck Waldrup en de gemeente van Candler House of Prayer, voor hun bemoedigingen en het vriendelijk welkom heten van een onbekende.

Jill Ann Mitchell, voor het verhelderen van kleinigheden die Californië betreffen.

Patti Jeffrey en David Zeeck, voor het beantwoorden van mijn vragen over journalistiek.

Mijn vader, Jesse Taylor, algemeen raadsman op het gebied van het Zuiden, hartbewaking, droogte, vis bakken en alles wat je nog meer wilt weten.

Mijn neef Ryan Perry en zijn vrouw Susan, evenals mijn neef Lane Perry, voor de adviezen over hengelsport.

Kevin Moorhead, voor informatie over droogteperiodes in North Carolina.

Sandra Bennet van de Thistle Cove Farm, die me hielp herinneren aan kattenkopbiscuits.

Jo Ann Jensen en Sue Detloff, voor hun hulp over schapen en hooi, en de rest van het stel: Sherry Holmes, Sherry Maiura en Mae Lou Larson, voor al hun hulp bij het brainstormen over een plot.

Jill Barnet, Krysteen Seelen, Debbie Macomber en Susan Plunkett, voor hun vriendschap, ideeën en gebed.

Mijn echtgenoot, Ken, voor de juridische details.

Mijn moeder, Dixie Tanner, voor de prachtige verhalen over het leven van vroeger in de bergen.

W.D. Page, ontwikkelingsmanager van SOAR International en Dave en Hazel Morrow, voor hun hulp betreffende internationale zending.

Graag wil ik mijn dank uitspreken aan Beth Moore, Henry Blackaby en Bunny Wilson, wiens onderwijs hun weg vond in de levens van mijn karakters, evenals het uitstekende boek *Walk on Water* van Michael Ruhlman, wat een onschatbare bron was over kinderhartchirurgie.

En zoals altijd ben ik dankbaarheid verschuldigd aan Theresa Park, mijn agente en vriendin, en Carol Johnson en Sharon Asmus, mijn redacteuren bij Bethany House, evenals alle voortreffelijke mensen daar. Zonder jullie was dit allemaal niet tot stand gekomen.